S. MICHELE

P9-EME-618

Canale delle Navi

Canale di S. Marco

Fond. Specchhiari

Fond. Mendicanti

Fond. Nuove

Campo
SS. Giovanni
e Paolo

Campo
S. Lorenzo

Campo
Confraternita

Sal. S. Giustina

Fond. di S. Lorenzo

CASTELLO

Campo
S. Zaccaria

Campo
Bandiera
e Moro

Fond. dell'Arsenale

Riva degli

Schiavoni

Riva Ca
di Dio

Riva dei Sette Martiri

Via Garibaldi

Viale Garibaldi

Fond. S. Giuseppe

Giardini Pubblici

Giardini Pubblici

Viale Trento

Viale dei

Viale 24 Maggio

Campo
S. Giorgio

S. Giovanni

Parco
della
Rimembranza

Viale 4 Novembre

Viale Vittorio Veneto

Viale Piave

Campo
Sportivo

VENISE

ART & ARCHITECTURE

VENISE

Marion Kaminski

KÖNEMANN

Frontispice
Le pont du Rialto

Copyright © 1999 Könemann Verlagsgesellschaft mbH
Bonner Strasse 126 ; D-50968 Cologne

Direction artistique et d'édition : Peter Feierabend
Responsable de projet : Ute Edda Hammer
Assistance : Jeannette Fentroß
Révision : Barbro Garenfeld
Maquette : Anne-Claire Martin, Philine Rath
Graphisme : Rolli Arts, Essen
Cartographie : Astrid Fischer-Leitl, Munich
Recherches iconographiques : Monika Bergmann
Lithographie : Omniascanners, Milan
Fabrication : Mark Voges

Titre originnal: *Kunst & Architektur – Venedig*

Copyright © 2000 pour l'édition française
Könemann Verlagsgesellschaft mbH

Réalisation : Atelier d'édition Millefeuilles, Bruxelles
Traduction de l'allemand : Juliane Regler et Alain Impens
Révision : Alain de Gueldre

Suivi éditorial : Marie-Cécile Azam
Correction : Laure Leclerc, Cologne, Aurélie Varga, Munich
Fabrication : Ursula Schümer

Impression et reliure : Sing Cheong Co. Ltd. , Hong Kong
Imprimé en Chine

ISBN 3-8290-2665-X
10 9 8 7 6 5 4 3 2 1

Table des matières

8   **Treize siècles d'histoire**
     Des origines à la fin de la République

20   Comment s'orienter à Venise

22   **Le Grand Canal (cartes p. 26-31)**
34   Santa Maria degli Scalzi
36   San Geremia
38   Palazzo Vendramin-Calergi
40   Fondaco dei Turchi / San Stae
44   Ca' Pesaro
47   Ca' d'Oro / Pescheria
48   Fabbriche Nuove
51   Fondaco dei Tedeschi
54   Palazzo Grimani
55   Palazzo Papadopoli
58   *Les palais et autres demeures*
65   Palazzo Corner-Spinelli
66   Palazzo Grassi / Ca' Foscari
69   Ca' Rezzonico / Palazzo Giustinian
71   Gallerie dell'Accademia
73   Palazzo Venier dei Leoni
74   Ca' Grande / Ca' Dario
77   Santa Maria della Salute
81   Dogana da Mar

82   **Le quartier de San Marco (carte p. 85)**
88   La basilique Saint-Marc (plan p. 103)
122   *Un saint patron pour la République : le vol d'une relique*
126   Le palais des Doges (plans p. 146, 148 et 156)
138   *Le Doge et les conseils*
168   *Pourquoi le portrait du doge Marino Falier a-t-il été voilé de noir?*
172   La Libreria
183   La place Saint-Marc (Piazza San Marco)
190   *L'ultime sursaut d'indépendance de la République de Venise*
198   Le Café Florian
202   Santo Stefano

Le Grand Canal

Les mosaïques de la façade
de Saint-Marc

Vue depuis le clocher
des Frari

204   Teatro La Fenice / Ateneo Veneto
209   Palazzo Contarini del Bovolo
210   San Salvatore

214   Les quartiers de San Polo et de Santa Croce (carte p. 217)
224   Le problème de l'alimentation en eau potable
230   Église des Frari (plan p. 232)
236   Une tombe bien modeste pour un si grand musicien :
          Claudio Monteverdi (1567-1643)
246   Les Scuole : des œuvres sociales aux dépenses somptuaires
252   Scuola Grande di San Rocco
260   Scuola Grande di San Giovanni Evangelista

264   Le quartier de Dorsoduro (carte p. 267)
268   Zattere
270   San Pantalon
273   Ca' Rezzonico
280   Giacomo Casanova : bien plus qu'un grand séducteur,
          il fut un témoin du siècle
284   Scuola Grande dei Carmini
286   I Carmini (Santa Maria del Carmelo)
291   San Sebastiano
302   I Gesuati (Santa Maria del Rosario)
306   La Commedia dell'Arte : parvenus
          stupides et paysans subtils, riches
          vieillards et sempiternelles victimes
310   Gallerie dell'Accademia (pl. p. 315)
330   Le souvenir de la Venise de jadis
334   Collection Peggy Guggenheim

340   La Giudecca (carte p. 342)
344   Il Redentore
348   Mulino Stucky / Zitelle (Santa Maria della Presentazione)
350   Les courtisanes de Venise : grandeurs et vicissitudes
          d'un art de vivre

354   San Giorgio Maggiore

362   Le quartier de Cannaregio (carte p. 364)
366   San Giobbe
368   Palazzo Labia

Palais sur le Grand Canal

Il Redentore

Des Fondamenta Contarini
à Madonna dell'Orto

San Giorgio Maggiore

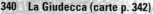

Le Lido

372   *Le Ghetto : refuge ou prison pour les Juifs de Venise ?*
380   Madonna dell'Orto
385   Galleria Giorgio Franchetti à la Ca' d'Oro
392   Santi Apostoli
394   I Gesuiti (Santa Maria Assunta)
398   *Marco Polo, découvreur d'un nouveau monde*
404   Santa Maria dei Miracoli
408   San Giovanni Crisostomo
412   *Une question d'honneur : la fête des douze Marie*

416   Le quartier Castello et le Lido (carte p. 419)
420   San Zaccaria
426   *Antonio Vivaldi : un violoniste pauvre*
       et un orchestre de jeunes filles à la conquête du grand monde
432   San Giorgio dei Greci / Pietà
434   San Giovanni in Bragora
436   Scuola di San Giorgio degli Schiavoni
440   *Le Carnaval de Venise*
446   Santa Maria Formosa
449   Palazzo Querini Stampalia
458   Scuola Grande di San Marco
462   *Quand la Peste Noire ravageait*
       la Cité des Doges

Le cloître de San Michele in Isola

L'église Santa Fosca à Torcello

468   San Zanipolo (plan p. 473)
482   L'Arsenal
486   Les jardins de la Biennale (plan p. 487)
488   Le Lido

490   San Michele in Isola (carte p. 492)

498   Murano, Burano
**   et Torcello**
500   Murano (carte p. 501)
508   Burano
510   Torcello
514   Annexes

Vue depuis le clocher des Frari

516   Glossaire
536   Chronologie   570   Bibliographie
542   Dictionnaire des artistes   573   Index
564   Formes architecturales   578   Crédits iconographiques

Treize siècles d'histoire
Des origines à la fin de la République

Dans l'après-midi du 28 septembre 1786, lorsqu'il contempla Venise pour la première fois, Goethe la qualifia de « Forteresse de Castors ». C'est dire que, pour mieux comprendre la complexité de cet enchevêtrement de canaux, de ruelles, de passages, de ponts et d'impasses qui caractérise Venise, il convient de remonter à la genèse même de son histoire.

Les origines

La lagune qui se déploie à l'extrémité nord-ouest de l'Adriatique – et qui portait déjà le nom de Venetia du temps des Romains – était jadis bien plus étendue qu'aujourd'hui. Elle devait sa dimension aux nombreux bras des fleuves alpins qui venaient se jeter ici dans la Méditerranée. Par dépôts successifs d'alluvions, émergèrent de ses eaux saumâtres des îlots de fange et de ces larges cordons sableux que l'on nomme ici *lidi*. Peuplés de pêcheurs et de saliniers, ils allaient bientôt servir de villégiatures estivales aux riches habitants des cités romaines. Paisible et retirée, la vie de la population locale n'évolua qu'avec lenteur mais, dans le courant du IVe siècle, des « envahisseurs » toujours plus nombreux venus du Nord déferlèrent sur l'Italie en vagues successives. Les habitants des colonies romaines se réfugièrent sur les îlots de la lagune. L'invasion d'Attila, en 452-453, provoqua un afflux de réfugiés. De nouvelles cités telles que Chioggia, Jesolo ou Torcello commencèrent à prospérer tandis que le site de la future Venise voyait se développer des habitats plus importants dans les secteurs d'Olivolo (l'actuel Castello), autour de Rivo Alto (aujourd'hui Rialto) et en d'autres sites élevés au-dessus du niveau des eaux. Au VIe siècle, la Vénétie fut rattachée à la zone d'influence des Ostrogoths, qui gouvernaient leurs territoires depuis Ravenne. Leur royaume s'effondra à la mort du roi Théodoric en 526 et la Vénétie redevint possession romaine sous Justinien (482/83-565). Mais la paix fut de courte durée. En 568, les invasions lombardes provoquèrent la scission de l'Empire romain. De nouveau, un flot de réfugiés se déversa sur la lagune. Torcello et Malamocco devinrent d'importants centres commerciaux et culturels, tandis que la population des îles s'accroissait à son tour. Chaque îlot continua néanmoins à constituer un petit monde en soi. Lorsqu'en 680 les empereurs romains s'installèrent définitivement à Constantinople, cédant l'Italie du Nord aux Lombards, l'exarchat de Ravenne dont dépendaient la lagune vénitienne, Rome et quelques autres territoires, resta soumis à la tutelle impériale.

Vittore Carpaccio, Le Lion de saint Marc, *1516, huile sur toile, 130 x 368 cm, Palazzo Ducale, Venise. Après la translation des reliques de saint Marc en 828, le lion, emblème de l'Évangéliste, devint le symbole de Venise. Sur le livre ouvert s'inscrivent les mots par lesquels l'ange annonça à Marc que Venise ferait de lui son saint patron.*

Les îles se développèrent peu à peu. Grâce au commerce – principalement celui du sel et du poisson –, l'économie locale, traditionnellement assise sur l'agriculture et la pêche, prit de l'ampleur. Devant la menace permanente que représentaient les Lombards, les habitants de la lagune parvinrent néanmoins à obtenir de Byzance que les tribuns militaires contrôlant jusqu'alors le site soient remplacés par un « dux » autochtone doté de grands pouvoirs de décision. Le premier à être élu, en 697, s'appelait Luca-Paoluccio Anafesto. Pourtant la situation demeurait instable. Lorsque Charlemagne soumit les Lombards en 774, Venise devint l'objet d'un litige entre Byzantins et Carolingiens, mais l'échec d'une offensive lancée par Pépin, l'un des fils de Charlemagne, contribua à restaurer l'autorité de Byzance sur le territoire de la lagune. À la suite de ces dangereuses incursions, le duc ou doge se retira à Rivo Alto, dans la partie plus abritée de la lagune. Le transfert du siège de l'administration militaire sur l'une des îles de la future Venise marqua le début de son essor : ce groupe d'îlots minuscules était désormais en passe de devenir une véritable communauté urbaine et l'une des grandes puissances de la Méditerranée. Ce n'est qu'au cours du XIIIe siècle que la nouvelle cité, composée de nombreux villages et bourgs insulaires, adopta finalement le nom de Venezia. Si le transfert du siège administratif joua un rôle unificateur, l'identité de la ville se façonna surtout autour de la personne de saint Marc, dont les reliques furent ramenées d'Alexandrie en 828. On ne tarda pas alors à construire une église pour les abriter et à forger une

Francesco Bassano, Le pape Alexandre III remet le glaive de la victoire au doge Sebastiano Ziani, *1577-1585, Palazzo Ducale, Venise. Huile sur toile, 575 x 575 cm. Ce tableau du XVIe siècle nous montre l'acte solennel par lequel le Pape honora le Doge qui avait permis de signer la paix entre l'empereur Frédéric Barberousse et Alexandre III en 1177. La petite place représentée ici n'est pas celle du XIIe siècle, mais celle du XVIe siècle.*

légende : alors que l'apôtre évangélisait la lagune, un ange lui serait apparu en songe. Là même où se dresse aujourd'hui la basilique Saint-Marc, l'ange révéla à l'évangéliste que l'endroit où il se reposait accueillerait un jour son tombeau et serait consacré à son culte.

La naissance d'une grande puissance

La nouvelle cité se constitua peu à peu. À la fin du IXe siècle, ses fortifications s'étendaient de la Riva degli Schiavoni jusqu'à la Punta della Dogana, en passant par San Giorgio pour rejoindre Santa Maria Zobenigo. Quelques ponts de bois jetés par-dessus les innombrables cours d'eau et les marécages apparurent au sein de ce périmètre, mais les communautés vivant au-dehors de cette enceinte n'étaient accessibles que par bateau. Hormis quelques rues principales, les chemins de l'intérieur de la ville ne reliaient pas les différents quartiers mais servaient seulement à la population locale. Les Vénitiens n'en étaient pas moins unis : par leur saint patron, par la nécessité de se défendre et par des intérêts commerciaux. Conjuguant leurs forces, ils par-vinrent à soumettre l'Adriatique tout entière à leur contrôle. À plusieurs reprises, leur puissante flotte militaire vola au secours de Byzance. En contrepartie, les doges obtinrent d'importants privilèges commerciaux et une autonomie croissante. Dans ce rapport de force entre la capitale Constantinople et sa lointaine vassale ita-

lienne, c'est la cité des lagunes qui eut finalement le dessus. Même si, dans les documents byzantins, Venise continuait à être la « fille aînée », il devint manifeste qu'elle s'était depuis longtemps affranchie de l'Empire byzantin déclinant. La nouvelle basilique Saint-Marc, somptueux édifice érigé à la fin du XIe siècle pour le saint patron de la ville, était le symbole éclatant de la puissance grandissante et de la richesse de la cité. Au XIIe siècle, la Sérénissime détenait des comptoirs commerciaux dans toute la Méditerranée orientale et elle était devenue la rivale de Pise et de Gênes, autres républiques maritimes. Mais elles étaient toutes trois convoitées par les empereurs germaniques, qui se prétendaient les héritiers légitimes de l'Empire romain. Comme Venise appartenait toujours à Byzance, elle se tint d'abord à l'écart des combats livrés par les riches cités italiennes pour sauvegarder leur indépendance. Même si, après maintes hésitations, elle rejoignit la Ligue lombarde, sa diplomatie habile lui valut d'être la médiatrice entre l'Empereur germanique et le Pape, qui soutenait les cités italiennes. En 1177, la paix entre Frédéric Ier Barberousse, le pape Alexandre III et la Ligue fut signée à Venise. C'est ainsi que la Sérénissime accéda au statut de grande puissance à part entière. Il allait suffire de quelques décennies de plus pour que les Vénitiens s'affranchissent totalement de la tutelle byzantine, qui n'était de toute façon plus que nominale. En dépit de son grand âge et de sa cécité, le doge Enrico Dandolo (1192-1205) fut l'une des personnalités les plus marquantes de l'histoire vénitienne. Grâce à ses manœuvres astucieuses, les soldats de la quatrième croisade, qui s'embarquaient au Lido sur les navires vénitiens, acceptèrent d'aller conquérir Constantinople. Le prétexte était de faire valoir les droits d'un prétendant au trône évincé, mais le jeune homme qu'ils intronisèrent en 1203 trouva la mort sur le champ de bataille. En 1204, les croisés et les Vénitiens se partagèrent l'Empire byzantin, non sans avoir d'abord pillé les fabuleux trésors de Constantinople. Même les sanctuaires ne furent pas épargnés. Les Vénitiens ramenèrent en Occident d'innombrables œuvres d'art destinées à orner l'église de leur saint patron. Cette croisade leur livra aussi la souveraineté sur trois-huitièmes ou, selon leurs propres mots, sur « un quart et demi » de l'ex-Empire byzantin. La République annexa ainsi toute une série de ports en Méditerranée orientale. Gênes, sa grande rivale, ne tarda pas à tenter de remettre Venise à sa place en s'alliant avec les Byzantins en 1261. Unissant leurs efforts, ils éliminèrent le royaume fondé par les croisés sur le sol de Byzance. Ce fut un coup dur porté aux Vénitiens, qui perdaient ainsi tous les privilèges commerciaux dont ils avaient joui jusqu'alors. Grâce à leur génie diplomatique, ils parvinrent néanmoins à récupérer certains débouchés auprès des empereurs byzan-

tins. Mais la haine des Génois était tenace. La chance fluctua au gré des batailles et, durant plus d'un siècle, les deux rivales se disputèrent la suprématie en Méditerranée orientale. Enfin, en 1378-1379, Gênes sembla avoir atteint son but. La flotte vénitienne fut démantelée et les Génois se retrouvèrent maîtres de la Méditerranée. Avec l'aide des Autrichiens et des maîtres de Padoue, les Carrara, ils tentèrent de s'emparer de Venise même. L'offensive menée contre la Cité des Doges est entrée dans l'histoire sous le nom de « Guerre de Chioggia ». Les Génois et leurs alliés parvinrent en effet à s'emparer de cette ville et à s'infiltrer ainsi dans la lagune proprement dite. Mais les Vénitiens ne se donnèrent pas pour vaincus. Au prix d'immenses efforts, ils reconstruisirent leur flotte, barricadèrent les voies maritimes accédant à la lagune et bloquèrent Porto di Lido, le seul passage vers la mer encore ouvert. Dans le même temps, ils confièrent à nouveau le commandement de la flotte à Vittore Pisani, l'homme que les Génois avaient vaincu en 1378-1379 et qui croupissait en prison depuis lors. Le 13 août 1380, les Génois étaient cette fois bel et bien défaits. La principale menace extérieure qui planait jusqu'alors sur la République était définitivement levée.

Sur le plan de la politique intérieure en revanche, les crises ne lui étaient toujours pas épargnées. Déjà en 1310, Bajamonte Tiepolo tenta de renverser le doge en

Domenico Tintoretto, La prise de Constantinople, *1578-1585, Palazzo Ducale, Venise.*

fonction pour prendre sa place sur le trône. En 1355, une attaque beaucoup plus dangereuse pour les institutions fut le fait du doge Marino Faliero lui-même qui, à l'instar de ce qui se passait dans d'autres cités italiennes, aspirait à devenir le maître absolu de sa ville.

Mais son complot fut dénoncé et réprimé à l'aide de ceux-là même sur lesquels il avait compté, à savoir les artisans et les ouvriers de l'arsenal. Le 17 avril, Faliero fut décapité sur les marches du palais des Doges, à l'endroit même où il avait été couronné.

L'Âge d'or de la République

Jusqu'au début du XVe siècle, la République avait toujours eu le regard tourné vers la mer. Navigation et commerce maritime étaient les piliers de la fortune vénitienne. Conscients de leur pouvoir grandissant, les Vénitiens entreprirent alors de conquérir leur arrière-pays. Certains, comme le vieux doge Tomaso Mocenigo (au pouvoir de 1414 à 1423) essayèrent de les en dissuader et les exhortèrent à revenir à la source de leur puissance, l'ouverture sur la mer. Mais d'autres voix se faisaient entendre depuis longtemps. C'est ainsi que Francesco Foscari fut élu à la fonction de doge en 1423. Il s'employa à étendre conséquemment le pouvoir de Venise sur la terre ferme. Vers le milieu du siècle, le territoire de la République s'étendait du Pô aux Alpes et, vers l'est, jusqu'à l'Istrie et la Dalmatie. Mais le tribut à payer était lourd. Ces conquêtes exigeaient d'énormes investissements matériels, alors que l'expansion de Venise suscitait la méfiance de toute l'Europe. La chance abandonna les Vénitiens lorsque les Turcs prirent Constantinople en 1453. Pendant une courte période, le fondement économique des guerres de conquête vénitiennes – le commerce florissant en Orient – fut pratiquement paralysé. Même si les Vénitiens ne tardèrent pas à conclure des traités avec les nouveaux dirigeants, la situation n'était plus ce qu'elle avait été. Les Turcs devinrent une menace permanente. Les finances de la République commencèrent à s'épuiser. On accusa le doge et sa politique trop ambitieuse d'être à l'origine de ces problèmes. En 1457, Francesco Foscari fut contraint d'abdiquer honteusement. Il mourut deux jours après l'élection de son successeur. Au cours de la seconde moitié du XVe siècle, les îles et ports que Venise possédait en Méditerranée orientale tombèrent un à un devant les Turcs.

C'est avec satisfaction que l'Europe observait les défaites de cette République détestée, qui avait continuellement élargi ses possessions en Italie du Nord. En 1508, le Pape, l'Espagne, l'Empire germanique et la France s'allièrent contre les Vénitiens au sein de la Ligue de Cambrai, bientôt rejoints par les ducs de Mantoue, de Ferrare et de Savoie. Un an plus tard, l'armée vénitienne était anéantie : la puissance de Venise semblait brisée. La Cité des Doges fut alors décimée par la peste et, en 1509,

Jacopo de Barbari, Plan de Venise, *1500, gravure sur bois, Museo Correr, Venise. En 1500, le Vénitien Jacopo de Barbari fit graver chez Anton Koberger, à Nuremberg, une carte sur laquelle il avait reproduit chaque maison de sa ville natale.*

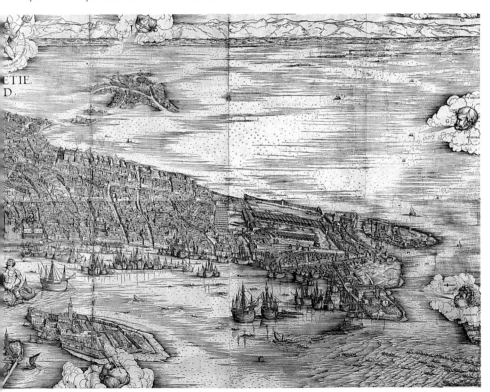

Lorenzo Bastiani, Le doge Francesco Foscari, *seconde moitié du xve siècle, Museo Correr, Venise.*

Gentile Bellini, Le sultan Mahomet II, conquérant de Constantinople, *1480, huile sur toile, 70 x 52 cm, National Gallery, Londres.*

elle fit l'objet d'un anathème pontifical. Luttant avec leurs dernières forces, les Vénitiens remportèrent finalement une victoire diplomatique. Ils parvinrent à semer la discorde entre leurs adversaires et à briser la coalition ennemie. La République était à bout, mais la guerre contre la Ligue de Cambrai se termina sans pertes territoriales. Pour la dernière fois, Venise était à l'apogée de son pouvoir. Cependant, l'époque glorieuse où la Cité des Doges avait sa place dans le concert des puissances européennes tirait à sa fin. La découverte du Nouveau Monde par Christophe Colomb en 1492 et l'ouverture de nouvelles routes commerciales y contribuèrent d'ailleurs moins que l'on pourrait le croire. Le volume des échanges commerciaux de Venise ne diminua que très progressivement au cours du xvie siècle. Même si l'essor des nouveaux axes commerciaux dominés par l'Espagne et le Portugal était une réalité, les causes de son déclin résident plutôt dans l'intérêt faiblissant du patriciat vénitien, plus soucieux d'investir dans les biens fonciers que dans des activités commerciales hasardeuses.

La lente agonie de la République

Une fois la politique européenne devenue l'affaire des grandes puissances territoriales, aucun des petits États italiens – fût-il aussi riche que Venise – n'y joua désormais de rôle. La victoire navale de Lépante, même si elle fut remportée en 1571 sur les Turcs avec le concours de la flotte vénitienne, ne constitua un triomphe réel que pour le roi d'Espagne Philippe II, auquel revint désormais le rôle de protecteur de la chrétienté. Les Vénitiens réussirent néanmoins à sauvegarder leur indépendance. En effet, le système politique de la Cité des Doges lui évita de tomber totalement sous l'emprise des grandes puissances, ce qui fut en revanche le sort de Florence, que la politique matrimoniale de ses dirigeants avait étroitement liée aux grandes dynasties de l'Europe. La séparation rigoureuse entre l'État et l'Église empêcha, elle aussi, le

Lattanzio Querena, L'entrée des troupes napoléoniennes à Venise, *Museo del Risorgimento, Venise.*

Pape de renforcer son influence sur la République. En 1606, Paul V tenta bien de contraindre Venise à accorder davantage de pouvoir à l'Église catholique en lançant un interdit, sentence proscrivant toute célébration du culte, sur la ville. Mais les Vénitiens ripostèrent en refusant de publier la sentence pontificale sur leur territoire, aussi le Pape finit-il par s'incliner. Un autre danger auquel les Vénitiens ne purent en revanche résister à terme fut la conquête de leurs colonies méditerranéennes par les Turcs. En dépit de batailles innombrables, parfois couronnées de succès, Venise dut finalement renoncer à tout ce qu'elle avait possédé en Méditerranée orientale. Après de sanglants combats, elle perdit même la Crète et ses terres fertiles (1669). Même si quatorze ans plus tard les Vénitiens dirigés par un doge déterminé, Francesco Morosini, parvinrent à reconquérir le Péloponnèse, cette victoire ne fut qu'un sursis. La République était devenue une quantité si négligeable qu'en 1718 fut signée par la Turquie et l'Autriche la paix de Passarowitz, qui décida sans elle de l'avenir de certains de ses territoires. Au XVIIIᵉ siècle, on peut dire que le déclin de la Sérénissime était consommé. Lorsqu'en 1797, Napoléon obligea le Grand Conseil de mettre fin à presque mille ans d'indépendance, il ne fit qu'entériner la fin d'un dernier acte, prévisible de longue date. Certes, la plupart s'attendaient à ce que ce Venise fût soumise par les Habsbourg, ces derniers convoitant la lagune depuis longtemps, mais il fallut attendre la défaite de Napoléon pour que Venise, comme toute l'Italie du Nord, tombât aux mains de l'Autriche. À peine quelques années plus tard, l'Italie se lança dans une difficile guerre d'indépendance. Les Vénitiens y participèrent de manière héroïque et tragique, mais ils ne purent plus jamais décider librement de leur sort. C'est la victoire de la Prusse sur l'Autriche, à laquelle contribua le royaume d'Italie, qui permit la tenue d'un plébiscite en 1866, au cours duquel 674 426 électeurs de Venise et de la Vénétie (il y eut 69 voix contre) optèrent pour leur intégration au royaume d'Italie. Le temps de l'indépendance était définitivement révolu. La page d'un millénaire d'histoire vénitienne était bel et bien tournée.

Artiste anonyme, gravure d'après un plan de Venise du XIVᵉ siècle, Museo Correr, Venise. Contrairement à la cartographie actuelle, ce plan ne s'oriente pas en fonction du nord mais de l'est. Au milieu vers la droite, on distingue parfaitement le palais des Doges cerné d'une muraille.

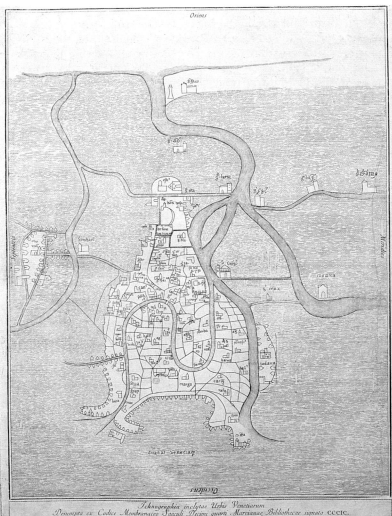

Oriens

S. Nico

g. geo

S. ilena

S. m̄a

elzi

claṡ

S. dmze

Sinchael

Epiacatrū

S. artena

g. bia

S. Georgi

cauana

S. erux

ludaica

Civitat Veneciarp

Occidens

Ichnographia inclytae Urbis Venetiarum
Desumpta ex Codice Membranaceo Saeculi Decimi quarti Marcianae Bibliothecae signato CCCIC.
et in Publicum producta Curante Thoma Temantia
A. R. S. CIƆIƆCCLXXX.

Comment s'orienter à Venise

On prétend toujours qu'il n'existe pas de plan fiable de Venise. Cette rumeur est fausse, mais le plan officiel de la ville, qui répertorie toutes ses rues et canaux, est tellement complexe qu'il risquerait de perturber un promeneur désireux d'explorer la Cité des Doges. Heureusement, les principaux itinéraires sur lesquels se trouvent les plus beaux édifices et musées de la ville sont parfaitement balisés par des panneaux permettant à quiconque de retrouver aisément le chemin de la place

Artiste anonyme, Vue en perspective de Venise, *huile sur toile, Museo Correr, Venise.*

Saint-Marc, du Rialto, de l'Accademia, ou de la gare. Ils vous guideront de manière sûre dans le labyrinthe des rues et canaux, tout en vous donnant l'occasion de découvrir la majeure partie de Venise. Même si le temps vous est compté, n'hésitez pas à faire un détour et laissez-vous envoûter par ce monde inconnu. En flânant avec l'excitation d'une pointe d'insécurité dans le dédale de ses ruelles, vous découvrirez le charme de la ville d'une façon tout à fait originale.

Un rayon de soleil qui se faufile entre deux maisons, un canal paisible dans la pénombre, une fenêtre ouverte qui laisse s'échapper des odeurs de cuisine, une silhouette surgissant pour s'évanouir aussitôt, comme avalée par les pierres, des rues sombres et étroites qui s'ouvrent soudain sur une petite place secrète ou sur un somptueux palais – tout ceci fait Venise, au même titre que le palais des Doges ou les grandes demeures qui jalonnent le Grand Canal. Voilà pourquoi la cité de la lagune – qui est suffisamment petite pour être traversée en l'espace de deux ou trois heures – est sans doute aussi le meilleur endroit du monde pour se perdre. Que l'on soit fatigué ou que l'on ait faim, il faut rarement plus d'un quart d'heure de marche pour rejoindre la prochaine station du « vaporetto », d'où un bateau vous ramènera en terrain connu. Pour le connaisseur, les noms de rues, à Venise, peuvent parfaitement contribuer à son orientation. Certains axes sont désignés par le mot italien « calle ». D'autres, plus nombreux, se nomment « salizzada » (une rue importante déjà pavée autrefois), « fondamenta » (un quai longeant un canal) ou « ruga » (une rue bordée de magasins et d'ateliers). Le terme « ramo » désigne un passage qui relie deux rues plus importantes, mais il peut aussi s'agir de canaux, de sorte que les « rami » sont souvent des impasses. Un « sottoportego » est un passage couvert, tandis qu'un « rio terra » est un canal comblé, aujourd'hui transformé en voie piétonne. Pour le reste, la ville se divise en six quartiers, que l'on nomme « sestiere » (de l'italien *sesto*, un sixième) : San Marco au centre, Santa Croce et San Polo au nord-ouest, Cannaregio au nord, Dorsoduro à l'ouest, la Giudecca au sud et Castello à l'est. Il s'agit d'entités autonomes qui, aujourd'hui encore, tiennent compte du fait que Venise se compose d'une foule de petits îlots. Les rues et les ponts servent surtout à parcourir de courtes distances au sein d'un même quartier, tandis que les trajets plus longs se font, depuis toujours, en bateau.

Le Grand Canal

La boucle de la Ca' Foscari en venant de l'ouest

Tel un fleuve sinueux qui traverse la ville, le Grand Canal est à la fois l'artère vitale de Venise, sa grand-rue et sa promenade. Jadis, les navires marchands en remontaient le cours jusqu'au Rialto pour y décharger leur cargaison d'épices, de soies, de joyaux et de fourrures. Sur les berges de ce large chenal, les grandes familles du patriciat vénitien élevèrent de superbes palais, qu'ils nommaient tout simplement « Ca' » (l'abréviation locale de *casa*, maison). Suivant un code d'honneur tacite, ils veillaient à ce que ces constructions ne s'avancent pas trop dans le canal et qu'elles ne se démarquent pas des autres par une ornementation trop ostentatoire. C'est à cette tradition séculaire que le paysage urbain doit la physionomie relativement homogène qu'il a su préserver jusqu'au

S. Maria degli Scalzi, p. 34

Fondaco dei Turchi, p. 40

Piazzale Roma Parking

P.LE Roma

Ca'Foscari, p. 67

Stazione Ferroviaria

Chiesa Degli Scalzi

Palazzo Flangini

San Simeon Piccolo

Rio Nuovo

Palazzo Balbi

Ca' Foscari (Universita)

Pont du Rialto, p. 52/53

Palazzo Grassi, p. 66

Rio Nuovo

Palazzo Balbi

Palazzo

Palazzo Persico

P

Ca' Foscari (Università)

Ca'
Rezzonico

Ca'Rezzonico, p. 68

Ca' Rezzonico (Museo)

Pal. dell' Ambasciatore

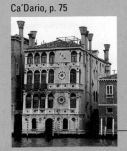
Ca'Dario, p. 75

Accademia, p. 71

Contarini degli Scrigni
Corfù

Ca'd'Oro, p. 46

Pescherie (marché au poisson), p. 47

Fondaco dei Tedeschi

Fondaco dei Tedeschi, p. 51

Palazzo Papadopoli, p. 55

Palazzo Grimani, p. 54

Da Mosta

zo Contarini

San Marcuola

Pal. Vendramin
Calergi
(Casino D'Inverno)

Palazzo Marcello

Palazzo Piovene

Pal. Gussino · Grimani

Pal. Gussino · Grimani

Pal. Michiel Dalle Colonne

Ca' D'Oro

Palazzo

S. Marcuola

Biagio

S. Stae

Ca' D'Oro

Fondaco Dei Turchi
(Museo)

Palazzo Battaggia

Palazzo Tron

Ca' Pesaro
Museo

Pal. Corner
Della Regina

Pescherie

Rialto

Palazzo Vendramin

Pal. Querini

Pal. Bernardo

Pal. Papadopoli

S. Silvestro

Rialto

ersico

Palazzo Dona

Palazzo Pisani

San Marco

Palazzo Ma

S. Toma

S. Angelo

Palazzo Farsetti

Palazzo Loredan

Contarini
dalle Figure

Palazzi
Mocenigo

Pal. Corner · Spinelli

Palazzo Grimani

Pal. Moro · Lin

Pal. Grassi
(Museo)

27

Palazzo Dona
Palazzo Pisani
Palazzo Vendramin
Pal. Querini
Pal. Bernardo
Pal. Papadopoli
Rialto
Rialto
S. Silvestro
Palazzo Manin

S. Toma
S. Angelo
San Marco
Procuratie Nuove

Palazzo Grimani
Palazzo Farsetti
Palazzo Loredan

Palazzi Mocenigo
Contarini dalle Figure
Pal. Corner · Spinelli

Pal. Moro · Lin

Pal. Grassi (Museo)
Palazzo Giustinian Lolin
Pal. Cavalli Franchetti
Pal. Corner Cà Grande
Pal. Hotel Gritti
Pal. Manolessi · Ferro
Pal. Contarini · Fasan
Palazzi Barozzi · Emo
Palazzo Giustinian Grand' Hotel de L' Europe

S. M. del Giglio

Accademia

La Salute

Galleria dell' Accademia
Contarini dal Zaffo Manzoni
Pal. Venier dei Leoni (Incompiuto)
Palazzo Dario
Volkoff
S. Maria della Salute
Dogana

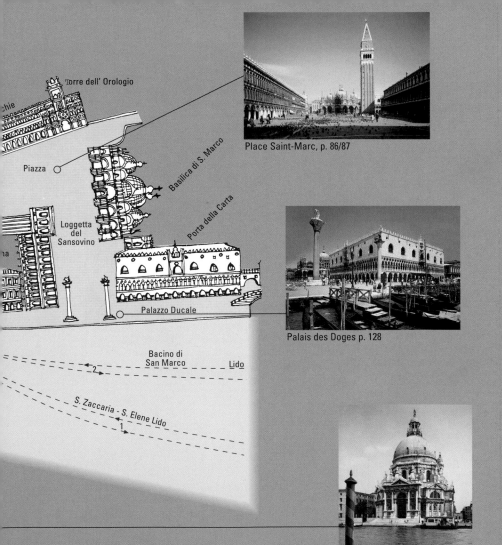

Torre dell' Orologio

Piazza

Basilica di S. Marco

Loggetta
del
Sansovino

Porta della Carta

Palazzo Ducale

Bacino di
San Marco — Lido

S. Zaccaria - S. Elene Lido
1

2

Place Saint-Marc, p. 86/87

Palais des Doges p. 128

Santa Maria della Salute, p. 76

XXᵉ siècle. Le long du Grand Canal se déploie ainsi un panorama unique de l'architecture vénitienne des cinq derniers siècles.

La boucle de la Ca' Foscari en venant de l'est

Que ce soit en gondole, en bateau privé ou sur l'un des « vaporetti », ces autobus flottants, la croisière sur l'artère principale de Venise compte parmi les expériences les plus inoubliables d'une visite dans la Cité des Doges. C'est ainsi que l'on peut apprécier cette ambiance toute particulière qui naît de la rencontre du ciel, de l'eau et de l'architecture. Jusqu'au XIXᵉ siècle, un pont unique, celui du Rialto, enjambait le canal. De nos jours sont venus s'y ajouter la passerelle en bois de l'Accademia et un second pont de pierre près de la gare. Pour les Vénitiens, l'absence de pont n'a jamais constitué un obstacle. Jadis, la majeure partie du trafic s'effectuait par voie d'eau. Les canaux étaient plus importants que les voies terrestres, que l'on empruntait surtout pour se déplacer à l'intérieur des différents quartiers regroupés autour d'une église. Il faut noter enfin ces substituts aux ponts que sont les « traghetti », gondoles collectives dans lesquelles les passagers debout peuvent traverser le canal pour une somme modique. Les « traghetti » offrent au visiteur l'occasion de partager un instant le quotidien des Vénitiens.

Maria di Nazareth, est tombé dans l'oubli. En 1654, les Carmes chargèrent Baldassare Longhena de leur ériger cette église, qui fut réalisée entre 1656 et 1672. La façade en marbre richement ornée, achevée en 1680, est due à Giuseppe Sardi. Les sculptures sont attribuées à Bernardo Falcone. C'est le comte Gerolamo Cavazza qui assuma le financement de la construction du sanctuaire.

San Simeone Piccolo (Santi Simeone e Giuda)

Le nom de cette église fait référence à l'apôtre Simon, tandis que San Simeone Grande, qui est située un peu plus au nord, est dédiée au prophète du même nom. La fondation de San Simeone Piccolo remonte au IXᵉ siècle alors que la rotonde actuelle, de style baroque tardif, avec son dôme vert étincelant et le haut pronaos de la façade datent du XVIIIᵉ. Ils sont l'œuvre de Giovanni Scalfarotto, qui les édifia entre 1718 et 1738 sur le modèle du Panthéon de Rome.

Santa Maria degli Scalzi (Santa Maria di Nazareth)

L'église abbatiale des Carmes déchaussés est l'un des plus beaux sanctuaires baroques de Venise. Si l'appellation « degli Scalzi » (déchaussés) est bien connue des autochtones, son nom d'origine, Santa

San Geremia / Palazzo Labia

Au xı^e siècle déjà, une église dédiée au prophète Jérémie se dressait en ce lieu. Le
campanile, qui est l'un des plus anciens de
Venise, remonte vraisemblablement au
xıı^e siècle. L'édifice actuel, en revanche, ne
date que du xvııı^e siècle. Il fut érigé d'après
les plans de Carlo Corbellini à partir de
1753. Les façades, détruites dans un incendie causé par les bombardements autrichiens de 1848, ont été remaniées en 1871.

Juste à côté du campanile de San Geremia,
on distingue l'une des façades latérales du
palais Labia. Ce dernier fut achevé en 1750
par Alessandro Tremignon. Alors qu'au
xvııı^e siècle Venise était sur le déclin, les
Labia, marchands richissimes, parvinrent à
se faire admettre au sein du patriciat vénitien contre le versement d'une forte
somme. C'était l'une des rares familles qui
pût encore s'offrir la construction d'un
palais aussi dispendieux. Mais l'intérêt du
bâtiment réside surtout dans les remarquables fresques de Giovanni Battista Tie-

polo (voir p. 368-371) qui ornent notamment la grande salle de bal.

San Marcuola
(Santi Ermagora e Fortunato)

Le nom de cette église est une contraction typiquement vénitienne des prénoms Hermagoras et Fortunatus, les deux martyrs d'Aquilée auxquels cette église fut dédiée. À l'instar d'un grand nombre de sanctuaires vénitiens, la façade de cet édifice construit entre 1728 et 1736 par Giorgio Massari est restée inachevée. L'intérieur à une seule nef est sobre, mais plus élégant que ne le laisse supposer la façade peu séduisante, et il mérite certainement une visite. Outre les autels baroques sculptés par Giovanni Maria Morlaiter, on peut également y admirer une œuvre de Tintoret, *La Cène* (1547).

Le Palazzo Vendramin-Calergi

Mauro Codussi, le premier architecte à appliquer à Venise le langage formel de la Renaissance dans sa plus noble expression, érigea ce beau palais vers 1500. Après sa mort en 1504, cet édifice qui fera date dans l'histoire de l'art fut achevé par les Lom-

bardi. La façade présente un agencement de fenêtres typique pour Venise (soit une fenêtre de part et d'autre et trois fenêtres accolées au milieu). Mais à la place des ogives caractéristiques encore en vigueur dans la Venise du xve siècle, Codussi a surmonté les arcs en plein cintre géminés d'un troisième arc qui les réunit. Un oculus est serti dans l'écoinçon supérieur. L'ornementation des baies évoque les fenêtres gothiques finement ajourées des palais plus anciens, sans pour autant recourir à leur répertoire décoratif. Cette option se retrouve au niveau des placages de porphyre et de marbre polychromes comme au niveau des reliefs dont Codussi a orné les pilastres jouxtant les fenêtres et l'architrave supérieure. L'aspect harmonieux et homogène de la façade ainsi que l'équilibre des travées horizontales et verticales sont créés par les vigoureux bandeaux qui séparent les différents étages et délimitent la zone des fenêtres vers le haut. L'étage noble, le *piano nobile*, est également souligné par la ligne des balcons. C'est dans ce palais que Richard Wagner mourut le 13 février 1883. De nos jours, le bâtiment accueille le casino municipal durant l'hiver, tandis qu'en été, les joueurs se retrouvent au casino du Lido.

Le Deposito del Megio

À Venise, les anciens entrepôts à grain du XVe siècle étaient logés dans un modeste bâtiment en briques. Un bas-relief représentant le Lion de saint Marc indiquait qu'il s'agissait là d'une propriété de l'État. La République vénitienne entretenait en effet plusieurs entrepôts de ce type afin de garantir un approvisionnement minimum et bon marché à la population.

Le Fondaco dei Turchi

Ce palais de style vénéto-byzantin fut édifié au XIIIᵉ siècle pour la famille Da Pesaro. Au siècle suivant, il était considéré comme l'un des plus somptueux édifices de la ville, car le Sénat y logeait souvent les hôtes de marque de la Sérénissime. Ce n'est qu'au XVIIᵉ siècle, en 1621, que le *fondaco dei Turchi*, comptoir des marchands ottomans, y fut transféré. De la construction d'origine subsistent encore quelques éléments qui comptent parmi les plus anciens vestiges des habitations de pierre vénitiennes. Après la fin de la République, le Fondaco dei Turchi tomba en ruines, jusqu'à ce qu'il

soit entièrement rénové entre 1858 et 1869 – une restauration radicale que les experts contemporains jugent plutôt déplorable. Aujourd'hui, l'édifice abrite le musée d'histoire naturelle, et notamment une intéressante exposition consacrée à la faune et la flore de la lagune.

San Stae (San Eustachio)

En dialecte vénitien, le nom de cette église dédiée à saint Eustache se dit simplement « Stae ». Lors d'un concours lancé en 1709 pour la décoration de la façade, restée inachevée, Domenico Rossi fut choisi parmi douze candidats. Un siècle plus tard, on reprocha à cette façade d'être surchargée. Inspirée des temples antiques, elle présente un tympan triangulaire porté par des colonnes engagées montées sur un haut piédestal. Le fronton brisé au-dessus du portail d'entrée ne s'harmonise guère avec le style de l'ensemble, mais il est la seule « fantaisie baroque » que se soit autorisée l'architecte. De nos jours, cette église dotée d'une excellente acoustique est souvent utilisée pour des concerts. Elle renferme de précieux tableaux de Tiepolo et de Pellegrini.

Giovanni Battista Piazzetta :
Saint Jacques mené au martyre, 1722
Huile sur toile, 165 x 138 cm

Piazzetta est un représentant du ténébris-me, un courant pictural privilégiant les couleurs sombres et les tonalités brunâtres dont il devint l'un des maîtres éminents. On notera ici la virtuosité avec laquelle est peinte la chemise de l'apôtre, qui rayonne de blancheur alors qu'elle est également exécutée au moyen d'une gamme de colo-ris sombres. L'éclairage violent, tel un faisceau de lumière, donne aux person-nages un aspect déchiré. Les clairs-obscurs contrastés soulignent l'aspect dramatique de cette scène cruelle.

Giovanni Battista Tiepolo :
Le martyre de saint Barthélemy, 1722-1723
Huile sur toile, 167 x 139 cm

Pour la décoration de San Stae, douze artistes vénitiens furent invités en 1722 à réaliser chacun un tableau consacré au martyre d'un apôtre. L'église devint ainsi une sorte de galerie d'exposition des artistes en vogue à Venise au début du XVIIIe siècle. Il est frappant de constater que, mis à part le jeune Tiepolo, âgé d'à peine vingt-six ans, on n'a choisi que des peintres vieillissants. Or, cette œuvre de jeunesse, dans laquelle Tiepolo subit enco-re l'influence des maîtres plus anciens réunis autour de lui, se distinguait déjà par le choix des coloris. Utilisant des couleurs vives, Tiepolo posa sur sa toile des accents déroutants, par exemple ce rouge cassé sur la culotte du sbire ou l'étoffe bleu sombre qui luit entre la cuisse du mercenaire et l'aisselle de Barthélemy. Le ton rougeâtre de la culotte accentue la luminosité de cette zone. Si l'on compare le pagne clair de saint Barthélemy avec la chemise blanche de saint Jacques dans le tableau de Piazzetta, on constate que Tiepolo travaille avec des ombres colorées (ici bleu clair et mauve). On remarquera aussi la plasticité fascinante des mains : la main droite du saint semble littéralement venir à la ren-contre du spectateur. Ce travail des mains constitue une application magistrale des effets de perspective que Tiepolo obtenait uniquement à l'aide de ses coloris.

La Ca' Pesaro

Entre 1558 et 1628, la famille Pesaro acquit trois palais contigus qu'elle fit démolir en 1628. La même année, Baldassare Longhena était chargé d'élever à leur place un unique palais aux dimensions gigantesques. Il y travailla jusqu'à sa mort en 1682, sans parvenir à aller au-delà du premier étage. Ce n'est qu'en 1710 que l'édifice fut achevé par Antonio Gaspari. En son temps, ce palais était jugé trop voyant, voire prétentieux, et donc peu convenable pour une famille du patriciat vénitien. La comparaison avec d'autres édifices qui bordent le Grand Canal confirme que cette critique n'était pas seulement inspirée par l'envie. Depuis 1902, le bâtiment abrite le musée d'art moderne de Venise. En ce début de XXe siècle, un conservateur avisé parvint à lui imprimer une orientation intéressante.

Tandis qu'à l'époque la Biennale exposait essentiellement des artistes sélectionnés par un jury ultra-conservateur, la Ca' Pesaro ouvrait ses portes aux représentants de l'art moderne classique. Aujourd'hui, on peut y admirer entre autres des œuvres de Vedova, Chirico, Miró, Grosz, Klee, Klimt, Arp et Calder. Au même endroit, le musée d'art oriental propose une vaste collection d'art japonais du XVIIᵉ au XIXᵉ siècle.

Domenico Rossi, qui en entreprit la construction en 1724. La recherche plastique ainsi que l'ordonnance rigoureuse et la symétrie de la façade témoignent des préoccupations formelles de Rossi, qui compte parmi les architectes vénitiens les plus talentueux du XVIIIᵉ siècle. Ce palais abrite à présent les archives de la Biennale et une vaste bibliothèque d'art contemporain.

Le Palazzo Corner della Regina

Certes, Catherine Cornaro (1454-1510) n'a pu commanditer ce palais baroque érigé deux siècles après sa mort, mais elle naquit dans le bâtiment qui le précéda. L'appellation d'un édifice d'après un membre illustre d'une lignée était pour les Vénitiens un moyen de distinguer les différentes branches des familles patriciennes. C'est pourquoi la demeure de la branche de la famille Cornaro dont était issue cette reine de Chypre porte son nom. Venise compte par ailleurs plusieurs palais Corner – ou Cornaro. Celui-ci est dû à

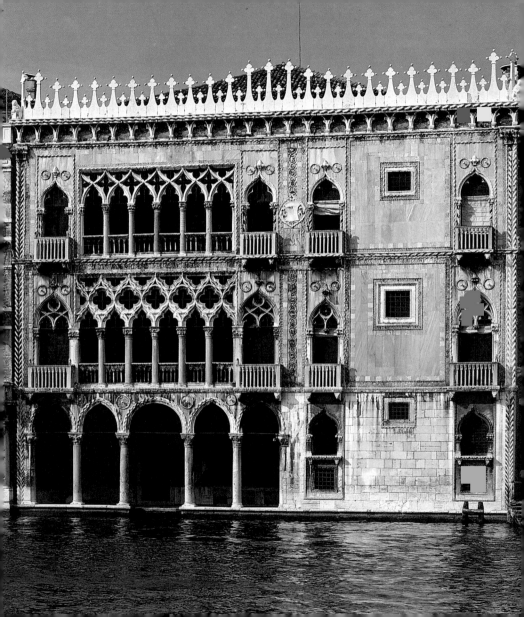

La Ca' d'Oro

Même sans les dorures et les décors rouges et bleus qui l'enjolivaient jadis, la Maison d'or est le plus bel exemple du style gothique fleuri si imaginatif qui régnait encore à Venise, alors que Florence avait adopté depuis longtemps le langage architectural austère de la Renaissance. Marino Contarini ordonna la construction de ce palais en 1421. Son décor sculpté raffiné est en partie l'œuvre de Matteo Raverti. On lui doit sans doute les arcades du premier étage, qui reprennent le répertoire décoratif du palais des Doges. En 1840, un prince russe offrit ce palais à l'illustre danseuse Maria Taglioni. Incapable d'apprécier la valeur artistique de ce cadeau romantique et précieux, elle y fit apporter des transformations peu conformes au style originel, qui furent supprimées par le comte Giorgio Franchetti, acquéreur de l'édifice en 1894. Une dizaine d'années plus tard, il légua le palais et ses riches collections d'art à l'État italien.

La Pescheria

Ce marché aux poissons *(pescheria)* existe depuis le XIVe siècle, mais la halle néo-gothique actuelle est d'époque beaucoup plus récente. Elle fut érigée en 1907, non pas d'après les plans d'un architecte, mais d'après ceux du peintre Cesare Laurenti.

Les Fabbriche Nuove

Ce long bâtiment était à l'origine le siège de l'administration du commerce vénitien. Il fut édifié entre 1552 et 1555 par Jacopo Sansovino, qui parvint à créer avec peu de moyens cette bâtisse sobre et fonctionnelle destinée à une grande institution. Jadis, les Fabbriche Nuove servaient au magistrat qui était chargé de contrôler les activités commerciales du Rialto. Sur la droite du bâtiment se tient encore le grand marché de Venise. Certes, il ne s'y négocie plus de crédits financiers ni de marchandises précieuses comme du temps de Sansovino, mais les Vénitiens viennent s'y approvisionner en légumes frais et autres denrées. Cet édifice public de la Haute-Renaissance semble avoir fait ses preuves en matière d'administration, puisqu'il abrite encore d'importants services vénitiens, dont certaines instances judiciaires. Néanmoins, que celui qui se met à rêver au plaisir qu'il y aurait à avoir ses bureaux dans ce site splendide donnant sur le Grand Canal et le pittoresque marché du Rialto y réfléchisse à deux fois : par le passé, les rats du marché voisin ont causé bien des tracas en essayant de s'installer dans ces vieux murs !

Le Palazzo dei Camerlenghi

Ce vieux palais situé juste à côté du pont du Rialto abritait les cabinets des trois trésoriers municipaux (« Camerlenghi ») et d'autres bureaux. La prison au rez-de-chaussée était réservée à ceux qui tentaient de frauder le fisc. Afin de mieux combattre les délits, il y avait des boîtes aux lettres destinées aux dénonciations anonymes. Le bâtiment, qui fait un angle pour épouser la courbe du canal, date de 1525-1528, sous le doganat d'Andrea Gritti. Apparemment, l'architecte (probablement Guglielmo Bergamasco) n'eut pas à respecter des consignes aussi sévères que pour le Fondaco dei Tedeschi situé juste en face. Les façades richement ornées soulignent l'importance de la fonction : les recettes des Vénitiens provenaient essentiellement des droits de douane et des taxes sur les marchandises.

Le Fondaco dei Tedeschi

Le terme « fondaco » dérive de l'arabe *fondouq*, qui désigne à la fois une auberge et un entrepôt. Dès 1228, les Allemands disposaient à Venise d'un bâtiment combinant logis et entrepôts. Les négociants y étaient facilement joignables et les formalités douanières pouvaient s'accomplir sur le champ. Seuls les plus éminents partenaires commerciaux de la Sérénissime jouissaient de tels privilèges. Par sa sobriété, la façade du Fondaco se distingue des autres édifices du Grand Canal datant du début du XVIᵉ siècle. Lorsqu'il fit reconstruire à ses frais le bâtiment dévasté par un incendie en 1505, le Sénat vénitien refusa toute ornementation en marbre sur l'entrepôt des négociants allemands. En revanche, les façades de cet édifice de style Renaissance furent décorées de fresques peintes par Giorgione et par le jeune Titien. Celles-ci remportèrent autant de succès qu'une somptueuse ornementation. À l'inverse de Giorgione, déjà célèbre, Titien se vit attribuer la façade située côté rue. Ses peintures accessibles à tous marquèrent le début d'une carrière exceptionnelle. Quelques fragments de ces fresques, qui ont succombé au climat de la lagune, sont encore conservés à la Ca' d'Oro. Comme le bâtiment est aujourd'hui le siège de la Poste centrale, rien n'empêche d'aller jeter un coup d'œil à l'intérieur.

Le pont du Rialto

Là où se dresse aujourd'hui l'un des fleurons de Venise, il n'y eut longtemps qu'un pont de bois enjambant le Grand Canal. Au XVe siècle, on lui substitua un pont-levis afin de permettre aux voiliers d'emprunter le canal. En 1524, on envisagea de le remplacer par un pont de pierre, un projet qui n'aboutit que soixante ans plus tard. L'idée était d'en faire un ouvrage tout à fait exceptionnel, mais l'édification d'un pont de pierre sur un sol instable exigeait de résoudre un problème d'ingénierie épineux. L'élaboration des plans traîna en longueur jusqu'à la fin du siècle. Tous les architectes réputés de l'époque y allèrent de leurs projets, notamment Sansovino, Scamozzi, Palladio et même le grand Michel-Ange. Finalement, c'est à Antonio da Ponte que l'on confia en 1588 la réalisation d'un pont doté d'une arche élégante et d'une galerie commerçante. Da Ponte n'était pas une célébrité parmi les architectes de son temps, mais simplement un *proto*, un chef de travaux du Magistrato al Sal, responsable des nombreux édifices publics de Venise, et pour lequel Da Ponte travaillait aussi comme hydraulicien, expérience qui fut sans doute déterminante pour sa désignation. Son projet fut exécuté en l'espace de trois ans seulement. Les saints patrons de la ville, Théodore et Marc, figurent sur les reliefs ornant les deux faces du pont.

Le Palazzo Grimani

Ce monumental palais aux formes vigoureuses, construit entre 1541 et 1575, fait un peu figure d'intrus parmi les édifices gracieux, inspirés du style gothique vénitien, qui l'environnent. Le palais Grimani est l'œuvre maîtresse de l'architecte véronais Michele Sanmicheli. Sa conception ne pourrait être plus éloignée du schéma traditionnel vénitien. La partie centrale de l'édifice est à peine mise en valeur, sauf par les colonnes toutes simples encadrant les fenêtres du milieu et qui semblent réunir les trois baies centrales. Les autres fenêtres sont flanquées de colonnes doubles. Sous une certaine lumière, la façade semble ainsi dédoublée, le plan avant étant formé par les colonnes et pilastres en fortes saillies derrière lesquels se dresse le mur proprement dit. Les croisées, anormalement grandes dans le contexte vénitien, ont donné naissance à une légende : un soupirant éconduit parce qu'il n'était pas assez fortuné aux yeux de sa bien-aimée, ou de la famille de celle-ci, aurait fait construire cette demeure avec l'idée que chaque fenêtre en serait plus grande que l'entrée principale de la demeure de cette jeune fille. Même s'il ne s'agit que d'une fable, l'histoire montre à quel point l'édifice contrastait avec le décor vénitien, de sorte que l'on eut besoin d'y trouver une explication. À la mort de Sanmicheli en 1559, l'étage inférieur était terminé et le *piano nobile* en cours de travaux. Il est donc probable que seuls ces deux niveaux correspondent aux plans de l'architecte. L'étage supérieur, plus tassé, est dû à Giangiacomo de' Grigi. Le palais ne fut achevé qu'en 1575 sous la direction d'Antonio Rusconi.

Le Palazzo Papadopoli

Ce palais de style Renaissance fut élevé vers le milieu du XVIᵉ siècle par Giangiacomo de' Grigi – fils et collaborateur du célèbre Guglielmo de' Grigi de Bergame – pour la famille Coccina, également originaire de Bergame. Avec ce bâtiment relativement dépouillé, de' Grigi se démarquait des architectes lombards antérieurs, fort appréciés pour leur style foisonnant. Seul l'axe principal est ici souligné par des colonnes et de grandes baies en plein cintre. On notera les deux obélisques sur le toit du palais.

**Paolo Véronèse : *La présentation
de la famille Coccina à la Vierge,* 1571**
Huile sur toile, 164 x 416 cm
Gemäldegalerie Alte Meister, Dresde

Il existe un tableau représentant le commanditaire du palais et de sa famille. Il
s'agit de *La présentation de la famille Coccina*
à la Vierge de Véronèse, aujourd'hui à la
Gemäldegalerie Alte Meister de Dresde, qui
représente toute la famille en adoration
devant la Vierge Marie. Cette œuvre, ainsi
qu'une *Adoration des Mages,* des *Noces de
Cana* et un *Chemin de croix* de mêmes
dimensions, ornait jadis l'une des salles du
palais. La Vierge y est entourée d'un ange

et des saints Jean et Jérôme. Des incarnations des trois vertus théologales – la Foi, l'Espérance et la Charité – accompagnent les personnages. L'allégorie de la Foi, vêtue d'une cape blanche, tient par la main le chef de la famille, Zuanantonio, entouré par l'Espérance et la Charité. Plus à gauche se tiennent ses frères Alvise (debout) et Antonio (à genoux), avec son épouse Zuana, sa fille Marietta et d'autres enfants. À l'arrière-plan, on distingue le palais familial récemment construit. Tout à fait à droite, une nourrice fait son entrée en portant le plus jeune rejeton de la famille, Zuanbattista.

Les palais et autres demeures

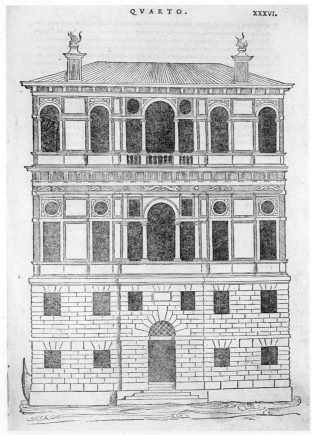

Un palais vénitien type. Gravure extraite des Regoli Generali di Architettura *de Sebastiano Serlio, Venise, 1537, p. 156.*

Pour les Vénitiens, il n'existe à Venise qu'une seule place, la place Saint-Marc, et qu'un seul palais, le palais des Doges. Pour tous les autres palais, l'usage a adopté le terme « Ca' », abréviation de *casa* (maison). En décrivant les palais vénitiens et leur schéma de construction, l'architecte Sebastiano Serlio (vers 1475-1554) en vint à admirer la discrétion du patriciat local. Comparée à d'autres grandes cités italiennes telles que Rome, Milan ou Florence, Venise possède en effet un nombre considérable de demeures relativement petites mais somptueusement aménagées, qui présentent presque toujours le même schéma, élaboré au plus tard au XIIIe siècle.

Les façades permettent de deviner l'organisation de l'espace. Au premier étage, le *piano nobile*, se trouvent les salles d'apparat destinées aux fêtes et réceptions. Vers l'avant, la pièce la plus vaste,

La Ca' da Mosto, l'une des plus anciennes demeures sur le Grand Canal, dont les étages supérieurs datent du XVIIᵉ siècle.

La Ca' da Mosto (détail), dont les deux étages inférieurs datent de la fin du XIIᵉ ou du début du XIIIᵉ siècle.

sala ou *portego*, est signalée par une large rangée de baies. Certains palais offrent au deuxième étage une autre pièce de ce type, plus petite, également mise en valeur par des baies géminées. Ces salles sont flanquées de pièces d'habitation plus étroites, dont les fenêtres sont écartées des baies centrales.

C'est cette ordonnance qui crée le rythme si caractéristique de la façade vénitienne. Parfois s'y ajoutent des rangées de fenêtres

Le Palazzo Bembo, sur le Grand Canal, avec sa façade typique du xv* siècle. Certaines parties de l'édifice sont plus anciennes.

plus petites entre le niveau inférieur et le premier étage, ou directement sous le toit. Il s'agit des mezzanines, étages intermédiaires moins hauts que les autres, qui abritaient les entrepôts et les chambres des domestiques, mais pouvaient aussi servir de quartiers d'hiver faciles à chauffer, ou de bureaux.

L'époque de construction d'un palais se lit également sur sa façade. Dans le cas des bâtiments les plus anciens, elle est enduite de crépi ou en brique apparente, avec des arcs en plein cintre élevés et souvent rehaussés, retombant souvent sur des colonnettes doubles et encadrés d'étroites bandes décoratives. De temps à autre, ces façades anciennes sont également ornées de patères, petits disques en relief d'origine byzantine. À l'époque gothique, au XIVe siècle, l'arc ogival devient l'élément déterminant. Il apparaît souvent dans sa variante typiquement vénitienne qui évoque la carène d'un bateau. Certains spécialistes estiment que cette forme est elle aussi d'inspiration orientale. D'autres motifs ornementaux tels que les remplages ajourés complètent la façade du palais gothique typique.

Vers la fin du XVe siècle apparurent les incrustations de pierres, empruntées au répertoire du XIIIe siècle. À partir du XVIe siècle s'imposeront les colonnes et les revêtements en pierre naturelle, qui d'ailleurs pouvaient aussi être peints. La peinture des façades jouait en effet un rôle important dans le paysage urbain de Venise. De nos jours, il ne reste plus guère de traces de cette profusion de décors peints. Ce schéma, avec son agencement intérieur

typique, s'appliquait également aux constructions modestes. Même dans les petites maisons, parfois à un seul étage, les principales pièces d'habitation se trouvaient au premier et elles disposaient généralement de larges baies groupées au milieu de la façade. Dans la plupart des cas, les bâtiments étaient érigés sur des pieux enfoncés dans la vase. Les matériaux de construction devaient donc être

Ca' Foscari (détail), remplages gothiques du milieu du XVe siècle sur le modèle du palais des Doges.

Le Palazzo Dario, sur le Grand Canal, date de la seconde moitié du XVᵉ siècle.

extrêmement légers et, à cet égard, les immeubles érigés par de riches particuliers, les Scuole et autres institutions étaient tout à fait ingénieux.

Bon nombre de ces logements étaient gratuitement mis à la disposition des indigents tandis que d'autres faisaient l'objet de spéculations et rapportaient des loyers. Ces édifices étaient souvent regroupés autour d'une cour intérieure commune dotée d'un puits, ou ils s'élevaient de part et d'autre d'une ruelle. Chaque appartement disposait normalement de sa propre entrée : même s'ils étaient minuscules et situés au deuxième ou au troisième étage, on essayait d'éviter la construction d'un corridor commun. Les ruelles pouvaient être fermées la nuit pour la sécurité des habitants.

Quantité de ces immeubles des siècles passés se sont conservés jusqu'à nos jours, et l'on s'émerveille encore devant l'organisation intelligente de l'espace et la qualité de vie relativement bonne qu'offraient ces précurseurs des logements sociaux.

Le Palazzo Dolfin-Manin sur le Grand Canal, érigé entre 1536 et 1574 d'après les plans de Jacopo Sansovino.

La Marinarezza, un complexe d'habitations pour les ouvriers de l'arsenal de Castello, datant du xve siècle, puis agrandi au xviie siècle.

Le Palazzo Corner-Spinelli

Ce palais est l'un des plus intéressants témoignages de la première Renaissance italienne (1490-1510). L'architecte Mauro Codussi y combina les formes limpides de la Renaissance à la vivacité de la façade gothique. Les motifs antiques sont remaniés au profit d'une distribution plus nuancée. Avec son parement en bossage rustique et ses petites fenêtres, le rez-de-chaussée abritant les entrepôts semble former un socle pour les étages

supérieurs à l'ordonnance plus complexe. Les fenêtres géminées sont surmontées d'un troisième arc en plein cintre. Le tympan qui en résulte est agrémenté d'une ouverture en forme de boucle inspirée d'un motif gothique typique, qui servait jadis de cadre à d'autres ornementations, mais constitue ici une décoration à part entière. Les décors en pierres polychromes rappellent les incrustations de marbre du XIIIe siècle. Les élégants balcons saillants, en forme de trèfle, devant les fenêtres latérales du *piano nobile*, sont une fantaisie de Codussi contribuant à animer l'effet de la façade, mais qu'il ne reprendra nulle part ailleurs.

Le Palazzo Contarini delle Figure

Ce palais Renaissance fut sans doute commencé par Giorgio Spavento dans la première moitié du XVIe siècle et achevé par Antonio Abbondio, dit Scarpagnino. Son attribut « *delle Figure* » lui vient des deux cariatides du balcon au-dessus de l'entrée principale. Peu visibles et assez banales sur le plan artistique, elles sont cependant une caractéristique utile pour distinguer cette demeure parmi les 21 palais de l'immense famille Contarini.

La Ca' Foscari

Le doge Francesco Foscari, l'une des figures marquantes du début du xvᵉ siècle, fut le commanditaire de cet imposant palais érigé à partir de 1452. Dans la frise surplombant le deuxième étage, deux *putti* soutiennent le blason de sa famille. Les loggias situées devant les salles d'apparat du deuxième étage s'agencent de la même manière que celles de l'aile du palais des Doges reconstruit sous le même Foscari. Il s'agit peut-être d'une allusion à sa fonction de doge et à son rôle de maître d'œuvre du Palais ducal. Cependant, cet élément décoratif se retrouve sur d'autres demeures de l'époque, ce qui a laissé supposer que le patriciat vénitien entendait ainsi afficher ses liens avec le gouvernement. Le doge en effet n'était pas le seul à disposer du Palais ducal : c'était aussi le lieu de réunion du Grand Conseil, réservé à la noblesse et dont étaient issus tous les dignitaires de la République. Mais est-ce que la popularité de ce type de loggia justifie vraiment le fait que l'arc en ogive gothique se soit maintenu si longtemps à Venise ? L'explication semble un peu simpliste.

Le Palazzo Grassi

En 1749, Giorgio Massari fut chargé d'élever un palais pour la famille Grassi de Bologne. Grâce à sa fortune, celle-ci réussit à entrer dans les rangs du patriciat vénitien en 1718. Peu après, elle commandita ce superbe édifice baroque. Bien que d'aspect très homogène, la façade est typiquement vénitienne. Les fenêtres du milieu sont groupées et séparées des baies latérales par des pilastres doubles. Aujourd'hui, le palais est une propriété de la société Fiat, qui en a fait un lieu d'exposition renommé.

CA' REZZONICO
Museo del Settecento Veneziano

La Ca' Rezzonico

Ce beau palais baroque fut commencé dans la seconde moitié du XVIIᵉ siècle par Baldassare Longhena, l'un des architectes les plus éminents de l'époque, pour le compte du procurateur Filippo Buon. À la suite de difficultés financières et du décès inopiné de l'héritier, les travaux ne dépassèrent pas l'étage noble et l'édifice fut recouvert d'une toiture provisoire en bois. Au siècle suivant, le palais fut vendu à la famille Rezzonico de Côme, patricienne depuis 1687, qui en 1751 chargea Giorgio Massari d'en achever la construction de façon moins austère. Le mur disparaissant complètement sous les demi-colonnes, les chapiteaux en saillie, les mascarons au-dessus des fenêtres et les colonnettes doubles soutenant les arcs en plein cintre des baies créent sur la façade un jeu d'ombres et de lumières qui anime la surface et en fait un édifice typiquement baroque. Il abrite aujourd'hui le Musée du XVIIIᵉ siècle vénitien (voir aussi p. 273), ce qui offre une bonne occasion de découvrir l'intérieur de ce palais qui fut somptueusement décoré par la famille Rezzonico.

Le Palazzo Giustinian

Ce palais se compose en fait de deux bâtiments. Tous deux construits au milieu du XVᵉ siècle, ils témoignent, comme la Ca' Foscari voisine, de l'attachement au vocabulaire décoratif raffiné et gracieux du gothique vénitien. La symétrie de la façade qui se déploie de part et d'autre de la travée des baies centrales surmontant un portail donnant sur l'eau rappelle bien qu'il s'agit de palais distincts. C'est ici que Richard Wagner composa le deuxième acte de *Tristan et Isolde* au cours de l'hiver 1858-1859.

La Ca' del Duca

Face au palais Loredan, à l'endroit même où, vers le milieu du xvᵉ siècle, la famille Corner voulut se faire ériger une demeure par Bartolomeo Buon, se dressent aujourd'hui deux palais. À peine commencé, l'édifice d'origine fut en effet vendu en 1461 au duc de Milan, Francesco Sforza, qui souhaitait se doter d'une belle résidence à Venise. Ce palais non plus ne vit jamais

le jour, les travaux ayant été interrompus assez rapidement. Sur le côté droit du bâtiment actuel subsistent quelques vestiges de la construction initiale, dont la pierre blanche tranche sur les parties crépies de l'édifice. Ils indiquent que le bâtiment prévu au milieu du xvᵉ siècle présentait déjà des caractéristiques typiquement Renaissance, ce qui aurait pu, si le projet avait abouti, donner une orientation très différente à l'architecture vénitienne.

La galerie de l'Académie (Gallerie dell'Accademia)

L'Accademia est logée dans une ancienne *scuola*, la Scuola Grande della Carità, qui dépendait de l'église et du couvent Santa Maria della Carità. Son nom rappelle les débuts de cette magnifique collection de tableaux, issue des collections didactiques de l'Académie de peinture fondée en 1750. La façade de l'édifice, où se trouve aujourd'hui l'entrée principale du musée, fut réalisée vers 1760 par Bernardo Maccaruzzi d'après les plans de Giorgio Massari. Sous Napoléon Ier, l'académie privée fut convertie en Académie des Beaux-Arts officielle et elle se vit adjoindre les bâtiments attenants à la Scuola. Des œuvres provenant des églises et couvents fermés sous l'occupation napoléonienne ainsi que de nombreuses donations sont venues enrichir les collections de cette institution, qui est devenue un musée accessible au public à partir de 1807. L'Accademia possède l'une des plus prestigieuses collections d'Italie et elle offre un panorama hors pair de la peinture vénitienne du XIIIe à la fin du XVIIIe siècle, riche qu'elle est en œuvres de Carpaccio, de Giorgione, du Titien, de Tintoret, de Véronèse ou des Bellini (voir aussi p. 310).

Le Casino delle Rose (Casetta Rossa)

Cette petite maison rouge, tout à fait insolite dans l'entourage grandiose des palais avoisinants, a abrité l'atelier d'Antonio Canova (1757-1822), le plus éminent sculpteur et peintre vénitien de la fin du XVIIIᵉ et du début du XIXᵉ siècle. De son vivant déjà, ses œuvres jouissaient de la faveur du public. Durant la Première Guerre mondiale, la maison fut habitée par Gabriele d'Annunzio (1863-1938), ce poète et homme politique aussi fantasque que controversé.

Le Palazzo Venier dei Leoni (collection Peggy Guggenheim)

Ce palais, qui doit vraisemblablement son nom aux têtes de lions sculptées que l'on voit au bas de la façade, est resté inachevé. Une maquette en bois de l'architecte Lorenzo Boschetti, aujourd'hui conservée au Musée Correr, donne une idée du bâtiment grandiose qu'avait voulu faire construire la famille Venier en 1749. Comme bien souvent, des difficultés financières entraînèrent l'arrêt des travaux qui, contrairement à ce qui advint à d'autres édifices vénitiens, ne furent jamais repris. Au xxᵉ siècle, ce palais « tronqué » séduisit l'excentrique collectionneuse américaine Peggy Guggenheim (1889-1979). Cette riche promotrice de l'art moderne racheta l'édifice en 1949 et elle passa à le restaurer les trente dernières années de sa vie à Venise, dont elle fut citoyenne d'honneur. La demeure qui abrite sa remarquable collection axée sur l'avant-garde de la première moitié du xxᵉ siècle, devenue aujourd'hui un musée, est accessible au public. Il est administré par la fondation Solomon R. Guggenheim, créée par l'oncle de la collectionneuse (voir p. 334).

faitement dans la tradition vénitienne. Plutôt que de souligner la masse du bâtiment, elles accentuent la répartition des surfaces murales. Au XVIIe et au XVIIIe siècles, cet édifice servit de modèle à plusieurs demeures, parmi lesquels le palais Pisani et la Ca' Rezzonico.

La Ca' Dario

Devant ce délicat palais qui a toujours eu la réputation de porter malheur, Henry James songeait à un château de cartes risquant de s'écrouler au moindre contact. Or, en dépit de sa fragile façade penchée, la Ca' Dario, avec ses incrustations de marbres polychromes, compte parmi les plus beaux palais de Venise. Cet édifice asymétrique fut élevé en 1487 pour Giovanni Dario, ambassadeur à Constantinople, qui fit immortaliser son nom au rez-de-chaussée. Le maître d'œuvre en fut Pietro Lombardo. C'est grâce à lui et aux tailleurs de pierre lombards de son atelier que les parements de marbre, si appréciés au XIIIe siècle, connurent alors un regain de popularité. Ce type de façade, très onéreux, témoignait toujours de la fortune du commanditaire.

La Ca' Grande

À partir de 1533 et après un terrible incendie, Jacopo Cornaro, un neveu de la reine de Chypre Catherine Cornaro, fit reconstruire l'édifice par Jacopo Sansovino. Ses dimensions gigantesques lui ont valu le nom de Ca' Grande. Pour le rez-de-chaussée en bossage et les colonnes ioniques et corinthiennes aux deux étages, Sansovino a eu recours à l'esthétique de la Renaissance classique, toscane et romaine. Mais les nombreuses fenêtres, qui font songer à des loggias superposées, s'inscrivent par-

Santa Maria della Salute

À l'âge de trente-trois ans, Baldassare Longhena participa à un concours qui lui valut la commande de la construction d'une église destinée à remercier la Vierge d'avoir mis fin à l'épidémie de peste de 1629-1630. Elle fut consacrée en 1687. Le corps central est coiffé d'un dôme visible de très loin. Dans le tissu urbain environnant, sa forme majestueuse répond à l'architecture grandiose du palais des Doges et de la Piazzetta. Vu de l'eau, l'ensemble de la place Saint-Marc, du palais des Doges, de l'île San Giorgio et de Santa Maria della Salute offre un panorama unique. Ses *orecchioni* (« grandes oreilles »), imposantes volutes spiralées surmontées de statues, assurent la transition entre la façade surélevée et le dôme, conférant son originalité à ce sanctuaire imposant. Le plan rigoureux de l'intérieur contraste avec l'exubérance du dehors. L'espace central sous la coupole est entouré de chapelles signalées à l'extérieur par des frontons à deux étages.

Titien : *La Pentecôte,* 1555
Huile sur toile, 570 x 260 cm

Comme cinq autres chefs-d'œuvre du Titien qui ornent l'église Santa Maria della Salute, cette peinture représentant la descente de l'Esprit-Saint sur les apôtres proviennent du couvent Santo Spirito in Isola, qui fut fermé au XVIIe siècle.

Titien : *Saint Marc avec saint Côme,*
saint Damien, saint Roch
et saint Sébastien, **vers 1510**
Huile sur toile, 218 x 149 cm

Ici aussi, il s'agit d'une commande passée lors d'une épidémie de peste. Ce tableau exécuté pour les chanoines augustins de Santo Spirito in Isola est l'une des premières œuvres connues du Titien, que l'on date de la fin de la peste de 1510. Ses figures massives, drapées dans des robes chatoyantes, trahissent encore l'influence de son maître Giovanni Bellini, mais le nu élégant de saint Sébastien, avec son vêtement blanc peint de façon raffinée, témoigne déjà de la maîtrise du jeune peintre. La prière à saint Marc afin qu'il sauve Venise de la peste fait l'objet d'une adroite mise en scène. Les saints médecins Côme et Damien, à gauche, semblent introduire l'événement. Le premier lève un regard implorant vers le saint patron de la ville, qui trône au-dessus d'eux. Tous deux désignent la plaie que la peste a infligée à saint Roch, debout à droite. Avec saint Sébastien transpercé de flèches, ce dernier était invoqué comme l'un des principaux patrons des pestiférés.

Titien : *Le sacrifice d'Abraham,* 1542-1544
Huile sur toile, 328 x 282 cm

Cette scène de sacrifice faisait partie d'un plafond mouluré et provenait également de Santo Spirito in Isola. Ce plafond réalisé d'après un carton de Sansovino a disparu et seules les toiles du Titien ont été transférées en 1656 dans la sacristie de Santa Maria della Salute. Outre ce *Sacrifice d'Abraham,* elles représentent *Caïn et Abel,* ainsi que *David et Goliath.* Le décor de l'église comporte également huit médaillons qui portent les quatre Évangélistes et les quatre Docteurs de l'Église. Les contemporains du Titien admiraient déjà son traitement magistral des vues en contre-plongée. En peignant ces figures en plein mouvement, Titien complexifie la représentation et démontre une parfaite maîtrise du raccourci dans la perspective. Depuis le Moyen Âge, le *Sacrifice d'Abraham* était considéré comme une « préfiguration », une prédiction de l'Ancien Testament se rapportant au sacrifice du Christ. Titien nous représente cette scène au moment de sa tension maximale : alors que le jeune Isaac est agenouillé sur l'au-

tel, son père Abraham maintient lourdement la tête de son fils, tandis que de l'autre main il brandit le couteau du sacrifice. Le garçon est sans crainte car la confiance qu'il a en son père est à l'image de celle qu'Abraham a en Dieu. En cet instant crucial, un ange à la robe flottante se précipite sur eux. La bouche grande ouverte pour crier, il saisit le couteau et sauve ainsi l'enfant de la mort.

La Dogana da Mar

En venant de la place Saint-Marc, l'entrée du Grand Canal est délimitée à gauche par la longue bâtisse de la *dogana da mar* (douane maritime), où l'on contrôlait les marchandises arrivant par bateau. Cet édifice nu et ramassé fut érigé entre 1677 et 1682 par Giuseppe Benoni. Le bassin de Saint-Marc – le plan d'eau qui s'étend devant le palais des Doges, flanqué par la Piazzetta et San Giorgio Maggiore d'un côté, et par la Giudecca de l'autre – était jadis l'un des principaux ports d'Europe. Ici, dans la cité de la lagune, venaient s'ancrer les navires qui ramenaient du monde entier des marchandises précieuses et très convoitées. Les biens amenés à Venise par la voie des mers étaient déchargés et dédouanés sur place. Les bâtiments de la douane, avec leurs immenses entrepôts, témoignent encore de cette splendeur passée, même si l'activité intense qui y régnait jadis n'est plus qu'un souvenir. Là où s'élevait autrefois une tour de garde qui ne servit jamais à signaler une attaque ennemie, se dresse maintenant une tour surmontée d'une boule dorée. Deux atlantes soutiennent le globe terrestre sur lequel Fortune, la déesse du hasard, se tient en brandissant un gouvernail en guise de girouette. Elle indique non seulement la direction du vent, mais rappelle aussi l'imprévisibilité du destin aux navires qui vont et viennent. Cette statue est l'œuvre de Bernardo Falcone.

RIMINA QVI ... ... DE MORTE RESVRGO ET MEC... ...

EN VERVS FORTIS QVI FREGIT VINCVLA MORTIS ·

Le quartier de San Marco

Le quartier de San Marco

Le quartier *(sestiere)* de San Marco, concentré autour de la place Saint-Marc (Piazza San Marco) avec sa basilique et le palais des Doges, était jadis le centre politique de la cité. Au Moyen Âge déjà, c'était là que, protégé par un mur d'enceinte en bois, battait le cœur de Venise. Rien qu'ici, le visiteur féru d'art et d'histoire pourrait passer plusieurs journées à explorer de fond en comble des édifices tout à fait passionnants. Ce centre du pouvoir vénitien regroupait également des logis de fonctionnaires, des bureaux, l'Hôtel des Monnaies, la grande bibliothèque, des greniers à grain et la prison. En outre, nombre de marchands tenaient leurs quartiers aux alentours de la place Saint-Marc et de la Piazzetta : jusqu'au XVIᵉ siècle, on y vendait des pâtisseries, de la viande et d'autres denrées. Par la suite, le prestige de ce quartier administratif attira des établissements faisant le commerce de produits de luxe et de bijoux, comme c'est encore le cas aujourd'hui. C'est dans le *sestiere* San Marco que se trouvent aussi les hôtels les plus élégants et les plus belles boutiques – internationales et vénitiennes – qui invitent à faire du lèche-vitrines dans ses ruelles.

Le musée Fortuny (intérieur), p. 207

Santo Stefano (intérieur), p. 203

San Moisè, p. 200

Et bien sûr :
1 Place Saint-Marc **2** Libreria **3** Campanile de Saint-Marc et Loggetta **4** Café Florian **5** Prigioni Nuove (prisons) **6** Procuratie Nuove **7** Aile Napoléon **8** Procuratie Vecchie **9** Théâtre de La Fenice **10** San Salvatore

L'Atteneo Veneto (Scuola di San Girolamo/Scuola di San Fantin), p. 205

La Scala del Bovolo, p. 209

La Tour de l'Horloge (Torre dell'Orologio), p. 183

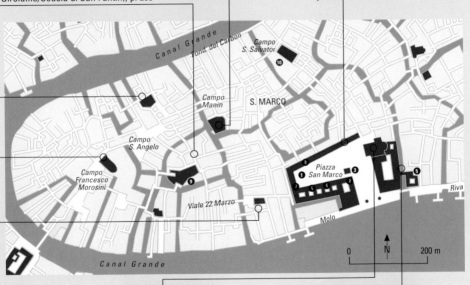

Saint-Marc (intérieur), p. 107

Le pont des Soupirs (Ponte dei Sospiri), p. 179

La place Saint-Marc
(Piazza San Marco)

À Venise, il n'existe qu'une seule « piazza », la place qui s'étend devant la basilique Saint-Marc et se prolonge jusqu'à la lagune par la Piazzetta. Toutes les autres s'appellent « campo », ce qui à l'origine différenciait peut-être la place pavée sise devant la basilique et les autres places de la ville, dépourvues elles de pavement. Par la suite, « piazza » est devenu une sorte de titre honorifique pour qualifier ce cadre grandiose dans lequel se déroule toute la vie publique de la cité, avec ses fêtes et ses cérémonies. La place Saint-Marc est donc la grande scène de Venise, où riches et pauvres célèbrent leur ville et leur État par des processions, des parades et de grandes cérémonies d'accueil des hôtes de marque. Des siècles durant, les Vénitiens mirent tout leur génie artistique et économique au service de son embellissement, ce qui n'empêcha pas ces hommes pragmatiques de l'utiliser comme marché les jours de semaine. Parler de la place Saint-Marc comme du « plus beau salon d'Europe » – une expression due à Musset – était du temps de la Sérénissime largement en dessous de la vérité. Aujourd'hui encore, la place est l'une des principales attractions de Venise et elle fourmille de visiteurs. Il n'y a que tôt le matin, ou le soir, quand les touristes venus pour la journée sont partis, que l'on peut réellement en admirer la grandeur.

La basilique Saint-Marc

Depuis sa création vers 830, la basilique Saint-Marc domine tout le côté est de la Piazza. L'édifice actuel est le fruit d'une troisième reconstruction, entreprise vers 1060. Ce n'est qu'après la fin de la République vénitienne, en 1807, que l'édifice devint aussi le siège épiscopal. Plutôt que de symboliser l'autorité et la richesse de l'Église, Saint-Marc reflète d'abord la splendeur et l'histoire de l'État vénitien. Avec ses dômes et ses tourelles, ses colonnes de marbre coloré, ses mosaïques étincelantes d'or, ses couronnements d'arcs blanc crème autrefois recouverts de dorures – surmontés de gâbles ornés de grandes feuilles d'acanthe dressées qui alternent avec des personnages –, et ses incrustations de marbres polychromes, la basilique fait songer à un précieux écrin. À première vue, l'édifice n'a rien de commun avec les hautes façades clairement ordonnées de l'art roman et gothique, qui prévalaient en Europe à l'époque où fut construite la basilique Saint-Marc, soit entre le XIᵉ et le XIIIᵉ siècle. Sa physionomie a pris forme graduellement. À chaque nouvelle étape de sa construction, des ornements supplémentaires d'inspiration occidentale ou byzantine sont venus se greffer sur la façade, pour se fondre finalement en une synthèse artistique unique au monde. Si l'espace intérieur est dominé par l'influence byzantine, celle-ci a été parfaitement assimilée de manière à former un ensemble typiquement vénitien.

Gentile Bellini : *La procession du reliquaire*
de la Croix sur la place Saint-Marc, **1496**
Tempera sur toile, 376 x 745 cm,
Gallerie dell'Accademia

Aux jours de fête, la place Saint-Marc
déployait toute sa splendeur, comme en
témoigne ce tableau de Gentile Bellini. Les
fenêtres s'ornaient de banderoles multicolores et, devant la basilique scintillante
d'or, on hissait de beaux étendards. Les
processions et les cérémonies solennelles,
arboraient un faste vestimentaire, des ori-
flammes et des cierges qui contribuaient à
en rehausser l'éclat. En d'autres occasions,
par exemple pour la visite de personnalités
de haut rang, la place accueillait des installations festives qui en faisaient un espace

le jour de la fête de saint Marc, le 25 avril 1444. La relique présentée au marchand de Brescia Jacopo Salis (agenouillé devant à droite) provoque immédiatement la guérison de son fils, qu'il était venu demander. L'œuvre de Bellini nous offre ici une image précise de l'aspect de la place telle qu'elle était vers 1496. Sur le côté gauche s'élèvent les Vieilles Procuraties du Moyen Âge, qui furent reconstruites vers 1515. La tour préfigure la Tour de l'Horloge actuelle, qui fut érigée entre 1496 et 1499. À sa droite, on distingue la façade de l'église San Basso, démolie en 1661. Sur la Piazzetta dei Leoncini, à gauche de la basilique, se dresse encore la Casa dei Canonici, la demeure des chanoines de Saint-Marc. Sur son côté droit, la Tour de l'Horloge est flanquée de l'Ospizio Orseolo, qui fut abattu lors de la construction des Nouvelles Procuraties. Entre la basilique et le palais des Doges, on voit la polychrome Porta della Carta. La place proprement dite présente ce pavement de brique typiquement vénitien que l'on ne trouve plus qu'en de rares endroits, par exemple dans les cours intérieures de certains palais. En raison de la représentation détaillée du décor, on a souvent considéré Gentile Bellini comme le précurseur des grands védutistes vénitiens du XVIIIe siècle, mais ses commanditaires devaient plutôt s'intéresser à leurs propres portraits, que l'artiste a intégrés dans cette scène décrivant un événement survenu cinquante ans auparavant.

œuvre de Bellini fait partie d'un cycle réalisé conjointement avec Vittore Carpaccio, Lazzaro Bastiani, Giovanni Mansueti, Benedetto Diana et Le Pérugin pour la Scuola Grande di San Giovanni Evangelista. Les tableaux illustrent les miracles d'une précieuse relique de la Croix qui était en possession de la Scuola depuis 1393. Il s'agit ici de la procession organisée

Les colonnes de la façade

Alors que Venise était en passe de devenir la puissance maritime dominante de la Méditerranée orientale, tous les territoires conquis furent dépouillés de leurs trésors – marbres, colonnes, chapiteaux, reliefs, vases et peintures de valeur – qui vinrent enrichir la basilique de son saint patron. Les colonnes de marbre sur l'extérieur de l'édifice témoignent de cette pratique. Provenant de divers endroits et de diverses époques, elles ont été réunies pour embellir la façade. Certaines sont coiffées de nouveaux chapiteaux richement sculptés qui soulignent leur grande valeur. Rien que par leurs couleurs, elles contribuent déjà à animer la façade en briques d'origine.

Les chevaux de Saint-Marc

De la quatrième croisade les Vénitiens ramenèrent en 1204 un quadrige en bronze doré du IVᵉ siècle pris à Constantinople. Le transfert de ces précieux chevaux dans la cité de saint Marc fut le dernier acte symbolique qui consacra définitivement la victoire remportée sur les anciens maîtres de Venise. Dès le milieu du XIIIᵉ siècle, les chevaux furent dressés sur la galerie surmontant le portail principal. Lors des cérémonies officielles, le doge et sa suite y apparaissaient à la foule. Les chevaux de San Marco, comme l'ensemble de l'édifice, sont devenus un symbole du pouvoir de la République vénitienne. Alors que les ennemis de Venise avaient toujours menacé de mettre la bride à ces fougueux chevaux, seul Napoléon parvint à en prendre possession. Lorsqu'il fit tomber la République en 1797, les chevaux faisaient partie du formidable butin qu'il ramena à Paris. Il faudra attendre 1815 pour qu'ils retrouvent leur place. Aujourd'hui, ce ne sont plus les ennemis de l'État mais les méfaits de la pollution qui menacent ces montures. C'est pourquoi, en 1982, les originaux ont été mis à l'abri dans le musée de Saint-Marc, auquel on accède par le vestibule de la basilique.

Le portail principal
(avec détail)

Cinq portails couronnés d'arcs divisent la façade de la basilique. L'entrée principale, au centre, fermée de portes de bronze, se caractérise par son haut portail surmonté d'une archivolte décorée à l'origine de bleu et d'or. Trois arcs du portail montrent des ornements qui témoignent de l'évolution stylistique de la sculpture vénitienne du XIIIᵉ au XIVᵉ siècle. Le premier arc à partir du bas s'inscrit dans les traditions romane et vénéto-byzantine du début du XIIIᵉ siècle, avec animaux et feuilles de vigne dans la bande intérieure. Les piédroits de l'arc sont ornés de représentations allégoriques interprétées comme étant « Terra » (la terre), « Oceanus » (la mer) ou comme Église et Hérésie, tandis que la bande frontale évoque la nature sauvage et la vie civilisée. La deuxième voussure avec ses formes naturalistes illustre le passage du style roman au gothique. On y voit des représentations allégoriques des Saisons ainsi que des Vertus chrétiennes. La voussure supérieure offre l'illustration des principaux corps de métiers vénitiens. Selon une vieille légende, l'homme aux béquilles qui se mord un doigt serait l'architecte boiteux de la basilique constatant l'imperfection de son ouvrage. La bande frontale représente des prophètes, des sarments de vigne et un Christ bénissant. Le portail est surmonté d'une mosaïque beaucoup plus récente (1836), qui figure le Jugement dernier. Sur les bandes intérieures de l'archivolte, on peut découvrir des petits tableaux allégoriques symbolisant les mois de l'année. Ceux-ci sont caractérisés par des activités saisonnières typiques et par les signes du zodiaque correspondants. Un détail de la bande intérieure de l'arc médian (ci-dessous) nous montre la moisson de juin, encadrée des signes des Gémeaux et du Cancer.

La translation du corps de saint Marc dans son église, vers 1265
Mosaïque de la Porta di Sant'Alippio

La plupart des mosaïques de la façade principale de la basilique Saint-Marc ont été réalisées entre le XVIIᵉ et le XIXᵉ siècle. Elles remplacent des créations plus anciennes datant du XIIIᵉ siècle, dont l'iconographie fut généralement reprise avec les moyens stylistiques de leur époque, sauf sur le portail nord de la façade principale, dit Porta di Sant'Alippio, où la mosaïque originale a été conservée. On peut y admirer la translation de la dépouille mortelle du saint à la basilique. En 828-829, deux marchands vénitiens avaient ramené son corps d'Alexandrie. La légende veut que la précieuse relique dut d'abord être mise en sécurité au palais des Doges. On allait décider ensuite du lieu où s'élèverait l'église somptueuse prévue pour l'Évangéliste. Cependant, peu avant d'arriver au palais, le cadavre se mit à peser si lourd qu'on ne put plus le déplacer. On y vit un signe miraculeux du saint désignant l'endroit où il souhaitait être vénéré. La mosaïque ne représente pas le premier sanctuaire, mais le bâtiment du XIIIᵉ siècle, et elle constitue une information précieuse sur l'aspect de la basilique Saint-Marc avant les transformations entreprises aux XIVᵉ et XVᵉ siècles. On distingue parfaitement les coupoles plus basses et la forme initiale de la façade, qui n'a pas encore reçu ses gâbles et ses sculptures gothiques.

La façade méridionale

C'est cette façade adjacente au palais des Doges que le visiteur débarquant sur la Piazzetta découvre en premier lieu. D'où le soin apporté à sa conception, qui contraste avec celle de la façade septentrionale, beaucoup moins élaborée. À l'origine, il y avait ici deux entrées.

Les coupoles de Saint-Marc

Vu d'en haut, le large corps de la basilique, coiffé de dômes, évoque la silhouette d'un crabe, comme le disait Goethe. En fait, ces dômes sont doubles : ils se composent d'une partie plate à l'intérieur, qui est recouverte d'une coupole plus haute en plomb.

Les colonnes
de la façade méridionale

Les deux magnifiques colonnes syriennes qui se dressent devant cette façade proviendraient des installations fortifiées des Génois à Saint-Jean d'Acre. Les Vénitiens les y auraient dérobées après leur victoire sur Gênes en 1256, victoire qui leur redonna accès au commerce d'Orient. Selon une expertise plus récente (1977), il s'agirait des vestiges d'une église de Constantinople tombée en ruine dès 1204. Ces colonnes auraient alors fait partie du riche butin ramené de la quatrième croisade, comme tant d'autres éléments qui ont servi à décorer la basilique.

Le groupe des tétrarques

Cet ensemble de porphyre rouge encastré à l'angle de la salle du Trésor de Saint-Marc est un autre vestige des pillages vénitiens exercés en Méditerranée orientale. Le bâtiment, une annexe massive et sans fenêtres, renferme les trésors, reliques et autres objets liturgiques de la basilique. Cette célèbre sculpture datée du IVe siècle représente sans doute les tétrarques, qui régnaient chacun sur un quart de l'Empire romain. Il s'agit du portrait stylisé de l'empereur romain Dioclétien (284-305) et de ses beaux-fils et corégents Maximilien, Constantin et Valérien. Une légende vénitienne y voit plutôt les quatre Maures qui voulurent dérober le trésor de Saint-Marc : par une intervention miraculeuse du saint patron de la ville, les cambrioleurs auraient été pétrifiés et murés sur place afin de dissuader les voleurs à venir.

Le plan de la basilique Saint-Marc

La troisième version de la basilique Saint-Marc fut construite à partir de 1063 sur le modèle de l'église des Saints-Apôtres à Constantinople : un plan en croix grecque prolongé vers l'est, surmonté de cinq coupoles à pendentifs – une au milieu et quatre sur les branches de la croix. Par le chœur surélevé au-dessus de la crypte, l'abside à l'est et les chapelles absidiales à côté du presbytère, l'espace est entièrement axé sur le maître-autel. Cette orientation est soulignée par les dimensions des coupoles, celles de l'axe est-ouest étant plus grandes que celles qui surmontent les transepts. Le plan donne ainsi l'impression d'avoir à faire à une grande nef avec des transepts plus étroits. Cet agencement est encore accentué par le narthex, qui encadrait jadis la coupole occidentale sur trois côtés et qui prolonge la nef vers l'ouest. Les galeries nord et ouest existent toujours, alors que la partie sud a cédé la place au baptistère et à la chapelle Zen.

Les principales mosaïques de la basilique Saint-Marc

Les mosaïques des trois grandes coupoles du XIIe siècle illustrent les principaux thèmes de la théologie chrétienne, à savoir la préfiguration du christianisme par les prophètes, l'Ascension du Christ (avec les promesses de guérison et le Jugement dernier qu'elle implique), la descente de l'Esprit-Saint sur les apôtres et la prédication de l'Évangile. Dans l'abside trône un Christ Pantocrator accompagné des saints vénérés à Venise : Nicolas, Pierre, Marc et Hermagoras.

Localisation des plus importantes mosaïques

1   Abside : *Christ Pantocrator bénissant*. En dessous : *Les saints Nicolas, Pierre, Marc et Hermagoras*, début du XIIIe et XVIe (avec des fragments très anciens de la fin du XIe)
2   Chœur : *Scènes de la vie de l'évangéliste Marc*, XIIIe, en partie fortement restauré
3   Coupole sur le chœur : *L'Église et les prédictions des prophètes*, XIIe et XIIIe
4   Chapelle Saint-Isidore, XIVe
5   Chapelle des Mascoli, XVe
6   Coupole Saint-Jean : *Vie de l'évangéliste Jean*, début du XIIIe
7   Coupole de l'Ascension, XIIIe
8   Coupole Saint-Léonard et quatre saints : Nicolas, Basile, Clément et Léonard, XIIIe
9   *L'entrée à Jérusalem, La tentation du Christ, La Cène, Le lavement des pieds*, fin XIIe-début XIIIe

10   *Scènes de la vie du Christ et des apôtres*, XIIIe
11   Coupole de la Pentecôte, XIIe
12   *Marie et prophètes*, vers 1250
13   Baptistère. Coupole au-dessus de l'autel : *Le Christ et les neuf chœurs célestes*. Coupole au-dessus des fonts baptismaux : *Les apôtres baptisant des convertis, La vie de Jean-Baptiste, Festin d'Hérode* et *Danse de Salomé*, XIVe
14   Chapelle Zen, XIIIe-XVIe
15   Coupole de la Genèse, vers 1230
16   *Le Déluge*, milieu du XIIIe
17   *Mort de Noé* et *Tour de Babel*, milieu du XIIIe
18   Coupole d'Abraham, 1240-1250
19   Coupoles avec des *Scènes de l'histoire de Joseph*, vers 1270, très restauré
20   Coupole de Moïse, XIIIe, très restauré au XIXe

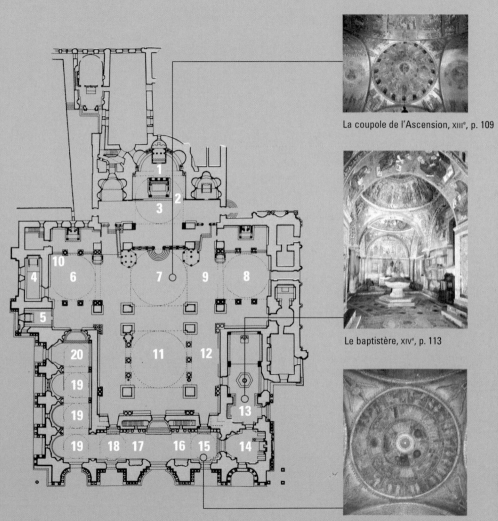

La coupole de l'Ascension, XIIIᵉ, p. 109

Le baptistère, XIVᵉ, p. 113

La coupole de la Genèse, début du XIIIᵉ, p. 104

La coupole de la Genèse dans le vestibule (narthex), début du XIIIᵉ siècle

D'un point de vue iconographique et technique, les 24 motifs des mosaïques de l'atrium de Saint-Marc comptent parmi les plus beaux exemples de cet art en Europe occidentale. Pour la Genèse ornant la coupole sud, à droite du portail principal, les artisans se sont inspirés d'enluminures du VIᵉ siècle. Le récit de la Genèse se déploie sur les trois registres de la coupole, qui est ornée en son centre de la colombe du Saint-Esprit.

La narration, qui commence au centre et se déroule dans le sens contraire aux aiguilles d'une montre, part de la création du ciel et de la terre, suivie par l'esprit planant sur les eaux, la séparation des ténèbres et de la lumière, la création du firmament, de la lune et des étoiles, la création des poissons, des oiseaux et des mammifères... pour arriver à la création de l'homme. Vient ensuite une image de Dieu insufflant l'esprit à Adam – l'âme est figurée par de fines ailes – et le conduisant dans le jardin d'Éden, où il donne leur nom aux animaux. À côté, on distingue la création d'Ève, la réunion du premier couple humain, la tentation, la découverte de la nudité, la condamnation des deux premiers pécheurs et leur expulsion du Paradis. Les lunettes surmontant les portes sous la coupole sont ornées d'épisodes de l'histoire de Caïn et Abel.

L'histoire de Noé, La construction de l'arche, **XIIIᵉ siècle, arc sud du vestibule**

Des coloris particulièrement délicats et des jeux d'ombres et de lumières raffinés caractérisent cette histoire du Déluge. La construction de l'arche, qui était un thème familier aux Vénitiens, est ici dépeinte dans ses phases successives. Avec un amour du détail fascinant, les mosaïstes se sont attachés à rendre des anecdotes qui contribuent à créer une atmosphère – comme par exemple sur le registre inférieur, où les rescapés grimpent dans l'arche tandis que les fleurs du premier plan sont, elles, déjà submergées par les flots.

L'histoire de Noé, Le Déluge,
XIIIᵉ siècle, arc sud du vestibule

Le même amour du détail que pour la construction de l'arche caractérise les scènes de la fin du Déluge, sur le côté opposé de l'arc. Le tableau en haut à gauche, qui illustre les conséquences de l'inondation, est particulièrement intéressant. Contrairement à ce qui se fera plus tard, les artistes ne représentent pas le combat désespéré contre les flots. Ici, hommes et bêtes dérivent désormais sans vie, les yeux clos. Sous le bruissement de la pluie tombant du ciel en un épais rideau, règne un silence fantomatique. Le détail d'une mère défunte tenant son enfant dans les bras en est d'autant plus émouvant. Le ciel, l'eau et la pluie, traités dans les mêmes coloris – gris, blanc, bleu, noir et or – ne se distinguent que par un agencement différent des bandes de couleur.

L'intérieur

À l'origine, toute l'église – extérieur et intérieur – était en briques apparentes. Ce n'est qu'au fil des siècles qu'elle se para de l'éclat doré, plein de mystère, des mosaïques et des revêtements de marbre dont les superbes veines font songer à des pierres semi-précieuses. Le sol aussi est pareil à une somptueuse marqueterie de marbre. La simplicité de l'organisation spatiale, basée sur un plan en forme de large croix, est masquée à l'intérieur par la dimension des éléments de partition et, surtout, par les mosaïques, leur scintillement doré rend en effet les structures architectoniques plus floues. Si les premières incrustations sont dues à des maîtres byzantins, on vit bientôt naître une école vénitienne qui livra, surtout au XIIIᵉ siècle, de superbes exemples d'un art de la mosaïque authentiquement vénitien. À partir du XVᵉ siècle, des peintres célèbres fournirent eux aussi des cartons pour les mosaïques, mais ces œuvres tardives, inspirées de la peinture, ne parvinrent plus à recréer l'esthétique toute particulière qui est le propre des mosaïques.

La coupole de la Pentecôte, première moitié du XIIᵉ siècle

Les mosaïques de la coupole ouest datent de la première moitié du XIIᵉ siècle, ce qui les range parmi les plus anciens décors de l'édifice actuel. Elles illustrent la prédication de l'Évangile par les apôtres, dominée au centre par la colombe du Saint-Esprit. Du trône garni d'étoffes précieuses, les flammes de l'Esprit-Saint se répandent sur les apôtres. En dessous, les espaces entre les fenêtres sont respectivement ornés de

deux figures. Celles-ci incarnent les nations auxquelles les apôtres qui les surplombent ont apporté la bonne parole. Les quatre Évangélistes, Matthieu, Marc, Luc et Jean, figurés au-dessus des pendentifs, sont ici considérés comme des apôtres. Mais ils se différencient des autres par des coussins richement lamés d'or, par des vêtements aux couleurs audacieusement harmonisées (combinaisons de pourpre et de bleu clair), ainsi que par leur position frontale. Les nombreuses restaurations et retouches qui ont été apportées aux coupoles (par exemple les chaussures à la poulaine des Crétois, à la mode au XVᵉ siècle) n'ont pas altéré la clarté de la composition de cette coupole, une composition qui repose sur les rayons argentés qui la divisent en compartiments parfaitement réguliers et sur la délicate symétrie des couleurs des vêtements des apôtres. Il faut néanmoins reconnaître que les réparations effectuées au fil des temps ont pratiquement créé une nouvelle mosaïque.

La coupole de l'Ascension, première moitié du XIIIᵉ siècle

La coupole centrale, à la croisée de la nef et du transept, figure l'Ascension du Christ. Il s'agit d'un Christ bénissant, soutenu par quatre anges en vol, qui se détache sur le firmament bleu et or. Il est entouré de la Vierge, de deux archanges et des apôtres du deuxième registre. Entre les petites fenêtres de la base, des figures féminines incarnent les Vertus et les Béatitudes.

Le lavement des pieds, transept de droite

Le style des scènes ornant les voûtes adjacentes à la coupole centrale diffère sensiblement des autres mosaïques de la fin du
XIIᵉ et du début du XIIIᵉ siècle. Elles illustrent
divers épisodes de la vie du Christ et se
caractérisent par un traitement délicat et
très graphique des figures qui semblent
flotter sur le fond d'or, les artistes ayant
renoncé à préciser l'espace environnant, ce
qui contribue en fait au charme décoratif
de ces tableaux. Dans la scène du lavement
des pieds, les douze apôtres sont présents.

Six d'entre eux sont assis sur un banc à
haut dossier tandis que, derrière eux,
émergent les têtes et les bustes des six
autres. Pendant que le Christ commence à
laver les pieds de Pierre, les apôtres assis
sur le banc sont en train de dénouer les
lacets de leurs sandales. Cet épisode devait
d'ailleurs longtemps entretenir un grand
débat théologique : Judas était-il réellement présent lors de cet épisode ? En tout
cas, on le voit ici de profil, au fond à droite, caricaturé par un vilain nez crochu.

La découverte du corps de saint Marc, transept de droite

En plus des portraits de saints de la coupole sud et des scènes de la vie de la Vierge remaniées au XVIIᵉ siècle, le transept de droite comporte une représentation de la découverte de la dépouille de saint Marc, que l'on découvre sous l'arcade ouvrant sur la nef latérale. Du point de vue stylistique, ces mosaïques font pendant à l'épisode de la Translation du corps de saint Marc dans son église que l'on voit à la Porta di Sant'Alippio, portail nord de la façade principale. Elles datent également de la seconde moitié du XIIIᵉ siècle. Cette mosaïque illustre le moment précis où le pilier, au sein duquel avait été dissimulée la relique que l'on croyait égarée, s'ouvrit à la surprise des prêtres, du doge et d'une foule de Vénitiens richement vêtus (en particulier les femmes et les jeunes filles). Le jour de la redécouverte de la relique du saint patron de la cité, le 25 juin 1094, continue à être un jour férié à Venise.

La cachette de la relique de saint Marc, transept de droite

Pendant la reconstruction de l'église au XIe siècle, on avait caché la dépouille du saint dans un lieu secret, connu seulement du doge et du supérieur de Saint-Marc. Hélas, aux heures troubles de la fin du gouvernement de Domenico Selvo en 1084, on oublia de transmettre ce secret. Ce n'est qu'après un long jeûne et maintes prières du doge Vitale Falier, pénitence à laquelle

prit part toute la population de Venise, qu'un miracle fit s'ouvrir spontanément le pilier du transept de droite qui dissimulait la dépouille. La « cachette » de la relique est désormais signalée par une plaque de marbre.

Le baptistère

Le baptistère actuel fut aménagé durant la première moitié du XIVe siècle sous le doge Andrea Dandolo, qui consacra de fortes sommes à la réalisation des remarquables mosaïques. On y voit des épisodes de la vie de saint Jean-Baptiste et de l'enfance du Christ. La danse de Salomé devant Hérode, pour laquelle elle réclama la tête de Jean-Baptiste, est un bel exemple du goût des couleurs vives et de la recherche de mouvement qui ont inspiré les mosaïstes dans leur travail. Non content de se faire inhumer dans le baptistère, Dandolo se laissa aussi représenter avec son chancelier Caresini sur la mosaïque de la Crucifixion au-dessus de l'autel, où les deux personnages sont agenouillés à côté de la croix. Son tombeau fait face à l'entrée. Les fonts baptismaux hexagonaux furent exécutés en 1545 d'après des dessins de Jacopo Sansovino, dont la pierre tombale fut placée derrière l'autel en 1929. La statue en bronze de saint Jean-Baptiste est l'œuvre de Francesco Segala (1575). Le bloc de granit sur l'autel serait un fragment du rocher sur lequel le Christ prêcha à Tyr.

Le baldaquin du maître-autel

Au-dessus du maître-autel qui, dans sa forme actuelle, date de 1834, les quatre colonnes sculptées en albâtre du baldaquin sont particulièrement intéressantes. Elles sont ornées de reliefs représentant les vies du Christ et de la Vierge. Certains spécialistes estiment qu'elles datent du ve ou du vi^e siècle, d'autres du xiiie siècle.

L'iconostase

À l'instar des églises byzantines, une iconostase sépare les laïcs du maître-autel. Cette cloison de colonnes de marbre est surmontée depuis 1393-1395 d'une grande croix et de statues dues à Jacobello et Pier Paolo dalle Masegne. Ces sculptures de la Vierge et des apôtres sont des chefs-d'œuvre du gothique vénitien tardif.

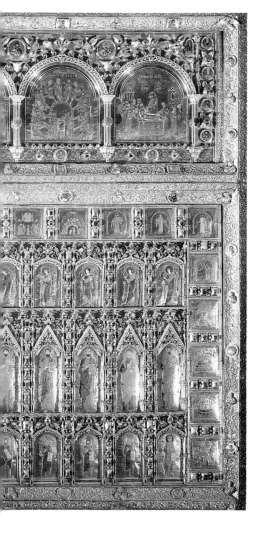

La Pala d'Oro du maître-autel

Des pierres précieuses et d'innombrables émaux byzantins du xᵉ au xɪɪɪᵉ siècles sont venus composer cette « table d'or » qui fut exécutée en plusieurs étapes. À la demande du doge Pietro Orseolo Iᵉʳ, un premier retable fut réalisé en 976. Il fut ensuite remanié et enrichi sous Ordelaffo Falier (1105) puis sous Pietro Ziani (1209), pour prendre sa forme définitive sous Andrea Dandolo en 1342. Mesurant 3,45 m sur 1,40 m, ce retable se divise en deux registres. Au centre de la partie supérieure est enchâssé un émail figurant l'archange Michel, flanqué de scènes de l'Évangile qui s'inscrivent dans des arcades. Ces sept plaques émaillées sont des créations byzantines datant du xɪɪɪᵉ siècle. Rutilant de pierres précieuses, le registre inférieur du retable est dominé par un grand rectangle central habité d'un Christ Pantocrator. Juste en dessous, trois petits émaux représentent l'impératrice Irène, la Vierge et l'empereur Jean Comnène (1118-1145). Ce dernier portrait fut remplacé par celui du doge Ordelaffo Falier. De part et d'autre du champ central s'ordonnent, sur trois rangées, des prophètes, des anges et des apôtres. Le registre inférieur, enfin, est bordé sur trois côtés de petits carrés qui figurent des scènes de la vie du Christ et de celle de l'Évangéliste Marc. Au siècle dernier encore, un mécanisme permettait de replier la partie supérieure vers le bas.

Jacopo Sansovino : porte de la sacristie, 1546-1569

de ce dernier, Sansovino a agrémenté les bords du cadre de petits portraits, dont un autoportrait avec la longue barbe caractéristique du sculpteur que l'on retrouve sur d'autres portraits de son temps. Les autres visages seraient ceux d'artistes comme Pietro Aretino dit l'Arétin, Titien, Paolo Véronèse et Andrea Palladio.

La Madone Nicopeia, XIᵉ siècle

Dans le transept gauche de leur sanctuaire, les Vénitiens ont installé une icône particulièrement précieuse. Il s'agit de la Madone Nicopeia, « celle qui apporte la victoire », qui précédait toujours l'empereur de Byzance sur le champ de bataille. Selon la croyance byzantine, toutes les icônes de la Madone dériveraient d'un portrait authentique de la Mère de Dieu peint par l'Évangéliste Luc. Cette icône de Saint-Marc, qui compta longtemps parmi les plus précieux trésors de la basilique, est une pièce maîtresse de la peinture byzantine du XIᵉ siècle. Comme tant d'autres œuvres byzantines, elle faisait partie du butin ramené à Venise après la quatrième croisade (1204). Elle trouva aussitôt sa place dans le culte particulièrement fervent que la Cité des Doges vouait à la Vierge. Dans l'esprit du Moyen Âge, le fait qu'un tableau aussi précieux et bénéfique soit tombé aux mains des Vénitiens devait forcément signifier que la Vierge elle-même avait pris la République sous sa protection.

En pénétrant dans le chœur, il ne faut pas manquer d'admirer les portes de bronze du tabernacle du Saint Sacrement et de la sacristie. Elles furent réalisées par Jacopo Sansovino vers le milieu du XVIᵉ siècle. La porte de la sacristie montre la Mise au tombeau et la Résurrection. Ici, Sansovino s'est inspiré des portes du baptistère de Florence, œuvres de Lorenzo Ghiberti. À l'instar

La chapelle des Mascoli (Cappella della Madonna dei Mascoli)

Cette chapelle doit son nom à une confrérie masculine qui s'y réunissait depuis 1618. Les mosaïques qui représentent des épisodes de la vie de la Vierge Marie se distinguent par le fait qu'elles datent toutes exclusivement du xve siècle. Les tableaux, qui s'inspirent directement de la peinture de l'époque, furent commencés en 1430 par le peintre vénitien Michele Giambono. Vingt ans après, ils n'étaient toujours pas achevés. L'autel, qui est dû à un sculpteur florentin anonyme, date lui aussi de 1430 environ.

La mort de Marie, milieu du xve siècle

Tandis que les cartons à l'antique illustrant la vie de Marie sont attribués au Vénitien Michele Giambono, la scène de la mort de Marie serait selon certains l'œuvre du Florentin Andrea del Castagno, qui travailla en 1442 aux fresques de l'église San Zaccaria à Venise. Le modelé quasiment sculptural des personnages et la perspective centrale sobre font en effet songer à ce peintre. Mais il se pourrait aussi que des artistes de l'entourage de Mantegna – voire Mantegna lui-même – aient fourni le carton de la mort de Marie. L'effet très dur de ces mosaïques, tout comme le traitement régulier des visages avec leurs grands yeux, que certains spécialistes ont imputé à Castagno, pourraient en effet simplement résulter de la transposition d'une œuvre peinte dans un autre médium. Quoi qu'il en soit – que cette mosaïque ait été conçue par Castagno ou par un peintre local tel que Mantegna ou Jacopo Bellini –, la mort de Marie a joué un rôle clé dans la peinture vénitienne. On peut même penser que, dès le milieu du xve siècle, elle a permis aux artistes locaux de découvrir un langage pictural résolument neuf, axé sur le modelé et sur la perspective.

Un saint patron pour la République :
le vol d'une relique

Hormis saint Pierre, qui est à l'origine de la papauté, et plus encore saint Jacques, auquel deux villes (Saint-Jacques-de-Compostelle et Santiago du Chili) sont dédiées, il n'y a guère d'autre saint qui puisse se targuer d'avoir connu un succès politique aussi éclatant que saint Marc, qui fut choisi comme protecteur de la République vénitienne en 829. C'est sous sa bannière que les Vénitiens remportèrent dès lors leurs victoires. Son symbole, le lion ailé, devint l'emblème de Venise et il fut érigé sur tous les territoires que possédait la Sérénissime. Même la monnaie vénitienne, utilisée partout dans le monde, était frappée du Lion de saint Marc. Et, juste à côté du siège de leurs dirigeants, les Vénitiens lui élevèrent l'une des plus somptueuses églises de la chrétienté.

Mais comment saint Marc est-il donc arrivé à Venise ? Selon la légende, saint Pierre envoya Marc – l'un des douze apôtres et des quatre Évangélistes – catéchiser l'Italie du Nord et fonder l'archevêché d'Aquilée. Le territoire qui allait un jour devenir Venise était également de son ressort. Lors de l'une de ses missions, le saint se serait égaré dans la lagune. À la tombée de la nuit, il décida de se reposer sur une île. Un ange lui apparut en songe, qui le salua avec ces mots : « *Pax tibi, Marce* » (que la paix soit avec toi, Marc). Il lui annonça qu'il goûterait le repos éternel en cet endroit même et qu'il y serait vénéré avec la plus grande dévotion. Ses voyages conduisirent ensuite l'apôtre dans la cité égyptienne d'Alexandrie qu'il convertit également au christianisme et où il fonda un évêché. C'est là qu'il subit le

La mosaïque de saint Marc, *placée au-dessus du portail principal de la basilique Saint-Marc, d'après un carton de Titien (xvie siècle).*

ΑΤΑΛΕΧΑΝ[ΔΡ]ΙΑ·PERGIT NAVGIO ALEΧΑΝΔΡΙΑ RADIT CΑΛΙΑ M TVR P ΤΣΙ RΑΝΙΤΜΑΝΣ ΣΑ?ΣΤΑΡΕ

Le voyage de saint Marc vers Alexandrie, *mosaïque du XIIᵉ-XIIIᵉ siècle, Saint-Marc, Venise.*

martyre. Le parti païen revenu au pouvoir le fit arrêter, ligoter et traîner par des chevaux jusqu'à ce que mort s'ensuive. Les chrétiens d'Alexandrie l'inhumèrent dans son église épiscopale.

Au IXᵉ siècle cependant, la ville tomba aux mains des Sarrasins. Le calife ordonna l'érection d'un superbe palais. Comme les matériaux de construction étaient venus rapidement à manquer, on se servit dans les églises chrétiennes. Le tombeau de l'Évangéliste fut donc menacé. Par bonheur, deux marchands vénitiens, Rustico de Torcello et Buono de Malamocco, séjournaient justement à Alexandrie, peu après qu'une violente tempête ait poussé dans le port leurs navires chargés de marchandises. Un jour, alors qu'ils venaient comme d'habitude s'y recueillir, les prêtres grecs en charge du sanctuaire de saint Marc leur confièrent leurs craintes concernant les projets du calife. Sans tarder, les Vénitiens élaborèrent un plan pour sauver les reliques du saint. Ils durent d'abord convaincre

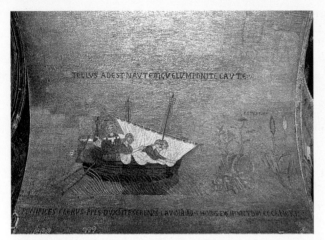

Le navire de Rustico et de Buono ramené sain et sauf à Venise grâce à la protection de saint Marc, *mosaïque du XIIe-XIIIe siècle, Saint-Marc, Venise.*

les moines récalcitrants qu'il valait mieux leur confier la relique que la laisser à la merci des Infidèles. Ensuite, il leur fallut résoudre un autre problème : comment faire pour quitter Alexandrie sans se heurter ni aux Sarrazins, ni à la communauté chrétienne ? Car on ne pouvait guère s'attendre à ce que les chrétiens approuvent le vol de leur saint patron. Rustico et Buono implorèrent l'aide de saint Marc et c'est ainsi que, au moment de sortir sa dépouille de l'église, un violent orage s'abattit sur la ville, obligeant les citadins à se réfugier chez eux. Du coup, personne ne les vit emmener leur précieux butin. Mais comment allaient-ils passer le barrage des douaniers musulmans ? Encore une fois, les Vénitiens eurent une idée lumineuse. Ils décidèrent de

transporter les reliques dans une caisse et, comme les ossements répandaient une merveilleuse odeur, ils les recouvrirent de lard de porc. Les douaniers musulmans renoncèrent à contrôler ce chargement répugnant pour eux et laissèrent partir les marchands. Après une traversée sans encombres due à la grâce du saint, les marchands débarquèrent à Venise un 31 janvier. La dépouille y fut solennellement accueillie par l'évêque, le doge et le peuple. On voulut déposer la précieuse relique dans le palais des Doges, mais pendant le transport elle devint tellement lourde que même plusieurs hommes ne pouvaient plus la soulever. Cela se passait exactement à l'endroit où allait se trouver son futur sanctuaire. Ce n'est que lorsque le doge eut fait serment d'élever une église en cet endroit précis que la dépouille se laissa emporter dans une retraite provisoire.

Voilà donc l'histoire de la translation, c'est-à-dire du transfert des restes du saint à Venise. Comme c'était l'époque où la Cité des Doges était en conflit avec l'archevêque d'Aquilée à propos de l'indépendance du diocèse vénitien, l'arrivée de l'apôtre constitua une véritable aubaine. Dès que le saint fondateur de l'archevêché se fut retrouvé à Venise même, ni le pape – et encore moins l'archevêque récalcitrant – ne purent lui refuser un évêché indépendant. Ce qui a fait dire à bon nombre d'historiens que Rustico et Buono n'étaient pas des marchands, mais qu'ils avaient été envoyés à Alexandrie avec pour mission de régler une fois pour toutes cette question de l'évêché en volant la sainte relique. Comment savoir s'il s'agissait bien des ossements de saint Marc, puisque l'apôtre avait tout de même été inhumé sept cents ans plus tôt ? Un tel doute appartient à l'époque moderne et il ne serait pas venu à l'esprit d'un bon chrétien du Moyen Âge. Le miracle de sa translation souligne encore davantage à quel point l'apôtre a honoré Venise plus que toutes les autres villes. Le fait qu'un nouveau miracle plaçât son tombeau à côté du siège du gouvernement séculier et non dans l'église épiscopale, légitimant ainsi la supériorité du pouvoir temporel sur l'Église – et cela dans le respect le plus total de la logique chrétienne – s'inscrit bien dans le même contexte.

La vénération du saint et la foi en la présence de sa relique n'ont même pas été ébranlés par le fait que la dépouille ait disparu à plusieurs reprises, pour réapparaître toujours opportunément, à la suite d'un miracle et en parfait état. Il n'empêche que le visiteur qui se rend dans la basilique Saint-Marc à son saint tombeau – aujourd'hui placé sous le maître-autel – ne doute pas lui non plus, du moins tant qu'il est à l'intérieur de l'édifice, qu'il se trouve réellement dans le lieu de repos éternel de l'Évangéliste.

Tintoret, Le corps de saint Marc emporté d'Alexandrie pendant la tempête *(détail), 1562, Gallerie dell'Accademia, Venise.*

Le palais des Doges
(Palazzo Ducale)

La façade méridionale vue depuis la Riva degli Schiavoni

De la Riva degli Schiavoni, on voit très clairement que le palais des Doges n'est pas le corps de bâtiment homogène qu'il paraît être quand on l'observe de la Piazzetta. La différence de couleurs permet de différencier au premier regard la bâtisse gothique en briques de l'aile Renaissance, avec ses pierres blanches, située à l'arrière. Voilà bien une indication intéressante concernant l'histoire de cette construction et les diverses fonctions du palais. Car le palais des Doges n'a jamais été réservé exclusivement aux dirigeants de la Sérénissime. Il remplissait trois fonctions différentes, à savoir hôtel de ville, tribunal et résidence du doge. La plus ancienne partie du palais ducal, celle qui s'ouvre sur la lagune, fut érigée à partir de 1340 pour abriter la nouvelle salle du Grand Conseil. Elle fut inaugurée le 30 juillet 1419 par le doge Michele Steno. En 1424, son successeur Francesco Foscari fit agrandir l'aile du palais donnant sur la Piazzetta. Les architectes furent chargés de concevoir une réplique exacte de la façade du Grand Conseil, intégrant les six arcades du bâtiment existant. Ce n'est qu'alors que le palais acquit cette belle unité architecturale que nous lui connaissons aujourd'hui.

Les façades occidentale et méridionale

La forme de l'édifice, avec son portique ouvert surmonté d'une loggia, est typique des demeures vénitiennes de l'époque. Au palais des Doges, ce schéma s'enrichit d'arcades ogivales et d'un remplage ajouré de style gothique, qui serviront bientôt de

modèle aux demeures aristocratiques. La blancheur des colonnades, les chapiteaux savamment sculptés, les jeux d'ombres et de lumières des remplages et les couleurs claires de l'étage supérieur confèrent au siège du gouvernement vénitien une grâce et une légèreté festives. Les deux niveaux d'arcades donnent l'impression que le corps de bâtiment massif qui les surmonte repose à peine sur les galeries inférieures. En réalité, cette bâtisse mesurant 71 sur 75 mètres s'appuie sur d'énormes pieux de mélèze. On remarquera aussi que, contrairement aux autres résidences princières de l'Europe du XIVᵉ siècle, le palais des Doges était dépourvu d'installations défensives, un trait qui devait en imposer aux visiteurs du passé débarquant à Venise et qui témoignait surtout de la cohabitation pacifique de toutes les couches de la population.

Filippo Calendario :
***L'ivresse de Noé,* vers 1344,**
façade méridionale

Filippo Calendario, exécuté en 1355 pour complicité avec le doge Falier, n'était pas seulement l'architecte en chef du palais des Doges, mais aussi l'auteur de plusieurs sculptures remarquables qui ornent les galeries. En témoigne *L'ivresse de Noé*, placée à l'angle sud-est de la façade donnant sur la lagune. Sur

la gauche, on reconnaît le vieux Noé avec sa coupe de vin qui lui glisse des mains. Ses fils, qui se sont aperçus de son ivresse et de sa nudité, se tiennent de l'autre côté. L'un d'entre eux cache la nudité de son père avec un linge, tandis que l'autre demeure impassible. L'observation psychologique des personnages et le rendu fidèle des formes végétales attestent de la maîtrise de Calendario.

Vénitiens estimaient en effet que la justice était la vertu cardinale de leur système politique. Sous le trône de Venise, on distingue les deux vices qu'elle foule aux pieds : à gauche la Colère déchirant sa chemise, à droite l'Orgueil avec des oreilles d'âne qui lui poussent à travers le casque.

La Porta della Carta, 1438

Non content d'être le maître d'œuvre de l'aile nord-ouest de son palais ducal, l'ambitieux doge Francesco Foscari y fit également ériger un nouveau portail donnant accès directement à la cour intérieure, la Porta della Carta. Le doge, qui s'agenouille devant le Lion de Saint-Marc, est figuré sur le tympan de l'entrée. L'origine du nom Porta della Carta (*carta* signifiant papier en italien) est controversée. Pour les uns, il ferait référence aux archives d'État qui auraient été abritées dans ce bâtiment. Pour d'autres, il tirerait son nom des sentences et décrets qui y étaient rendus publics. D'autres encore le font dériver du fait qu'on y remettait les pétitions adressées au gouvernement. C'est en 1438 que le doge Foscari, au sommet de la gloire, passa la commande de ce portail à la famille de sculpteurs vénitiens Buon. Avec ses formes gothiques luxuriantes, cette porte fait songer à une pièce d'orfèvrerie, et cette impression devait encore être renforcée par les décors bleu et or qui la rehaussaient jadis.

La façade occidentale

La zone de la loggia qui surplombe les six arcades les plus anciennes situées du côté de la Piazzetta est limitée par un quadrilobe qui renferme un médaillon de Venise, identifié à la Justice du fait du glaive brandi. Ce haut relief de Calendario est vraisemblablement la première représentation allégorique de l'État vénitien sous les traits de la Justice, qui deviendra par la suite l'un des symboles favoris de la République. Les

La Force, Porta della Carta, 1438

Bartolomeo Buon, qui dirigeait l'atelier familial avec son père, était considéré par ses contemporains comme le meilleur sculpteur vénitien. Pourtant, les statues qui ornent ce portail ne sont pas toutes de sa main. L'importance de l'entreprise fami-

liale, qui devait honorer de nombreuses commandes, l'amenait souvent à confier l'exécution d'une sculpture ou l'autre à un collaborateur talentueux. Même les belles statues des Vertus qui sont placées dans les niches latérales – la Prudence, la Charité, la Force et la Tempérance – ne sont sans doute pas de lui. La paternité de la vigoureuse figure incarnant la Force – dans la première niche en bas à droite – est parfois attribuée à Antonio Bregno, qui réalisera par la suite des statues similaires pour la tombe du doge Foscari (voir p. 235).

L'Escalier des Géants (Scala dei Giganti), 1484-1501

Lorsque l'on a passé la Porta della Carta et le portique Foscari, on débouche sur le dernier des quatre escaliers qui menaient jadis aux administrations du premier étage, l'Escalier des Géants. Il est dû à Antonio Rizzo, qui en entreprit la construction en 1484. Son nom vient des deux statues colossales de Jacopo Sansovino, qui furent dressées au sommet des marches en 1567. Il s'agit de Mercure, dieu romain du commerce, et de Neptune, dieu de la mer, qui font référence aux origines de la richesse de Venise. Tout aussi évocateur est le superbe Lion de Saint-Marc, symbole du saint protecteur de la cité et de l'État vénitien, qui se trouve au-dessus de l'entrée de la galerie. C'est sur l'Escalier des Géants que se déroulait la fastueuse cérémonie du couronnement des doges.

Gabriel Bella : *La présentation du Doge au peuple sur l'Escalier des Géants*, avant 1792
Huile sur toile, 95 x 147 cm

Au sommet de l'Escalier des Géants, le Lion de Saint-Marc semble veiller sur les statues de la Mer et du Commerce, comme pour rappeler aux visiteurs qui, venant de la Porta della Carta, pénètrent dans le palais des Doges en gravissant les marches de ce somptueux perron, que les négoces et la navigation maritime de la Sérénissime étaient placés sous la protection extraordinaire de l'Évangéliste. La portée symbolique de ce relief est telle que l'original fut détruit lors de la conquête de Venise par les troupes napoléoniennes en 1797 et que l'actuel n'est plus qu'une copie. Par sa conception et la finesse de son décor, cet escalier était le cadre approprié pour recevoir les hôtes de marque et, surtout, couronner le Doge. C'est ici en effet que se déroulait la majeure partie de cette cérémonie. Comme tant d'autres événements de la vie quotidienne des Vénitiens, le peintre Gabriel Bella a immortalisé le couronnement du doge sur l'Escalier des Géants. Debout sur le palier supérieur et entouré des sénateurs et des membres des différents conseils, le doge nouvellement élu prête serment envers l'État vénitien et ses lois. Ensuite, le plus jeune membre du conseil vient le coiffer d'une calotte blanche tissée de la plus fine étoffe, suivi par le doyen des conseillers qui lui pose le bonnet ducal et la couronne sur la tête.

Il Doge Viene Incoronato
Sopra La Scala De Giganti

La cour intérieure

À la suite d'un grave incendie, l'aile orientale du palais des Doges dut être reconstruite en 1483, intégrant vraisemblablement certaines parties encore utilisables de l'ancien bâtiment. La façade richement sculptée a longtemps été attribuée à l'architecte Antonio Rizzo et à son successeur Pietro Lombardo. Nous savons aujourd'hui que c'est Mauro Codussi, le grand maître de l'architecture Renaissance à Venise, qui en dessina le projet. Un projet qui surpasse toutes les autres créations de l'architecte, en ce qui concerne la luxuriante décoration dont il a doté l'aile orientale du palais, laquelle abrite les appartements du doge. Ce n'est que vers 1600 que furent ouvertes les galeries des ailes occidentale et méridionale qui donnèrent à la cour l'aspect harmonieux que nous lui connaissons. Auparavant, ce lieu avait été le potager des nonnes de San Zaccaria, d'où le nom de *broglio* (jardin potager) qui lui est resté. C'est là que fonctionnaires, conseillers et membres du gouvernement se retrouvaient pour des conversation informelles, rencontres qui servaient aussi aux tractations illicites et aux marchandages visant à acheter les membres d'un collège électoral. On dit que c'était une source de revenus providentielle pour les nobles désargentés. L'italien moderne – et le français après lui – en ont dérivé le terme « imbroglio », qui désigne toutes sortes d'embrouilles.

Le doge et les conseils

Le doge de Venise, un titre auréolé de gloire et de magnificence, mais aussi d'un certain mystère... Le rôle réel du premier magistrat de la ville, l'étendue de son influence, les moyens dont il disposait pour régner, étaient masqués par l'apparat et l'étiquette rigides qui gouvernaient sa vie.

Au cours du siècle qui vit la formation de la république vénitienne, le doge fut pratiquement un souverain absolu. Le terme doge, dérivé du latin *dux*, désigna le gouverneur de la Sérénissime à partir du VIIIᵉ siècle. Les premiers doges prirent rapidement leur indépendance par rapport à Byzance ; du VIIIᵉ au XIIᵉ siècle, leur autorité était telle qu'ils imposèrent fréquemment leurs fils ou autres proches parents en tant que successeurs. Cependant, l'influence des notables ne cessa d'augmenter au cours du XIIᵉ siècle. Désormais, le doge n'était plus élu par acclamation de l'« Arengo », à savoir l'assemblée qui réunissait tous les citoyens de Venise, mais par un groupe de 40 membres désignés. Vers la fin du XIIᵉ siècle, l'« Arengo » créa deux conseils destinés à assister le doge dans ses fonctions. Le Grand Conseil était formé de quelque quatre cents membres tandis que le Petit Conseil réunissait six personnes, représentant chacune un des six quartiers de Venise. Les membres de ces conseils, des notables de la ville, choisis en raison de leur fortune ou de leur érudition, d'où leur nom de *Savi* (sages), avaient déjà aidé, à titre privé, dans les affaires municipales, mais ils faisaient dorénavant partie d'une institution officielle. En théorie, tout citoyen vénitien pouvait devenir doge ; en réalité, la fonction restait l'apanage de quelques familles riches et puissantes. Du XIIᵉ au XIVᵉ siècle, les heurts se multiplièrent entre les familles patriciennes, depuis longtemps en place, et celles qui avaient entre-temps acquis fortune et prestige. Ces dernières voulaient désormais participer au gouvernement de la ville et n'acceptaient plus la domination des anciennes familles. La « fermeture » du Grand Conseil, introduite en 1297, fut le point culminant de ces luttes de pouvoir. Dès lors, seuls les citoyens vénitiens dont les ascendants en avaient déjà été membres pouvaient être admis au *Maggior Consiglio*. L'affiliation devint héréditaire en 1323, date à laquelle les membres du conseil furent élevés à la condition de nobles. Les noms de ces familles patriciennes, les mariages, de même que les naissances de leurs fils étaient consignés dans le Livre d'Or. Au cours des siècles suivants, seules quelques rares familles parvinrent à y faire ajouter leur

Portrait du doge Andrea Gritti, *vers 1545, Kress Collection, National Gallery, Washington. Réalisé après la mort de Gritti en 1538, ce portrait est empreint d'une majesté qui incarne le prestige de la fonction du chef de l'État vénitien.*

nom, en raison de leur richesse ou de mérites particuliers.

L'affiliation héréditaire ayant remplacé l'élection d'une assemblée au nombre défini, les membres du Grand Conseil devinrent de plus en plus nombreux à partir du XIVᵉ siècle. Pour conserver sa viabilité en tant qu'instrument gouvernemental, le Grand Conseil se divisa alors en divers organismes et commissions qui se chargeaient de questions particulières.

Si à partir du XIIIᵉ siècle, ainsi qu'on l'a vu, la noblesse s'établit au pouvoir et y resta jusqu'à la fin de la République, le doge ne cessait de perdre son autorité et devint, jusqu'au XVᵉ siècle, un véritable prisonnier de sa charge. Dès 1229, cinq *correctores* avaient été nommés pour évaluer la gestion du chef de l'État, après son départ. Suite à cette évaluation, ils décidaient du serment constitutionnel que prononcerait le nouveau doge.

Comme pour toutes les fonctions basées sur le verdict des urnes, celle de doge ne pouvait être refusée, sous peine de châtiment. L'élection se déroulait selon un système très complexe de scrutins et de ballottages. Le doge recevait un salaire, mais qui couvrait à peine ses dépenses. Il lui était interdit de traiter des affaires pour son compte personnel et devait donc posséder une fortune privée. Néanmoins, il lui fallait payer des impôts, comme tout citoyen de Venise. Bien qu'il présidât à toutes les assemblées, il n'avait pas plus de pouvoir que les autres participants. Il ne pouvait retirer la parole à un orateur que lors des séances du Grand Conseil. Chaque sortie de son palais devait s'effectuer dans le faste et, hormis en cas de guerre, il ne pouvait voyager à l'étranger sans l'autorisation du Petit Conseil (appelé *Collegio* à partir de 1412) dont un membre l'accompagnait toujours. Il n'avait le droit de recevoir les envoyés étrangers qu'en présence du *Collegio*. Il devait lire son courrier devant les membres du conseil qui pouvaient également prendre connaissance des lettres provenant de l'étranger. Chaque lettre ou décret de sa main devait être paraphé par au moins quatre conseillers avant de quitter le palais. Ses fils et petits-fils ne pouvaient occuper que des fonctions à Venise et nécessitaient l'ac-

Bonnet de doge, dit « Corno ». Museo Correr.

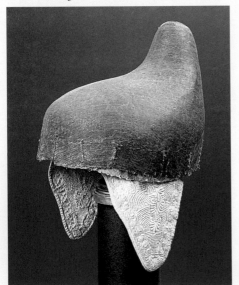

cord du Conseil s'ils désiraient épouser des princesses étrangères. Seuls quelques doges hors du commun parvinrent à surmonter ces restrictions drastiques pour exercer un pouvoir réel.

Le vrai pouvoir de Venise était le *Collegio*. Depuis le XIIIe siècle, celui-ci se composait de six membres élus par le Grand Conseil, auxquels s'ajoutèrent les trois présidents de la *Quarantia* (la magistrature) et, au cours des XIVe et XVe siècles, dix *Savi* choisis parmi le sénat, organe du Grand Conseil. À l'instar du doge, les membres du *Collegio* ne pouvaient refuser le poste qui leur était confié et il leur était interdit de gérer des affaires privées ou de quitter Venise sans l'autorisation du Grand Conseil. Par ailleurs, ils ne devaient pas appartenir

Urne électorale vénitienne, Museo Correr, Venise.

à la famille du doge. Lors d'un différent avec ce dernier, c'était la position du Collegio qui primait. Mieux encore, il était le seul organe habilité à destituer un doge.

De concert avec le doge, le *Collegio*, appelé également *Signoria*, présidait à toutes les assemblées. Chaque loi était d'abord débattue par ce conseil avant d'être ratifiée et mise en application par le sénat.

Au XVe siècle, le sénat comprenait 300 membres, dont tous les fils, neveux et frères du doge. La fonction de sénateur était très prisée de la noblesse vénitienne car elle conférait un grand prestige sans apporter beaucoup de restrictions. Un sénateur pouvait poursuivre la gestion de ses affaires privées et continuer d'habiter sa demeure vénitienne, ce qui n'était pas le cas lorsqu'on était nommé commandant de flotte ou gouverneur d'une ville conquise par la Sérénissime. Par ailleurs, un sénateur éloquent avait tout loisir d'étaler ses talents de rhétoricien – le temps de parole étant illimité au sénat – et cela, revêtu d'une toge somptueuse dont le pourpre ne le cédait qu'à l'écarlate de l'habit d'un membre du *Collegio*. En revanche, les représentants du pouvoir judiciaire – les quarante membres de la *Quarantia* et le Conseil des Dix – étaient vêtus de noir. Craint dans toute l'Europe, le Conseil des Dix,

Gabriel Bella, Une séance de nuit du Conseil des Dix, *avant 1792, Pinacoteca Querini Stampalia, Venise.*

sorte de service secret doté de pouvoir judiciaire, avait été créé pour déceler les nombreux complots qui marquèrent l'histoire vénitienne au XIVᵉ siècle. Il avait entre autres pour tâche de traquer les ennemis internes de la Sérénissime. Les Dix agissaient toujours en secret, de préférence la nuit. Après une arrestation, aucun témoin n'était entendu : les aveux éventuels étaient arrachés sous la torture ; mais toute enquête devait être achevée en un ou deux mois au maximum. On faisait appel à des conseillers supplémentaires dans les cas les plus épineux. Cinq votes consécutifs décidaient de la culpabilité ou de l'innocence d'un inculpé. Ce dernier était libéré si l'on n'obtenait pas d'unanimité.

Une multitude de petits services étaient attachés aux organismes dirigeants. L'étonnant, dans l'administration vénitienne, est que pratiquement aucune fonction ne fut jamais supprimée. On assistait au contraire à la création continuelle d'organes de gestion et de décision dont les compétences n'étaient pas définies, cela délibérément. On obtenait ainsi un équilibre subtil des divisions de pouvoir entre les différentes fonctions, et toutes les décisions étaient vérifiées plusieurs fois.

En outre de la création d'une pléthore d'administrations ; les Vénitiens modifiaient si souvent leurs lois que la formule « mutate rege mutata lex » (que le gouvernement change et la loi change), due à Domenico Morosini, historien et capitaine de la fin du Moyen Âge, illustre parfaitement l'histoire de la Sérénissime. On peut mesurer toute la portée de cette situation en sachant, que hormis le doge, la plupart des membres du gouvernement étaient démis de leurs fonctions au bout d'un an, sinon de six mois. Néanmoins, c'est seulement vers la fin de la République que les institutions s'entravèrent au point de paralyser toute action politique. Cette conséquence tardive s'explique sans doute par le fait qu'il était facile de garder le contrôle de la Cité-État. En effet, les vieilles familles nobles ou bourgeoises se connaissaient toutes et entretenaient de nombreux rapports. Elles habitaient le même quartier ou étaient en relation d'affaires ; les hommes avaient fait la guerre ensemble ou appartenaient à la même *scuola*. Ces contacts personnels permettaient de préparer les décisions politiques. C'est peut-être là que résidait le secret de la longévité – plus de mille ans – du système gouvernemental de Venise.

Gabriel Bella : *Le jugement du roi dans la salle du Tribunal criminel,* **avant 1792**
Huile sur toile, 95 x 147 cm
Bibliothèque Querini-Stampalia, Venise

Du temps de la Sérénissime, la cour et les deux premiers étages du palais des Doges étaient accessibles à tous les citoyens. C'est là que se trouvaient les bureaux des scribes et les institutions mineures, tandis que le rez-de-chaussée abritait quelques cellules de prisonniers. Les *Avogadori*, comparables aux procureurs actuels, étaient installés au premier étage, ce qui leur permettait d'accéder facilement aux cachots et aux salles de torture durant l'instruction d'un procès. L'étage était également relié à la nouvelle prison, construite en 1560 : il suffisait d'emprunter le Pont des Soupirs, de triste renommée. En revanche, les tribunaux, les salles de la Quarantia composées de quarante juges chacune, se trouvaient au deuxième ; c'est là que l'on jugeait les affaires civiles et criminelles. Sur ce tableau de Gabriel Bella, le groupe d'accusés ou de témoins en habits colorés que l'on distingue à gauche semble bien petit et insignifiant, face à l'imposante assemblée des juges vêtus de noir.

secrète. Pourtant, quand on songe à ce qui attendait les condamnés dans le reste de l'Europe – des cachots collectifs crasseux et sans lumière, dans lesquels les détenus devaient partager leur triste sort avec d'autres misérables et avec une abondante vermine – les prisons vénitiennes n'étaient peut-être pas si inhumaines. Les Vénitiens eux-mêmes trouvaient les conditions de détention acceptables.

La Bocca del Leone

C'est dans ces « gueules de lion » que les délateurs étaient incités à glisser les dénonciations anonymes concernant des faits de fraude fiscale, de corruption, de dilapidation des deniers publics ou autres.

Le rez-de-chaussée / I Pozzi

Les cachots du rez-de-chaussée du palais des Doges étaient surnommés « Pozzi » (puits) en raison de l'humidité ambiante. Maçonnés en pierres d'Istrie et revêtus d'épais madriers, le mobilier s'y réduisait à une planche en guise de lit. Fréquemment dénoncées pour leur insalubrité, ces geôles vénitiennes ont inspiré nombre de romans d'épouvante au XIXe siècle, qui en ont fait un lieu plus horrible qu'en réalité. À quoi venait s'ajouter la réputation terrifiante du Conseil des Dix et de sa redoutable police

Le palais des Doges
Étage des Galeries (premier étage)

Le palais des Doges regroupait toute une série de bureaux, tribunaux, prisons, salles de réception et de représentation officielles, des salles de fêtes ainsi que l'appartement ducal. Selon le motif de sa visite, le visiteur de jadis devait emprunter un itinéraire précis : on lui faisait traverser divers escaliers, couloirs, corridors et salles d'at-

tente. Chemin faisant, il pouvait admirer quantité de tableaux qui exaltaient la puissance et la richesse de Venise, ainsi que les mérites du service auquel il voulait ou devait s'adresser. D'innombrables portraits de fonctionnaires faisaient partie du décor. Eux aussi étaient censés cimenter la tradition et la continuité de la République, tout en inculquant au citoyen le respect des vertus, de l'histoire et de la splendeur vénitienne.

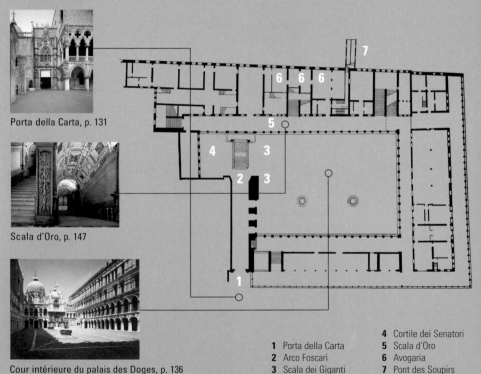

Porta della Carta, p. 131

Scala d'Oro, p. 147

Cour intérieure du palais des Doges, p. 136

1 Porta della Carta
2 Arco Foscari
3 Scala dei Giganti
4 Cortile dei Senatori
5 Scala d'Oro
6 Avogaria
7 Pont des Soupirs

L'Escalier d'Or (Scala d'Oro)

Les deux étages supérieurs du palais abritaient les locaux du gouvernement. Dès 1559, les visiteurs de marque venant du premier y accédaient par un somptueux escalier d'honneur au plafond orné de stucs dorés. La construction de cette Scala d'Oro, dessinée par l'architecte Jacopo Sansovino, fut entamée sous sa direction en 1530 mais elle ne fut achevée qu'en 1559 par Antonio Abbondio. Les stucs raffinés et les peintures sont l'œuvre d'Alessandro Vittoria et de Giovanni Battista Franco.

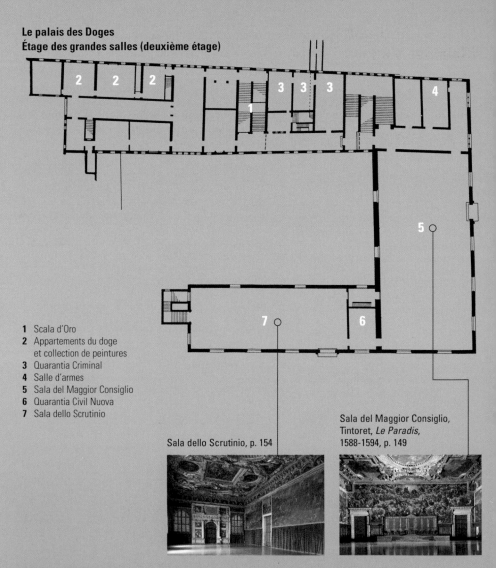

Le palais des Doges
Étage des grandes salles (deuxième étage)

1 Scala d'Oro
2 Appartements du doge
   et collection de peintures
3 Quarantia Criminal
4 Salle d'armes
5 Sala del Maggior Consiglio
6 Quarantia Civil Nuova
7 Sala dello Scrutinio

Sala dello Scrutinio, p. 154

Sala del Maggior Consiglio,
Tintoret, *Le Paradis*,
1588-1594, p. 149

La salle du Grand Conseil (Sala del Maggior Consiglio)

La grande salle située sur le côté sud du deuxième étage était le lieu de réunion du grand conseil (Maggior Consiglio). Il s'agissait d'une sorte de Parlement, même si ses membres n'étaient pas élus. Le droit de participation était conditionné par la naissance et l'accès au Conseil réservé aux nobles vénitiens âgés de plus de 25 ans.

En 1577, un grave incendie ravagea la salle, détruisant toutes les œuvres d'art et le mobilier de valeur qui y avaient été rassemblés depuis le XIVe siècle. On envisagea alors de remplacer tout le bâtiment par un édifice plus conforme au goût du siècle, mais après délibération on opta pour une reconstruction fidèle. La salle fut restaurée dans sa forme initiale et, entre 1578 et 1594, dotée d'un décor intérieur de conception moderne. Sous le plafond aux moulures très travaillées, les 76 premiers doges de Venise (jusqu'en 1556) furent représentés en frise sur trois côtés de la salle et les autres doges dans la salle du Scrutin (Sala dello Scrutinio) adjacente. Chacun de ces portraits est accompagné des armoiries correspondantes. L'un d'entre eux a été occulté par un voile noir. Il s'agit du portrait de Marino Falier, qui voulut renverser la République en 1355.

Gabriel Bella : *Le doge remercie le Grand Conseil de son élection*, avant 1792
Huile sur toile, 94,5 x 146,5 cm

Palma le Jeune : *Venise accueille les provinces soumises*, 1578-1585
Huile sur toile

Le conseil est réuni ici au grand complet dans la Sala del Maggior Consiglio. Cette institution, qui a compté plus de 2 000 membres au XVIe siècle, était beaucoup trop lourde pour travailler efficacement, mais on y choisissait le doge, les fonctionnaires issus de la noblesse et les membres des conseils. Afin de prévenir toute manipulation, on désignait d'abord des collèges électoraux par une procédure complexe basée sur le vote et le tirage au sort.

Le plafond magnifiquement sculpté de la Sala del Maggior Consiglio fut exécuté d'après un carton de Cristoforo Sorte, ingénieur et cartographe qui travaillait aussi comme peintre et décorateur. Les moulures encadrent trente-cinq compartiments ornés de peintures glorifiant l'État vénitien. Il existe encore un programme officiel qui établit le schéma et les thèmes de ces grands cycles picturaux, ainsi que des commentaires. Les textes concernant la salle du

Parlement de la République fournissent un précieux témoignage de l'atmosphère qui régnait à Venise à l'époque où l'on créa ce décor intérieur. Mais il en ressort aussi que les artistes n'avaient que faire de ces prescriptions. Les toiles placées sur les côtés devaient illustrer les hauts faits des Vénitiens, tandis que celles du milieu en représenteraient les conséquences glorieuses. Le tableau de Palma le Jeune évoque la soumission des provinces vénitiennes, qui ne sont pas désignées plus précisément. Elles viennent offrir des trésors et des enseignes en signe d'allégeance. Le doge Nicolò da Ponte (1585-1595) siège tout en haut. À l'arrière-plan se profile la façade de la basilique Saint-Marc. Les membres du gouvernement se tiennent un peu plus bas sur la gauche. Venise trône dans les nuages, accompagnée du Lion de saint Marc portant une couronne de laurier dans la gueule. Il présente la couronne à Venise, qui semble vouloir offrir au doge ce symbole de victoire.

Paolo Véronèse :
Le triomphe de Venise, 1578-1585
Huile sur toile, 904 x 580 cm

La qualité exceptionnelle de cette toile de Véronèse fit l'unanimité. Venise, vêtue de bleu et d'or, est entourée d'un cercle de femmes symbolisant la Gloire, la Renommée, la Paix, la Liberté, le Commerce et l'Agriculture. Appuyées à une balustrade, au centre, quelques Vénitiennes parmi lesquelles la femme, la mère et la fille du peintre.

Tintoret :
Le Paradis, 1588-1594
Huile sur toile, 700 x 2200 cm

La fresque initiale de 1365, un *Couronnement de la Vierge* de Guariento, peintre padouan du XIVe siècle, disparut dans l'incendie de 1577. On lui superposa une peinture de Tintoret consacrée au thème du Paradis. Cette scène constitue une apothéose de composition où une foule d'anges, de saints et de bienheureux s'ordonnent en ondes concentriques et cette toile gigantesque donne effectivement l'impression de contempler la foule du Paradis. Tintoret a trouvé une solution magistrale pour y faire figurer tous les saints qui assistent au couronnement de la Mère de Dieu. En effet, tandis que les versions plus anciennes de ce sujet se limitaient à

représenter quelques saints seulement, Tintoret les a réunis au grand complet. Le caractère indiscernable de la multitude est ici accentué par les mouvements prononcés de certaines figures qui brisent la régularité de la composition. La distribution judicieuse des ombres et des lumières contribue à créer une impression de profondeur. Quant aux divinités formant le centre du tableau, elles seraient à peine visibles si le peintre n'avait réservé autour d'elles un espace vide dans la masse des personnages, le point fort de la scène étant le couronnement de Marie.

La salle du Scrutin (Sala dello Scrutinio)

La deuxième salle du premier étage fut aménagée quelque temps après celle du Grand Conseil, dans le cadre des travaux d'agrandissement du palais entrepris par Francesco Foscari au xvᵉ siècle. C'est dans cette salle que l'on comptait les voix récoltées lors des élections au sein du Grand Conseil. Les collèges électoraux successifs étaient désignés et renouvelés par vote et par tirage au sort : il fallait en effet seize tours de scrutin pour élire le doge ou un haut fonctionnaire. Dévastée lors de l'incendie de 1577, la décoration de cette salle fut complètement refaite à partir de 1578. De nos jours, on y pénètre généralement après avoir vu la salle du Grand Conseil, mais autrefois la plupart des visiteurs ainsi que les membres du Conseil passaient d'abord par cette salle. Un détail, mais qui a son importance au niveau des peintures prévues par le programme de décoration officiel : tandis que les bienfaits de la souveraineté vénitienne sont magnifiés dans la salle du Grand Conseil, le cycle pictural de la salle du Scrutin est consacré aux guerres menées par Venise pour asseoir sa domination en Méditerranée orientale. Les œuvres du plafond évoquent les luttes de Venise contre ses puissantes rivales Gênes et Pise, qui furent finalement vaincues. La frise avec les portraits des doges a été exécutée d'après modèle.

Le palais des Doges
Second étage noble (troisième étage)

Sala del Collegio, p. 162

Sala del Senato, p. 163

Sala del Consiglio dei Dieci, p. 164

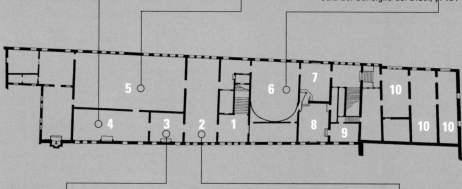

Anticollegio, p. 161

Sala delle Quattro Porte, p. 158

1 Scala d'Oro
2 Sala delle Quattro Porte
3 Anticollegio
4 Sala del Collegio
5 Sala del Senato
6 Sala del Consiglio dei Dieci
7 Sala della Bussola
8 Sala dei Tre Capi
9 Sala degli Inquisitori
10 Salles d'armes

Titien, *Le doge Antonio Grimani agenouillé devant la Foi* : vers 1555-après 1576
Huile sur toile, 365 x 500 cm

Ce « portrait » du doge Grimani agenouillé devant l'allégorie de la Foi fut effectivement commencé par Titien vers 1555, mais il ne fut achevé que longtemps après sa mort. Il s'agit d'un de ces tableaux votifs figurant un doge à genoux, que l'on retrouve un peu partout dans le palais des Doges, car chaque dirigeant était tenu de faire exécuter une œuvre de ce type durant son règne. Pour certains d'entre eux, plusieurs de ces « portraits » ont été conservés ; d'autres se montrèrent peu enclins à satisfaire à cette obligation. Mais les autorités restaient inflexibles. Le portrait de Grimani est un cas particulier, puisqu'il ne fut commandé par le Conseil des Dix que trente ans après la mort du doge. Peut-être le mandat de Grimani fut-il trop bref (1521-1523) pour qu'il eût le temps d'y pourvoir en personne. Il fallut d'ailleurs attendre encore vingt ans avant que le tableau ne soit bel et bien terminé.

La salle des Quatre-Portes (Sala delle Quattro Porte)

La décoration initiale de la salle des Quatre-Portes disparut dans l'incendie de 1577. On a souvent affirmé que l'architecte responsable de la rénovation avait été Palladio, mais les sources existantes ne sont pas suffisamment fiables pour lui attribuer définitivement la conception du décor intérieur de cette salle. Peut-être ne joua-t-il qu'un rôle de conseiller. Comme son nom l'indique, la salle des Quatre-Portes faisait fonction d'antichambre ; ses portes mènent en effet aux locaux des principaux organes du gouvernement : le Conseil des Dix, le Sénat et l'Anticollegio. Les peintures du plafond cintré font allusion à la domination de Venise sur les mers, à sa force, à son indépendance et à sa richesse. Y sont représentées aussi les villes et les régions appartenant à la zone d'influence de la Sérénissime, comme par exemple l'Istrie, symbolisée par une couronne, et Vérone par ses arènes. En 1589, le haut des portes fut agrémenté de sculptures d'Alessandro Vittoria et de Girolamo Campagna, qui font référence aux fonctions des pièces auxquelles elles donnent accès. La porte de l'Anticollegio (antichambre de la salle du Collège où se réunissaient le doge et ses plus proches conseillers) est caractérisée par les allégories de la Prudence, de l'Éloquence et de l'Écoute ; celle conduisant au conseil des Dix par les figures de l'Autorité, de la Religion et de la Justice.

L'Anticollegio

Par la salle des Quatre-Portes, on arrive dans une autre salle d'attente plus petite, mais encore plus luxueuse. Il s'agit de l'Anticollegio, l'antichambre de la plus haute instance du gouvernement, le Collège (Collegio). La riche décoration en stuc du plafond fut dessinée par Andrea Palladio et exécutée en 1576-1577. Les fresques, dues à Paolo Véronèse et à ses élèves, ont subi d'importants remaniements au xviie siècle. Elles exaltent la puissance et la fortune des Vénitiens. En 1713, la République acquit un des tableaux les plus célèbres du même Véronèse, *L'enlèvement d'Europe*. La pièce fut alors entièrement réaménagée. Quatre toiles de Tintoret, exécutées en 1577-1578 et d'abord accrochées sur le long mur, vinrent flanquer les portes. Ces scènes tirées de la mythologie antique pouvaient elles aussi être mises en rapport avec les forces et les vertus de Venise, mais la grille de lecture en était si extraordinairement complexe que les visiteurs avaient besoin d'explications. Ainsi, dans cette antichambre où les hôtes de haut rang avaient tout loisir de contempler les œuvres en attendant d'être reçus, ce programme iconographique ambitieux était le point de départ de conversations savantes, dans lesquelles les membres du Collège pouvaient briller en étalant leur savoir.

Tintoret :
Les noces de Bacchus et d'Ariane, **1577-1578**
Huile sur toile, 146 x 167 cm

Ariane, que Thésée laissa seule abandonnée sur un rivage, se vit offrir un anneau nuptial par Bacchus. Au-dessus d'elle Vénus, la déesse de l'amour, tient une couronne de mariée composée d'étoiles étincelantes. Selon certains, cette scène mythologique ferait allusion à Venise dans son rôle d'épouse de la mer.

La salle du Collège
(Sala del Collegio)

Cette salle est sans doute la plus somptueuse du palais des Doges. C'est là que se
réunissait le Collège (ou Signoria), l'organe
suprême de la République, qui comprenait
le doge et ses six conseillers, les « Savi » (les
Sages : dix-sept hauts fonctionnaires issus
de différentes administrations), le prési-
dent du Conseil des Dix et le grand chancelier. On y recevait les ambassadeurs
étrangers comme les ambassadeurs de

Venise qui venaient rendre compte de leur
mission dans les pays lointains. On y pré-
parait également les sessions des autres
organes du gouvernement. Les murs sont
ornés de grandes toiles votives représentant différents doges agenouillés devant des
saints. Comme la décoration de la salle fut
entièrement renouvelée après 1574, il n'est
guère surprenant que l'on ait représenté,
derrière l'estrade du Collège et dans un
style analogue aux portraits votifs, la
bataille navale de Lépante (1571). Il s'agit
en effet de la victoire la plus triomphale
que la République ait remportée à cette

époque, et qui confirma – pour la dernière fois – sa suprématie en Méditerranée orientale. Les peintures du plafond célèbrent, sous forme d'allégorie, la force que Venise tirait de la Foi. Alors que dans l'antichambre la République était magnifiée par les allusions savantes de scènes mythologiques, c'est la foi chrétienne qui prévalait ici au cœur du gouvernement.

La salle du Sénat (Sala del Senato)

À côté de la salle du Grand Conseil se trouve la salle du Sénat – accessible aussi par la salle des Quatre-Portes – où siégeaient les sénateurs, détenteurs du pouvoir législatif. C'est ici que l'on adoptait les lois proposées par la Signoria. Pour la forme, ce Sénat ne se réunissait qu'à l'invitation du Collège, raison pour laquelle les sénateurs étaient aussi appelés « Pregadi » (les Priés). Une partie d'entre eux était élue par le Grand Conseil, les autres membres étant de hauts fonctionnaires admis en vertu de leur charge. À l'instar des membres du Collège, les sénateurs étaient autorisés à se vêtir

de robes pourpres. Leur fonction leur valait honneurs et dignité, mais exigeait aussi beaucoup de zèle. Durant les sessions qui, à certaines périodes, se tenaient deux fois par semaine, les portes de la salle étaient verrouillées pour la durée des débats. Chaque membre avait le droit de s'exprimer aussi longtemps que nécessaire sur les points à l'ordre du jour. C'est peut-être pour cette raison qu'il y avait non pas une, mais deux grandes horloges indiquant les heures et les signes du zodiaque, afin de rappeler aux sénateurs que le temps passait. Les débats se prolongeaient souvent tard dans la nuit, voire jusqu'au lendemain. Le panneau du centre du plafond, exécuté par Tintoret, célèbre la puissance maritime de Venise.

La salle du Conseil des Dix (Sala del Consiglio dei Dieci)

Depuis le Sénat ou le Collège, donc le cœur du gouvernement, il fallait traverser la salle des Quatre-Portes pour accéder à la salle du Conseil des Dix. Cette institution avait été créée en 1310 après une tentative de coup d'État, afin de contrôler le Sénat, le Collège et le doge lui-même. Cette fonction justifiait sa situation un peu à l'écart des autres salles. Tous les écrits adressés au gouvernement ou émanant de lui devaient être soumis à son approbation, même les instructions les plus confidentielles. Le Conseil des Dix avait en outre la faculté de révoquer le gouvernement et même le doge en personne s'il venait à se rendre coupable d'une faute grave. Il disposait d'un réseau d'espions parfaitement organisé qui l'informait en permanence de ce qui se passait en ville. Ainsi, toute la vie vénitienne était sous sa surveillance. Le pouvoir de cette institution redoutable qui pouvait, sans avis préalable ni justification aucune, traîner les gens devant la justice ou même les faire assassiner discrètement, était le revers de la médaille d'une administration vénitienne compétente en toutes matières.

Paolo Véronèse :
Junon déversant des dons sur Venise, 1553
Huile sur toile, 365 x 147 cm

L'iconographie qui sous-tend le programme pictural de cette salle n'a pas encore trouvé d'explication, mais il semble bien s'agir de l'expulsion des vices, qui fait clairement référence à la vocation du Conseil des Dix, comme d'ailleurs les tableaux des salles voisines. C'est le jeune Véronèse, à peine âgé de vingt-cinq ans, qui fut chargé en 1553 de peindre les plafonds. Il y produisit de véritables chefs-d'œuvre. Le panneau central est la copie d'un tableau que les Français emportèrent en 1797 pour l'exposer au Louvre. À côté, une Venise personnifiée sur qui Junon déverse une pluie de cadeaux semble jouer sur les différentes significations du mot « grâce ». Ici, elle s'opère sous forme de présents, mais pour le Conseil des Dix, elle représentait une vertu particulièrement importante : la clémence à l'égard des condamnés.

Giovanni Battista Tiepolo :
Neptune verse aux pieds de Venise
les richesses de la mer, **1748-1750**
Huile sur toile, 135 x 275 cm

Ce n'est qu'au XXᵉ siècle que cette œuvre de Tiepolo fut placée dans la salle du conseil des Dix. À l'origine, elle devait remplacer un tableau du XVIᵉ siècle sérieusement endommagé dans la salle des Quatre-

Giovanni Battista Tiepolo :
Neptune verse aux pieds de Venise
les richesses de la mer, **1748-1750**
Huile sur toile, 135 x 275 cm

Portes. La comparaison avec les panneaux du plafond réalisés par Véronèse fait apparaître tout ce que Tiepolo – qui vécut et œuvra cent cinquante ans après – a emprunté au maître sur les plans formel et chromatique. Néanmoins, le bleu turquoise clair, le rouge et l'orange que Tiepolo a choisis pour cette toile constituent une gamme de coloris étrangère à celle de son grand modèle.

Pourquoi le portrait du doge Marino Falier a-t-il été voilé de noir ?

Rares sont les visiteurs du palais des Doges qui regarderont attentivement tous les portraits de doges alignés en frise sous le plafond de la Sala del Maggior Consiglio, d'autant plus que seuls les plus récents seraient vraiment authentiques. Aussi ne manqueront-ils sans doute pas de remarquer l'anomalie qui figure dans cette galerie de portraits : celui de Marino Falier, un doge du XIVᵉ siècle, a été repeint en noir.

Quel abominable méfait commit cet homme pour que son image soit ainsi effacée à tout jamais ? Une inscription latine de 1570 dit seulement qu'il fut décapité en raison de ses crimes. Elle remplace une inscription plus ancienne qui mentionnait une trahison. Mais pourquoi Falier, qui était jusqu'alors l'homme

le plus considéré de la ville, a-t-il perpétré un tel crime ? Falier fut élu le 11 septembre 1354, à presque soixante-dix ans, mais on avait souvent songé à lui auparavant pour le poste de doge. Issu d'une vieille famille patricienne, il avait réussi comme amiral, général et diplomate. En tant que membre du Conseil des Dix, il avait même eu pour mission, en 1310, de traquer le dangereux conspirateur qu'était Bajamonte Tiepolo, qui avait été exécuté entre les deux colonnes de la Piazzetta, un endroit qu'aujourd'hui encore aucun Vénitien superstitieux ne voudrait traverser. Selon la légende, apprenant son élection alors qu'il avait été envoyé auprès du pape en Avignon, Falier rentra à Venise sur un navire officiel. À son arrivée, le brouillard était si épais qu'il passa malencontreusement entre les deux

Tintoret, Le portrait voilé de Marino Falier, Sala del Maggior Consiglio, Palazzo Ducale, Venise.

Portraits de doges et scènes de l'histoire vénitienne dans la Sala del Maggior Consiglio.

colonnes. Il fallait donc s'attendre au pire, d'autant plus que, selon une lettre du poète Pétrarque, il était entré dans le palais des Doges du mauvais pied.

Le fait est que Falier complotait un coup d'État. Il parvint en effet à convaincre deux représentants du peuple, le capitaine marchand Bertuccio Isarello et le maître des travaux du palais des Doges Filippo Calendario, qui furent chargés d'enrôler d'autres conjurés. Sous le faux prétexte que des Génois – ennemis héréditaires de Venise qui venaient de lui infliger une cuisante défaite à Portolongo sous le dogat précédent – avaient pénétré la lagune, Falier devait convoquer les Conseils dans la nuit du 15 au 16 avril 1355. À ce moment-là, les conjurés étaient censés arrêter le gouvernement au grand complet et proclamer Falier souverain absolu. En ce qui concerne les motivations qui poussèrent Falier à commettre cet acte de trahison, on en est réduit à des conjectures. Ce qui semble certain, c'est qu'après la défaite de Portolongo le mécontentement grondait au sein de la population vénitienne, qui imputait cet échec à la lâcheté des patriciens. Les chroniqueurs firent aussi état de diverses humiliations que les patriciens auraient infligées à des roturiers – notamment au conspirateur Isarello – et qui n'avaient pas fait l'objet d'une réparation suffisante. De plus la population, et sans doute aussi le doge, aspirait à la paix avec Gênes, une paix que les membres du gouvernement refusaient. Par ailleurs, Falier voulait peut-être suivre l'exemple d'autres cités d'Italie du Nord, où le patriciat avait cédé la place à des souverains uniques. Cette forme de gouvernement semblait attirer le succès, tant sur le plan politique qu'au niveau du commerce et de la guerre : c'était le cas de Gênes !

Il ne fait aucun doute que le doge croyait sincèrement agir pour le bien de sa ville natale, et non pour renforcer son pouvoir ou celui de sa famille. Il était vieux – soixante-dix ans – et n'avait pas d'héritier mâle. Son complot n'était donc pas destiné à servir ses intérêts personnels. Les Vénitiens, eux, ont leur propre version des faits. Ils prétendent que le futur doge Michele Steno avait déposé une satire sur le trône ducal de la salle du Grand Conseil, où il accusait la dogaresse d'adultère et ridiculisait son époux. Steno avait certes été inculpé, mais s'en était tiré avec une peine d'un mois de prison, bien trop légère pour l'outrage infligé devant toute l'aristocratie réunie. Voilà ce qui aurait incité Falier à vouloir supprimer définitivement ce gouvernement patricien beaucoup trop partial. Les dossiers

condamné pour outrage au doge, mais rien ne prouve qu'il s'agissait de l'épouse de Falier. Quoi qu'il en soit, il y eut dénonciation et le complot fut éventé. Apparemment, des citoyens contactés par les conspirateurs avaient pris peur et avaient alarmé les patriciens. Ceux-ci allèrent trouver le doge pour lui signaler une insurrection imminente. Falier ne put empêcher une enquête approfondie. Ses complices furent mis en cause et condamnés à mort en pleine nuit. Le doge lui-même fut inculpé.

Dans les jours suivants, onze acolytes issus du peuple furent pendus aux fenêtres du palais, un bâillon sur la bouche pour les empêcher par leurs cris d'inciter le peuple à la révolte. Après avoir été privé de tous les insignes de sa charge, Falier lui-même fut décapité le 17 avril sur les marches du palais des Doges, là même où il avait été couronné quelques mois plus tôt. La cloche qui devait sonner le glas en son honneur fut réduite au silence : elle fut accrochée sans battant ni corde. Onze ans plus tard, on peignit le voile noir qui devait dissimuler son portrait pour toujours.

Les colonnes de la Piazzetta, entre lesquelles fut exécuté Bajamonte Tiepolo.

170

La Libreria
(Biblioteca Marciana)

L'édifice du milieu du xvIᵉ siècle en face du palais des Doges était initialement destiné au nouveau siège administratif des procurateurs de Saint-Marc. C'est Sansovino qui fut chargé d'en dessiner les plans en 1537. Dix ans plus tôt, alors que les troupes impériales saccageaient Rome, l'architecte avait quitté la ville sainte pour Venise. Il y introduisit un nouveau style « à la romaine » jusqu'alors inconnu dans la cité de la lagune. Pour Andrea Palladio, l'un des grands architectes de la fin du xvIᵉ siècle, la Libreria était « l'ouvrage le plus richement décoré depuis l'Antiquité ». En 1545, les travaux commencés du côté du campanile étaient déjà bien avancés. Mais, le 18 décembre, une grande partie du bâtiment en cours de construction s'écroula. Sansovino fut jeté en prison et il n'en sortit qu'avec l'appui d'amis influents. En 1547, après avoir financé la reconstruction de sa poche, on lui confia à nouveau la charge de maître d'œuvre. En 1554, l'édifice était achevé jusqu'à la seizième arcade en partant du campanile. Les choses en restèrent là jusqu'en 1582, date à laquelle Vincenzo Scamozzi prolongea le bâtiment jusqu'à la lagune. Il abrite aujourd'hui la Biblioteca Marciana qui compte parmi les plus riches bibliothèques d'Italie. À droite, sous les arcades, se trouve l'entrée du musée Archéologique attenant à la bibliothèque.

Le grand salon de la Bibliothèque

L'édifice tout neuf accueillit l'inestimable collection de manuscrits grecs et latins que le cardinal et humaniste Bessarion avait léguée à la République en 1468. Cette idée était née alors que les travaux pour le nouveau siège des procurateurs étaient déjà en cours. La collection du cardinal constitua le fonds d'une des plus riches bibliothèques d'Italie. Pour la République, c'était surtout une affaire de prestige. Il s'agissait de créer un lieu conforme aux valeurs culturelles de la Renaissance et digne d'abriter les précieux manuscrits de Bessarion : c'est pourquoi le grand salon de la bibliothèque, à l'étage, fut aussi somptueusement décoré.

représenter les dieux de l'Antiquité qui incarnaient les arts et les vertus. Le prix, un collier d'or, revint à Paolo Véronèse pour son tableau allégorique : *Le Chant, la Musique, l'Honneur.* La toile de Titien intitulée *Sapientia* – la Sagesse –, dans le vestibule de la salle de lecture, fut exécutée sept ans plus tard. C'était une sorte de commentaire sur les œuvres de la jeune génération présentes dans la salle. Reprenant les coloris lumineux de Véronèse, Titien démontra qu'il était encore capable de rivaliser avec les harmonies chromatiques et le traitement maniériste du corps qu'affectionnaient les jeunes peintres. Le vestibule avec la toile de Titien avait été prévu pour servir de salle de conférences, où le patriciat vénitien écouterait les dissertations des lettrés.

Titien :
La Sagesse, **vers 1564**
Huile sur toile, 179 x 189 cm

Pour réaliser les 21 panneaux destinés à orner le plafond doré de la Libreria, on organisa en 1556-1557 un concours qui s'adressait à la génération montante des artistes vénitiens. Les présidents du jury étaient l'architecte Sansovino et son ami Titien, le peintre le plus réputé de la ville. Les jeunes artistes furent invités à

Vue de la Piazzetta depuis le bassin de Saint-Marc

*La place située entre la Libreria et le palais des Doges est appelée *Piazzetta* (« petite place ») pour l'opposer à la grande place Saint-Marc. Au XVIᵉ siècle, elle était occupée par une multitude d'échoppes offrant des produits de première nécessité, ainsi des boulangeries et des boucheries. Ce n'est que sous Sansovino que l'on décida de libérer la place de tous ces étalages et baraquements. L'architecte y créa un magnifique espace urbain, digne de la grandeur de la République. Les deux imposantes colonnes de granit dressées devant le bassin avaient été érigées dès le XIIᵉ siècle. Elles sont coiffées du Lion de Saint-Marc, emblème du protecteur de la cité, et de la statue de Théodore, ce saint grec presque oublié qui avait été le premier patron de Venise.

La Zecca

Le côté sud-ouest de la Libreria est prolongé par la Zecca, ou hôtel de la Monnaie. À l'origine, la Monnaie vénitienne se trouvait près du Rialto. Elle fut transférée au bord de l'eau en 1277, pour des raisons de sécurité : les étincelles causées par la fonte des métaux risquaient de causer des incendies. Dans le cadre du réaménagement de la Piazzetta, Jacopo Sansovino fit entreprendre la construction du nouvel édifice en 1536. Le bâtiment dessiné par l'architecte ne comportait que deux étages. Le troisième y fut ajouté entre 1558 et 1566. Sansovino était encore en vie, mais il semble que ce dernier étage ne soit pas de lui. Les bossages prononcés de la façade et des colonnes confèrent à l'édifice un aspect sévère et martial qui fait allusion à sa fonction industrielle, la fonte des métaux. Ce parement, combiné aux chapiteaux simples dont Sansovino a coiffé les colonnes, était en effet réservé aux activités subalternes ou aux ouvrages défensifs. L'aspect altier et fortifié de l'hôtel de la Monnaie proclame que la vocation du bâtiment était d'abriter quelque bien important, à savoir les métaux précieux et les pièces de monnaies de la ville.

De nos jours, l'édifice fait partie de la Biblioteca Marciana.

La prison (Prigioni Nuove)

Le pont des Soupirs

À l'est du palais des Doges se trouve la prison, une bâtisse édifiée en deux étapes. En 1589, on en construisit la partie antérieure avec la façade. À l'instar de ce que Jacopo Sansovino avait fait pour la Zecca, l'architecte Antonio da Ponte y créa une architecture tout à fait évocatrice. Les bossages plutôt grossiers indiquaient qu'il s'agissait d'un ouvrage défensif dans lequel on ne pouvait pénétrer aisément – et encore moins sortir.

Le Ponte dei Sospiri, construit vers 1602, est sans doute le pont le plus célèbre de Venise, après celui du Rialto. Il reliait les locaux des juges d'instruction et les geôles du palais des Doges à la nouvelle prison. Son appellation très romantique faisait allusion aux soupirs que poussaient les malheureux condamnés qui, à travers ses fenêtres, entrevoyaient pour la dernière fois avant longtemps la lumière du jour, la mer et la liberté.

La Loggetta

C'est vraisemblablement au XVe siècle ou au début du XVIe siècle au plus tard, que la salle de réunion du patriciat fut transférée sous le Campanile, qui était encore entouré à l'époque de boutiques et d'échoppes. En 1537, Jacopo Sansovino dessina les plans de la petite bâtisse actuelle, la Loggetta, qui fut achevée en 1547. Elle ne servit d'ailleurs pas longtemps à accueillir les aristocrates, puisque la garde d'honneur des ouvriers de l'Arsenal y emménagea en 1569. Cette garde avait un rôle de surveillance lors des sessions du Grand Conseil, afin de pouvoir secourir l'assemblée en cas de nécessité. Ce n'est qu'en 1663 qu'on y ajouta la terrasse et les portes qui ouvrent sous les arcades.

Jacopo Sansovino : *Mercure*
Bronze

Les quatre niches de la Loggetta abritent des statues de bronze représentant Minerve, déesse romaine de la guerre et de la sagesse, Apollon, le dieu des arts, Mercure, dieu des marchands, des voleurs et de la rhétorique, ainsi qu'une allégorie de la Paix. Toutes ces œuvres sont moins grandes que nature. Dans le cas de Mercure, la tunique légère, délicatement plissée, fait ressortir une certaine douceur qui se reflète dans un visage juvénile, tandis que la musculature des bras et des jambes dénote force et vigueur. Ce travail alliant la jeunesse et la puissance témoigne d'une grande maîtrise. Mercure semble se tourner vers Apollon, qui se tient de l'autre côté de la porte. Par ce mouvement, la figure n'est pas complètement enfermée dans sa niche, mais elle entretient un dialogue vivant avec les autres statues. Sansovino n'était pas seulement un grand architecte, mais aussi un excellent sculpteur. Quelquefois, comme ici pour la Loggetta, ses deux talents viennent se compléter à merveille : avec ses nombreux reliefs, ses colonnes et ses niches, et surtout par l'utilisation de matériaux de différentes couleurs, cet édifice relève à la fois de la sculpture et de l'architecture.

La place Saint-Marc (Piazza San Marco)

Le campanile

Le clocher de Saint-Marc, qui domine les deux places situées devant et à côté de la basilique Saint-Marc, constitue une sorte de charnière entre la Piazza et la Piazzetta. Cette tour à laquelle ont œuvré maintes générations d'artistes acquit sa forme définitive au début du XVIe siècle. Après avoir été endommagée par la foudre une fois de plus en 1489, elle fut reconstruite entre 1511 et 1514. Sa flèche pyramidale est depuis surmontée de l'archange Gabriel. Au matin du 14 juillet 1902, le campanile s'écroula. Aussitôt, la municipalité décida de le faire reconstruire à l'identique et de lui conserver sa hauteur de 95 m. Du sommet, on jouit d'une vue sublime sur Venise et sur la lagune. Certains jours, quand il fait très clair, on peut distinguer même les Alpes.

La tour de l'Horloge

C'est en 1496 que Mauro Codussi se vit confier la construction d'une tour d'horloge à l'entrée des Mercerie, les grandes rues commerçantes du Rialto. Des ailes latérales y furent adjointes en 1499. Cette tour, composée de pierres polychromes, rehaus-sée de bleu et de dorures dignes du chef-d'œuvre de mécanique que constitue l'horloge elle-même, est une merveille architecturale. Son rez-de-chaussée rappelle un arc de triomphe antique. L'horloge au-dessus de l'arcade indique non seulement les heures, mais aussi les phases de la lune et du soleil et les signes du zodiaque. Un étage plus haut se dresse une statue en bronze de la Madone. Dans les petites fenêtres adjacentes, l'heure est indiquée à nouveau (toutes les cinq minutes). Le 6 janvier et lors de la semaine de l'Ascension, les portes latérales laissent sortir les Rois mages. Au-dessus, le Lion de Saint-Marc se détache sur un ciel étoilé – une œuvre de Giorgio Massari (1755). Le couronnement est formé d'une cloche et de deux Maures en bronze (1497), qui frappent les heures et faisaient déjà partie du projet de Codussi.

Les Procuraties

L'édification de la Tour de l'Horloge en 1496 marqua le point de départ du réaménagement de la place Saint-Marc sur son côté nord. L'étape suivante vit la reconstruction à partir de 1514 des Procuraties voisines. Les Procuraties étaient le siège des procurateurs de Saint-Marc, responsables de l'administration des édifices officiels de la place, à l'exception du palais des Doges et de quelques autres bâtiments. Grâce aux fortes sommes d'argent que Saint-Marc récoltait, provenant de dons de l'État et des citoyens ainsi que de placements judicieux, les procurateurs disposaient d'une fortune considérable. Au XIIᵉ siècle, ils résidaient dans le bâtiment des Procuratie Vecchie (anciennes Procuraties). Les architectes, au XVIᵉ siècle, reprirent les étroites arcades cintrées – un motif vénéto-byzantin présent sur ce premier bâtiment – par cette fidélité à la tradition qui reflète une fois encore la tendance conservatrice de l'architecture vénitienne.

De l'autre côté de la place, les travaux des Procuratie Nuove (nouvelles Procuraties) débutèrent en 1582 sous la direction de Vincenzo Scamozzi. Elles comportaient des appartements destinés aux neufs procurateurs, que la loi obligeait à s'installer à proximité de Saint-Marc. Pour cet édifice, l'architecte reprit la structure de la Libreria voisine, en y ajoutant un troisième étage qui faisait écho aux anciennes Procuraties situées en face. Du fait des arcades régulières qui encadrent aujourd'hui toute la place au niveau du rez-de-chaussée, l'ensemble présente une physionomie harmonieuse et homogène. À première vue, on oublierait presque que les trois bâtiments qui la délimitent au sud, à l'ouest et au nord – les Procuraties et l'aile Napoléonienne qui relie les deux édifices – remontent à des époques si différentes.

Gabriel Bella :
Le vieux marché sur la Piazza au jour de
l'Ascension, avant 1792
Huile sur toile, 95,6 x 145,5 cm

Ce tableau offre une image vivante de la place Saint-Marc le jour de l'Ascension (qui se dit *Sensa* en vénitien). Depuis le Moyen Âge, la place accueillait ce jour-là un grand marché avec toutes les marchandises produites à Venise. Cet événement attirait toujours nombre de pèlerins qui, grâce à une indulgence particulière accordée à Saint-Marc par le pape Alexandre III en 1177,

affluaient en ville par milliers. Les Vénitiens en profitaient pour faire de bonnes affaires, et les pèlerins avaient le plaisir de découvrir ce qui se faisait à Venise. Sur ce tableau de Gabriel Bella, on voit encore le vieux marché foisonnant de baraques et d'échoppes qui fut supprimé en 1777. Au fond, entre les deux Procuraties, on distingue l'église San Giminiano, dont la façade fut remaniée au xvie siècle par Jacopo Sansovino qui y fut ensuite inhumé. Au début du xixe siècle, l'église dut céder la place à l'aile transversale qui relie aujourd'hui les deux Procuraties.

L'aile Napoléonienne
(Ala Napoleonica)

Bien que les Français n'aient occupé la ville que quelques années au début du XIXᵉ siècle, la domination napoléonienne a laissé des traces notables dans le tissu urbain de Venise. Comme l'empereur français et ses gouverneurs avaient besoin d'une résidence et d'une salle de bal digne de leur rang, on fit abattre la vieille église San Giminiano. C'est sur son emplacement, entre les deux Procuraties, que se construisit à partir de 1808 l'édifice baptisé aile Napoléonienne. Avec cette résidence bien à lui, le nouveau souverain investissait le cœur même du pouvoir vénitien. L'architecte chargé de la construction, Giuseppe Soli, s'est inspiré des nouvelles Procuraties, mais il a remplacé le troisième étage par un attique qui souligne l'aspect rigide de cette aile.

Le musée Correr
(Museo Civico Correr)

Ce splendide escalier flanqué de peintures murales mène aux salles de fêtes de l'empereur, qui furent installées au premier étage de l'aile Napoléonienne. Les neuf anciens appartements des procurateurs avaient en effet été réaménagés en appartements impériaux, mais Napoléon n'a jamais emprunté cet escalier, ni pénétré dans ces pièces. À l'achèvement des travaux, en 1820, il avait déjà quitté la scène de l'histoire mondiale. Aujourd'hui, cet escalier conduit au musée municipal Correr, qui est logé dans les nouvelles Procuraties, de même que le musée Archéologique (entrée sous les arcades de la Libreria). L'essentiel de son fonds est constitué par la collection d'un gentilhomme vénitien, Teodoro Correr, qui légua ses trésors à la ville en 1830. Au fil du temps, cette vaste collection a été répartie entre plusieurs lieux. Le musée Correr contient surtout divers objets d'intérêt historique. Quant à la grande collection consacrée à l'art et à la culture du XVIIIe siècle vénitien, elle se trouve à la Ca' Rezzonico.

Antonello da Messina :
Le Christ mort, 1475-1476
Huile sur bois, 117 x 68 cm

Formé en Italie du Sud, Antonello da Messina (vers 1430-1479) exerça une influence majeure sur l'art vénitien du xvᵉ et du xvɪᵉ siècles. C'est très probablement lui qui a introduit à Venise la technique de la peinture à l'huile, déjà perfectionnée par les peintres flamands et ceux du nord de la France. La ville de Messine, comme toute l'Italie du Sud, fut quelque temps une possession française, de sorte que les échanges artistiques avec le Nord y furent particulièrement intenses. C'est donc dès son plus jeune âge qu'Antonello fut initié aux secrets de la peinture à l'huile et, durant son séjour à Venise (1475-1476), il en fit profiter Giovanni Bellini. Malgré ses altérations, *Le Christ mort* d'Antonello da Messina, qui est conservé au musée Correr, laisse encore deviner un traitement subtil de la lumière et de la beauté du paysage.

Giovanni Bellini :
La Transfiguration
Tempera sur bois, 134 x 68 cm

Si pour cette *Transfiguration* Giovanni Bellini (vers 1430-1516) utilisa encore la technique traditionnelle de la tempera avec une base d'huile, il parvint néanmoins à y moduler les ombres, la lumière et des transitions chromatiques subtiles, tout en conférant du modelé à ses personnages. Ce travail dénote encore la puissante influen-

ce de son beau-frère Andrea Mantegna, mais les corps des disciples au pied de la montagne, travaillés en torsions et en raccourcis, attestent déjà de sa grande maîtrise. On notera les pieds croisés du personnage couché. Trois Évangélistes mentionnent cette scène de la transfiguration du Christ, dont les apôtres Pierre, Jean et Jacques l'Ancien furent témoins.

L'ultime sursaut d'indépendance de la République de Venise

Le 12 mai 1797, Napoléon somma le Grand Conseil de ratifier la fin de la République vénitienne et les troupes françaises occupèrent la cité qui avait été jadis la plus grande puissance de la Méditerranée orientale. Ce n'était que le dernier acte d'une longue décadence amorcée dès le début du XVIIIe siècle avec la paix de Passarowitz, signée en 1718. Venise était paralysée par le manque d'argent et par un système administratif inefficace. Des siècles de guerre contre les Turcs avaient miné la ville.

Si les étrangers n'en continuaient pas moins d'affluer de toute l'Europe, ce n'était

Giuseppe Borsato, Les provinces vénitiennes prêtent serment à l'empereur d'Autriche François Ier le 15 mai 1815 à Saint-Marc, *musée Correr, Venise.*

plus pour faire du commerce, mais pour y savourer cette ambiance si particulière qui fait le charme de Venise. Le carnaval semblait y durer toute l'année : les fêtes se succédaient à un rythme effréné, les salles de jeux et les maisons closes ne désemplissaient pas. On dilapidait les fortunes sans pourvoir à leur renouvellement. Napoléon y mit un terme et ranima l'espoir de maint Vénitien soucieux de l'avenir de la République. Bourgeoisie et patriciat s'unirent pour introduire des réformes depuis longtemps nécessaires, mais les libertés de la Révolution française accordées par Napoléon n'étaient que de la poudre aux yeux. En octobre 1797, il livra donc, comme il l'avait prévu, Venise à l'Autriche, cette puissance que les Vénitiens avaient tenue à distance durant deux siècles. Après le bref intermède d'une seconde occupation française, la cession définitive à l'Autriche, en 1814, anéantit tous les espoirs en une renaissance dans l'esprit nouveau.

Friedrich von Amerling, François Ier, *1832, huile sur toile, Hofburg, Vienne.*

Venise devint une capitale de province autrichienne, avec un régent qui résidait sur place. Ce sort, elle le partageait avec Milan. Sous la domination autrichienne, toute l'Italie

Artiste anonyme, Daniele Manin *(1804-1857), Museo del Risor-gimento, Venise.*

de nouvelles voies de communication et d'un éclairage au gaz dernier cri. L'année 1846 vit s'achever la construction d'un pont ferroviaire sur la lagune, qui relia Venise à Milan et mit fin à une longue tradition d'insularité. Mais ces progrès matériels arrivaient trop tard pour changer la profonde insatisfaction des Vénitiens et des autres Italiens du Nord, qui souffraient des conséquences de la domination étrangère, des impôts trop lourds et du manque de participation politique.

L'exemple de la France, où la bourgeoisie ne cessait de gagner du terrain, renforça l'amertume des Italiens opprimés sous le régime autoritaire des Habsbourg. Du coup, l'élection en 1846 du pape Pie IX constitua un signe encourageant. Toute l'Italie fit la fête à ce pape nouveau qui révolutionnait le système féodal des États pontificaux en accordant davantage de droits politiques à ses sujets et en conseillant aux autres grandes puissances de faire de même. L'enthousiasme qu'il suscita n'était d'ailleurs pas dépourvu de connotations patriotiques, puisqu'on invoquait la patrie italienne par opposition à la domination étrangère. Ainsi, lors

du Nord fut réduite à la misère, frappée d'impôts et de droits de douane exorbitants qui paralysaient toute activité économique. La situation ne s'améliora qu'au milieu des années 1820, quand les droits de douane furent enfin allégés. Dans les années 1840, les Autrichiens entreprirent de moderniser la cité. Elle fut dotée

d'un congrès de scientifiques italiens réunis à Venise en 1847, l'agitation anti-autrichienne commença à s'exprimer ouvertement. Tous les soirs, La Fenice, l'opéra de Venise, devint le cadre de manifestations diverses au moment où, dans le quatrième acte du Macbeth de Verdi, le chœur entonnait un chant évoquant le sauvetage de la patrie trahie. C'est en vain que la police secrète tenta d'appréhender ceux qui lançaient sur la scène des bouquets de fleurs aux couleurs nationales italiennes – rouge, blanc et vert. Impossible aussi d'arrêter les amateurs d'opéra qui semblaient avoir une préférence marquée pour les habits de ces couleurs.

Mais Venise ne tomba pas dans les débordements violents, comme ce fut le cas à Milan ou encore à Padoue où les étudiants se révoltèrent contre l'occupant. Les Vénitiens préfé-

Vincenzo Giacomelli, Daniele Manin et les insurgés prennent l'Arsenal (Daniele Manin obtient la capitulation), *1890, Museo del Risorgimento, Venise.*

Lattanzio Querena (1768-1853), Le peuple vénitien hisse le drapeau italien sur la place Saint-Marc, *Museo del Risorgimento, Venise.*

raient la voie légale. Un avocat du nom de Daniele Manin (1804-1857) se faisait remarquer en déposant pétition sur pétition. Affolé par les troubles qui gagnaient les autres villes italiennes, le gouvernement autrichien le fit arrêter le 18 janvier 1848, de même qu'un autre fougueux adversaire de l'occupation, Niccolò Tommaseo. Venise avait enfin ses martyrs de la liberté. La révolte grondait un peu partout dans l'empire des Habsbourg et la vague révolutionnaire finit par gagner Vienne, où des insurgés obligèrent l'empereur à promettre l'instauration d'une monarchie constitutionnelle. Le 17 mars 1848 enfin, le peuple vénitien

enflammé par ces nouvelles assiégea la résidence du représentant autrichien, dans les nouvelles Procuraties, et lui extorqua la remise en liberté de Tommaseo et de Manin. Le lendemain, une échauffourée sur la place Saint-Marc se solda par quelques morts – les premiers à Venise – qui furent solennellement exposés au Café Florian. Daniele Manin et ses partisans étaient désormais résolus à recourir aux armes pour chasser l'occupant. Lorsque les contingents vénitiens et italiens des troupes impériales refusèrent d'obéir et remirent les armes de l'Arsenal aux mains des insurgés, les Autrichiens durent battre en retraite.

Daniele Manin devenait le maître incontesté de Venise. Par ses discours en dialecte vénitien, il réussit mieux que tout autre à rallier les petites gens à la cause de l'indépendance.

Dès l'été 1848, les Autrichiens revinrent en Vénétie avec un renfort de troupes. Venise, comme de nombreuses régions d'Italie du Nord, se défendit vaillamment. Ce n'est que très progressivement que les Habsbourg parvinrent à reconquérir les territoires perdus, même si la désunion des Italiens et leurs hésitations concernant le futur système politique facilitèrent la victoire autrichienne. Manin lui-même hésitait sur la question italienne. Toutes ses pensées étaient tournées vers sa ville natale, ce qui lui faisait négliger de renforcer la position politique de Venise en apportant une aide militaire au continent.

Alors que les villes tombaient les unes après les autres, les Vénitiens tinrent bon. Au début, ils furent avantagés par cette enceinte naturelle que constitue la lagune. À mesure que la situation s'envenimait, la population – accrue depuis l'été par des centaines de soldats ayant fui la terre ferme – serrait les rangs.

Lattanzio Querena, Parade militaire sur la place Saint-Marc, *Museo del Risorgimento, Venise.*

Dalla Gribera, Venise résiste coûte que coûte, *Museo del Risorgimento, Venise.*

Le siège de la cité débuta en automne 1848. Bientôt, les caisses de l'État ne suffirent plus à l'approvisionnement de la population et à la solde de la troupe. Les Vénitiens opposèrent néanmoins une résistance farouche à l'ennemi. On signait des emprunts de guerre. Les riches garantissaient la couverture du papiermonnaie, introduit par manque de pièces, et offraient leurs bijoux et leur argenterie pour financer la guerre. La dernière collecte permit de réunir des valeurs d'un montant de 1,3 million de lires. Venise devint un modèle héroïque pour toute l'Italie, mais une action menée dans le pays pour récolter des fonds au profit de la ville assiégée ne rapporta même pas 200 000 lires.

Durant l'hiver 1848-1849, famine et maladies s'abattirent sur la ville. Les prix des aliments grimpèrent et il devint pratiquement impossible de trouver de la viande, du beurre ou du vin. Les Vénitiens continuèrent à résister jusqu'au printemps 1849 mais, après la bataille de Novare, où les troupes piémontaises furent vaincues par l'Autriche, la situation devint tellement désespérée qu'il fallut envisager la capitulation. Le gouvernement présidé par Daniele Manin se réunit le 2 avril au palais des Doges pour une séance dramatique et émouvante. Il fut décidé de résister malgré tout, coûte que coûte. Cette décision coûta effectivement la vie à des centaines de Vénitiens, surtout quand, au début de l'été 1849, la ville surpeuplée, terrorisée par la famine et les bombardements, fut en outre frappée par le choléra. C'est le 13 août 1849, quand Manin eut appris que les stocks de vivres allaient être définitivement épuisés le 24 du même mois, qu'il se résolut enfin à capituler, malgré l'opposition constante des troupes et d'une partie de la population. Le 27 août 1849, l'armée autrichienne faisait son entrée sur la place Saint-Marc.

Il faudra attendre dix-sept années encore avant que Venise ne soit intégrée au royaume d'Italie. Les beaux jours de l'ancienne République – que Daniele Manin et d'autres avaient invoquée dans l'espoir d'une ère nouvelle sous l'égide du peuple – étaient définitivement révolus.

L'annonce de l'abdication du gouvernement Manin, 1849, Museo del Risorgimento, Venise.

\ 12752

IL GOVERNO PROVV.
DI VENEZIA

Considerato che una necessità imperiosa costringe ad atti, a' quali non possono prender parte nè l'Assemblea dei rappresentanti, nè un potere emanato da essa,

Dichiara:

1. Il Governo provvisorio cessa dalle sue funzioni.
2. Le attribuzioni governative passano nel Municipio della città di Venezia per tutto il territorio sin qui soggetto ad esso Governo.
3. L'ordine pubblico, la quiete e la sicurezza delle persone e delle proprietà, sono raccomandati alla concordia della popolazione, al patriottismo della Guardia civica ed all'onore dei corpi militari.

Venezia, 24 agosto 1849, ore 2 pom.

IL PRESIDENTE
MANIN.

Per Francesco Andreola, tipografo.

Le salon mauresque

Au XIXe siècle, le Café Florian était le rendez-vous des Vénitiens qui forgeaient des plans pour se libérer du joug de l'Autriche, qui occupait leur ville. Quant aux officiers autrichiens, ils se retrouvaient de l'autre côté de la place, dans le non moins illustre Café Quadri.

Le Café Florian

Il n'y a pas que les trésors de l'art et de l'architecture qui fassent la renommée de la place saint-Marc. Les arcades des nouvelles Procuraties abritent aussi le premier café d'Italie, le « Florian » qui fut inauguré en 1720 par Floriano Francesconi. À l'époque, les grands de ce monde venaient y siroter un chocolat exquis. Ce breuvage sucré et âpre fut en effet la boisson à la mode du XVIIIe siècle. La tasse de chocolat était synonyme de luxe et de prospérité, et Pietro Longhi en a bien retenu la dimension sociale dans de charmants tableaux. Le Florian inspira aussi des écrivains étrangers puis, quand s'évanouit la vie opulente de l'ère rococo, c'est le café amer qui fit son entrée triomphale. Quoi de tel qu'un bon café et un cigare pour parler politique et refaire le monde ?

Faire un tour au Florian aujourd'hui signifie se replonger dans cette ambiance du XIXe siècle et du *Senso* de Luchino Visconti. En 1858, Ludovico Cadorin y aménagea quatre petites pièces qui furent baptisées en fonction de leur décor. Le salon mauresque fut orné de portraits de belles orientales. Il n'y a plus qu'à imaginer comment Lord Byron, Giuseppe Verdi ou d'autres illustres visiteurs y passaient leurs journées au milieu de Vénitiens lisant le journal ou discutant à voix basse. Il paraît qu'aujourd'hui encore certaines personnalités de la vieille aristocratie insistent pour y occuper toujours la même place. Notons enfin que cette guerre des cafés, qui fit secrètement rage entre les Vénitiens et les Autrichiens, se propagea aussi à d'autres milieux. Ainsi Richard Wagner, grand rival de Verdi, ne manquait jamais d'afficher sa préférence pour l'autre établissement.

San Moisè

Fondé dès le VIIIe siècle, ce sanctuaire connut au cours des siècles nombre de remaniements. En 1668, il fut doté d'une façade financée par la famille Fini. Les plans étaient dus à Alessandro Tremignon, tandis que la décoration extérieure était l'œuvre du sculpteur Heinrich Meyring, qui en fit une sorte de monument à la gloire des Fini. Il faut savoir que, les statues commémoratives privées n'étant pas autorisées à Venise dans les lieux publics, ce genre de mécénat était pour les familles influentes le meilleur moyen de se faire élever un monument plus impressionnant encore. Quant aux Fini, leur admission dans le patriciat vénitien était toute récente. Vincenzo Fini, dont le buste surmonte un obélisque couronnant le portail, venait d'acquérir ses titres de noblesse contre versement d'une forte somme, ce qui explique sans doute que la façade surchargée paraisse si ostentatoire et si clinquante.

Santa Maria Zobenigo (Santa Maria del Giglio)

Le nom de Zobenigo vient d'une ancienne famille vénitienne dont le palais se trouvait à proximité de l'église. Au XVIIe siècle, une dizaine d'années après San Moisè, la faça-

de de Santa Maria del Giglio fut elle aussi transformée en monument commémoratif pour la riche famille Barbaro. Ici, les vigoureuses colonnes adossées et les niches profondes contribuent cependant à mieux harmoniser les rapports entre architecture et sculpture. Il est intéressant de constater que – comme pour San Moisè – ce sont des mortels qui ornent la façade là où l'on se serait attendu à des statues de saints. Les églises se voyaient dotées de superbes façades, et les Vénitiens y trouvaient la possibilité de s'autocélébrer.

rent les Augustins de modifier l'orientation de leur église au moment de sa reconstruction. Afin de lui octroyer néanmoins des dimensions plus imposantes – celles qu'on lui connaît aujourd'hui –, les moines durent se résigner à construire l'abside par-dessus un cours d'eau.

Le portail

L'emplacement de l'entrée située dans une étroite et sombre ruelle incita sans doute les moines à doter le portail de leur église de ce superbe décor sculpté qui date de 1438-1442. On en attribue l'exécution à

Santo Stefano

Comme tant d'autres sanctuaires gothiques de Venise, cette église appartenait à une communauté de frères mendiants, en l'occurrence les frères augustins. Si le couvent fut fondé dès 1294, la physionomie actuelle de l'église remonte, pour l'essentiel, au XIVᵉ siècle. L'architecture de brique sobre et pratiquement dépourvue d'ornementation est caractéristique des sanctuaires des ordres mendiants de l'époque. En revanche, la position de l'édifice est tout à fait inhabituelle, puisque ce n'est pas la façade, mais le flanc de l'église, qui donne sur le Campo Santo Stefano. Des problèmes de propriété foncière et des conflits interminables avec des riverains empêchè-

l'atelier de sculpture de la famille Buon. La luxuriance végétale des feuilles d'acanthe de l'arc ogival ainsi que la frise en tresse qui encadre le portail constituent de véritables chefs-d'œuvre en matière de taille de la pierre.

L'intérieur

Aménagé aux xive et xve siècles, Santo Stefano est un exemple frappant de l'évolution qu'ont subie les églises richement décorées du gothique tardif à Venise, développées à partir d'un édifice primitif tout à fait dépouillé, caractéristique des ordres mendiants. Une partie des autels des nefs latérales est d'origine plus récente. Initialement, cet espace était sans doute plus sombre, car les grandes baies dans le toit furent ouvertes à une époque ultérieure. Elles éclairent la charpente en bois avec ses magnifiques décors peints. Le plafond a la forme d'une carène de navire renversée. À remarquer aussi les peintures pariétales qui datent de la première moitié du xve siècle, comme le plafond. Le mur en brique du niveau supérieur est revêtu d'un motif losangé dont la couleur se démarque à

peine de la maçonnerie. Les arcades ogivales qui séparent la nef principale des nefs latérales, ainsi que la terminaison en trois travées du plafond du côté du chœur, sont ornées de peintures grises imitant le travail de la pierre. Même les colonnes participent de ce jeu de couleurs rouge et blanc, puisqu'elles sont exécutées alternativement en brocatelle rouge de Vérone et en marbre blanc de Grèce. Et, comme si la coloration naturelle de la pierre ne suffisait pas, les élégants chapiteaux sont également rehaussés de dorures et de couleurs.

Le théâtre de La Fenice

Le nom de ce théâtre, qui fait allusion au phénix, semble s'être vérifié une fois encore. Tel le phénix mythique qui renaît toujours de ses cendres, le Teatro La Fenice ressuscite pour la seconde fois de son histoire. Le 29 janvier 1996, cet opéra inauguré le 16 mai 1792 fut dévoré par les flammes. Mais, comme après le premier incendie du 12 décembre 1836, les Vénitiens décidèrent de le reconstruire. « *Come era e dove era* » (tel qu'il était et où il était) : cette parole prononcée lors de la reconstruction du campanile de Saint-Marc au début du xxᵉ siècle est devenue, après une brève mais véhémente discussion, le slogan de la restauration du célébrissime opéra de Venise, l'un des hauts lieux du bel canto. Grâce à de généreuses donations venues du monde entier, et surtout grâce aux Vénitiens, le théâtre renaîtra sous la forme initiale que lui avait donnée en 1790-1792 l'architecte Gian Antonio Selva.

L'Ateneo Veneto (Scuola di San Girolamo ou Scuola di San Fantin)

À l'origine, cet édifice érigé en 1471 puis reconstruit entre 1592 et 1604 servit à la Scuola di San Girolamo et à la Scuola Santa Maria della Giustizia, ou Scuola di San Fantin. L'association, parfois appelée confrérie de la bonne mort ou confrérie des pendus, avait pour mission d'accompagner les condamnés dans leurs derniers instants. Pour ce faire, elle recevait des dons de la population ainsi qu'une aide de l'État vénitien. Après la dissolution de la Scuola en 1806, c'est la Société vénitienne de Médecine, fondée sous le régime napoléonien, qui s'installa dans l'édifice. Cette association professionnelle ne tarda pas à se joindre à d'autres associations scientifiques pour former en 1812 l'Ateneo Veneto, sorte d'Académie des sciences et des lettres, qui continue à se réunir régulièrement de nos jours et organise des conférences publiques dans les locaux de l'ancienne Scuola. À l'intérieur, on peut admirer des tableaux de Jacopo Palma le Jeune et diverses œuvres d'artistes de la fin du xviiᵉ siècle.

Le musée Fortuny
(Palazzo Pesaro degli Orfei)

La famille patricienne des Pesaro fit élever ce palais sur le Campo San Beneto au xvᵉ siècle. Sa construction démontre qu'il n'y a pas que sur les berges du Grand Canal que l'on trouve de somptueux palais. Les baies à arcades en carène offrent un bel exemple du gothique vénitien, un style auquel nombre de maîtres d'œuvre restaient encore attachés au xvᵉ siècle. À partir de 1786, le bâtiment devint le siège d'une célèbre association musicale, la Société philharmonique L'Apollinea. Devant le palais, on distingue parfaitement le sol surélevé sous lequel se trouve la citerne, ainsi qu'une margelle de puits d'époque.

L'intérieur

Mariano Fortuny y Madrazo (1871-1949), fils d'un peintre mondain espagnol renommé, s'était consacré aux décors de théâtre, à la création de tissus et à celle de vêtements. Au début du xxᵉ siècle, il fit l'acquisition du palais Pesaro, qui abrite depuis 1956 un musée où sont exposées ses étoffes originales, ses décors scéniques et ses peintures. Le palais de style gothique tardif offrait un cadre idéal pour recevoir les illustres clientes du grand styliste. Parmi elles, des actrices et des danseuses, mais aussi de riches héritières américaines qui, drapées dans des soies précieuses, pouvaient se croire princesses de la Renaissance sans devoir subir l'inconfort des robes d'époque. Les créations de Fortuny s'inscrivaient dans la mouvance de l'Art nouveau et de l'Art déco. Ses somptueuses étoffes ont donné le jour à des robes ondoyantes qui font encore le bonheur de collectionneuses qui, dans les ventes aux enchères, n'hésitent pas à débourser des sommes astronomiques pour acquérir un original de Fortuny.

Le palais Contarini del Bovolo

Quand, d'un point de vue élevé comme par exemple le Campanile de Saint-Marc, on laisse errer son regard sur les maisons et les toits de Venise, on aperçoit au loin une curieuse construction en forme de tour dont les arcades blanches étincellent dans la lumière. Il s'agit de l'escalier hélicoïdal de la tour du palais Contarini del Bovolo, amplement restauré récemment. Les escaliers extérieurs étaient fréquents dans les maisons vénitiennes du xIVᵉ et du xVᵉ siècles. Mais la forme et les dimensions de celui du palais Contarini étaient tout à fait inhabituelles pour la fin du xVᵉ siècle. Afin de différencier ce bâtiment des 24 autres palais Contarini de la ville, on lui donna le surnom de « del Bovolo » (« escargot » en vénitien), qui fait référence à la forme en colimaçon de son escalier. À partir du xVIᵉ siècle, les escaliers furent généralement installés à l'intérieur des maisons, ce qui donna souvent lieu à des aménagements luxueux et ornementés. La tour à l'escalier est reliée au palais Contarini par une aile latérale comportant quatre loggias, ces balcons couverts que les Vénitiens appréciaient particulièrement en été, surtout s'ils donnaient sur un jardin. Souvent, les cours intérieures étaient également entourées de loggias, auxquelles on accédait par un escalier extérieur. Mais l'on ne trouvera pas à Venise un deuxième escalier aussi remarquable que celui-ci.

La tour hélicoïdale

Cette tour ronde renfermant un escalier en colimaçon fut érigée en 1499 par Giovanni Candi. Les arcs en plein cintre en pierre d'Istrie blanche éclairent la cage qui monte sur quatre étages. Conjugués aux balustrades reposant sur de gracieuses colonnettes, ils donnent à la façade un mouvement tout à fait original.

San Salvatore

Cette église (1507-1534), qui puise largement dans le répertoire de formes traditionnel vénitien, est un bel exemple de l'architecture de la Renaissance à Venise. Les architectes Giorgio Spavento et Tullio Lombardo ont repris un plan en croix surmonté de coupoles analogue à celui de Saint-Marc. Les trois grandes coupoles alignées définissent la nef, chacune reposant sur quatre piliers. Les piliers des coupoles principales sont cantonnés de pilastres engagés qui semblent se fondre dans le mur extérieur. Les espaces carrés qui en résultent sont également surmontés d'une coupole, plus petite. Ainsi, de simples modules carrés avec des coupoles permettent de créer une organisation spatiale variée, que l'on peut prolonger à volonté, comme dans un jeu de construction. Au xve siècle, Mauro Codussi avait su renouveler efficacement cet ancien schéma de l'église à croix grecque en l'adaptant au vocabulaire de la Renaissance. Les éléments de structure soulignés par la pierre grise démontrent que les architectes du début du XVIᵉ siècle ont suivi son exemple. Une plaque de verre aménagée dans le sol devant le maître-autel permet de voir les anciens caveaux funéraires. Sur le maître-autel trône une *Transfiguration* de Titien, qui occulte un précieux retable en argent recouvert de dorures du XIVᵉ siècle. Il est dévoilé le 3 et le 15 août, ainsi que certains jours de fête.

Jacopo Sansovino :
Tombeau du doge Francesco Venier,
1555-1561
Marbre

Catherine Cornaro, la reine de Chypre morte en 1510, dont la sépulture fut transférée à San Salvatore à la fin du XVIᵉ siècle, est sans doute plus connue que le doge Francesco Venier. Mais c'est pour ce dernier que l'on élèvera l'édifice funéraire le plus somptueux de l'église. Sur ce monument dû à Jacopo Sansovino, maître d'œuvre de la Libreria, les éléments architecturaux et sculpturaux s'équilibrent harmonieusement. Les marbres de couleur et l'or en feuilles en rehaussent la préciosité. Le décor sculpté reste néanmoins assez discret, alors que Sansovino dirigeait un atelier de sculpture de grande renommée. Les historiens d'art se demandent encore à qui attribuer la paternité des statues qui ornent ce tombeau : à l'artiste lui-même ou à ses collaborateurs et élèves. Pour le gisant du

doge, la pietà en relief qui le surmonte et le doge agenouillé à droite, on évoque souvent le nom d'Alessandro Vittoria, l'élève le plus talentueux du maître. La personnification de l'Espérance, dans la niche de droite, serait de la main de Sansovino en personne. Certains spécialistes lui attribuent aussi la Charité, sur le côté gauche, mais d'autres estiment qu'il s'agit de l'œuvre d'un collaborateur.

Copie d'après Giovanni Bellini : *Le repas d'Emmaüs,* huile sur toile

Titien : *L'Annonciation,* 1560-1565
Huile sur toile, 405 x 235 cm

Ce tableau a longtemps été attribué à Giovanni Bellini, mais son format a donné lieu à maintes controverses. Sur le plan du style, il faut le ranger dans la seconde moitié du XVIe siècle, donc après la mort de Bellini en 1516. Aujourd'hui, on y reconnaît une copie ancienne d'une peinture de Bellini datant de 1490 environ.

L'Annonciation de San Salvatore est une œuvre tardive très intéressante de Titien. Elle fut exécutée une dizaine d'années avant sa mort. Le maître y aborde l'Annonciation comme une vision ou un miracle mystique et il transpose le texte biblique dans son propre langage pictural.
Marie est assise dans une pièce ouverte

caractérisée par des éléments architectoniques, tels que les colonnes à gauche et des pièces d'ameublement, un pupitre et un vase, à droite. Le miracle de l'annonce faite à Marie semble se matérialiser et occuper tout l'espace. L'ange ne se contente pas de pénétrer dans une habitation élégante, comme c'était le cas pour beaucoup de tableaux célèbres du siècle précédent. Ici l'archange Gabriel, qui s'est approché de Marie pour lui révéler qu'elle enfantera le Fils de Dieu, semble faire partie d'une grande nuée colorée, dans laquelle un spectateur attentif distinguera d'innombrables angelots. Devant la Vierge, un vase en verre de facture très réaliste contient des fleurs incandescentes : une allusion à l'Ancien Testament et à l'histoire du buisson ardent découvert par Moïse dans le désert, car le buisson enflammé, qui ne se consumait pas, était une préfiguration de l'enfantement du Christ par la Vierge Marie.

Les quartiers de San Polo
et de Santa Croce

Les quartiers de San Polo et de Santa Croce

Les Vénitiens habitent volontiers dans l'un de ces deux petits *sestieri*, Santa Croce et San Polo. Ce dernier est d'ailleurs le quartier le plus densément peuplé de Venise. Une promenade dans ses ruelles étroites et tortueuses, qui débouchent parfois sur une petite place, réserve bien des surprises pittoresques. Santa Croce comprend des espaces d'habitation qui ne sont apparus qu'aux XIXe et XXe siècles dans le cadre de travaux d'assainissement et d'agrandissement. Aussi les appartements y offrent-ils davantage de confort que les maisons plus anciennes. San Polo englobe le Rialto, aujourd'hui un quartier de marchés et jadis la plaque tournante du commerce vénitien. Ce centre d'affaires où siégeait le pouvoir économique a accueilli les bureaux des administrations qui contrôlaient les activités commerciales et levaient les impôts. Par ailleurs, le Rialto a toujours été un centre bancaire. C'est là qu'étaient installés les banquiers et les changeurs. Et c'est naturellement là que l'on rencontrait le plus d'étrangers. Aussi les prostituées s'étaient établies à proximité, dans une zone autorisée où encore aujourd'hui certains noms de rues ou de lieux – tel ce *Ponte delle Tette* (pont des Tétons) – sont parfois tout à fait évocateurs.

Scuola Grande di San Giovanni Evangelista, p. 2

San Giacomo dell'Orio (intérieur), p. 263

Église des Frari, Titien, *L'Assomption*, 1516-1518, p.

Scuola Grande di San Rocco, Tintoret, *Le miracle du serpent d'airain*, 1575-1577, p. 256

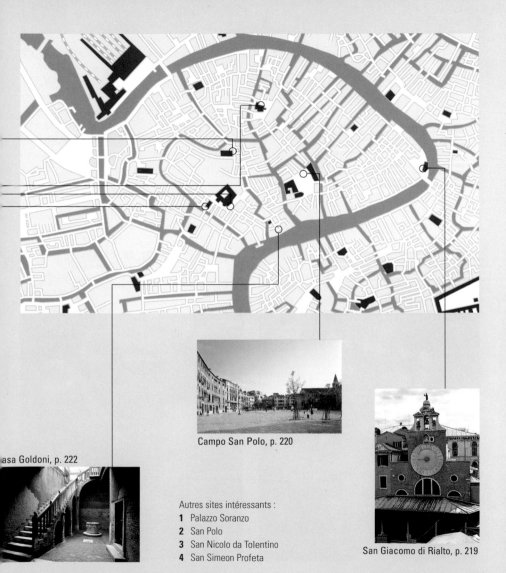

Campo San Polo, p. 220

asa Goldoni, p. 222

Autres sites intéressants :
1 Palazzo Soranzo
2 San Polo
3 San Nicolo da Tolentino
4 San Simeon Profeta

San Giacomo di Rialto, p. 219

Le Rialto

Le Rialto (du latin *rivus altus* : rive haute) fut l'un des premiers lieux de Venise où les gens s'établirent. Comme son nom l'indique, les terrains y étaient plus élevés que le niveau des eaux de la lagune. Ceci, conjugué à la présence d'une artère maritime profonde, le Grand Canal, que même des navires relativement grands pouvaient emprunter, en a fait une place de commerce idéale. Au Moyen Âge, ce quartier était le centre de la Venise marchande. Beaucoup de vaisseaux remontaient le Grand Canal et venaient accoster aux quais du Rialto pour y décharger leur cargaison : soies, épices et autres trésors d'Orient. Les marchands, courtiers, prêteurs, collecteurs d'impôts et badauds y allaient et venaient. Pour se faire une idée de ce qu'était cette animation trépidante, il faut se rendre au marché aux légumes ou au marché aux poissons où les Vénitiens font leurs courses. Ce décor unique au monde, sur les berges du Grand Canal, ces couleurs et ces odeurs ne manqueront pas de vous laisser un souvenir inoubliable.

San Giacomo di Rialto

Cette petite église en croix grecque à coupole serait l'un des plus anciens édifices religieux de Venise. On en aurait posé la première pierre en 429. La façade présente encore le porche caractéristique des églises vénitiennes de jadis. Aujourd'hui, c'est la seule église à avoir conservé cet aspect. Assis sous le porche et autour du parvis, les prêteurs et les banquiers y attendaient la clientèle cosmopolite. Les opérations bancaires se déroulaient en effet en plein air, sous l'œil vigilant des autorités. Les banquiers vénitiens étaient réputés pour leurs fructueuses opérations de crédit. C'est ici que s'est forgée la notion de « traite » : les clients munis de papiers sur lesquels on avait inscrit une somme déterminée résultant d'une créance pouvaient se faire remettre l'argent par un banquier ou un autre. Depuis 1410, l'horloge de l'église indique l'heure aux marchands.

Campo San Polo

Mise à part la « *Piazza* » San Marco, toutes les places de Venise s'appellent « *campo* », ce qui signifie champ, ou pré. Effectivement, la plupart de ces places sont longtemps restées dépourvues de pavement et, à défaut d'arbres, on y trouvait certainement un pré plus ou moins entretenu. Ce fut le cas du Campo San Polo, qui doit son nom à l'église San Polo voisine. Aujourd'hui, c'est ici que passe l'itinéraire qui relie le Rialto à la gare. L'église remonte au

ixe siècle, mais elle a été largement remaniée au xve siècle, puis encore une fois au début du xixe. Elle renferme des toiles et des autels de Tintoret, de Giovanni Battista et de Domenico Tiepolo.

Bien que le Campo San Polo soit, après la place Saint-Marc, la place la plus vaste de Venise, il faudra attendre l'année 1494 pour qu'elle soit consolidée au moyen de briques. Son pavement traditionnel de couleur rouge, qui recouvrit ensuite de nombreuses places vénitiennes, avait un aspect beaucoup plus chaleureux que les dalles grises actuelles.

Joseph Heintz le Jeune : *Chasse aux taureaux sur le Campo San Polo,* vers 1625
Huile sur toile
Museo Correr, Venise

Comme d'autres grandes places de la cité, le Campo San Polo était le cadre de fêtes populaires et d'autres attractions, dont la chasse aux taureaux que les Vénitiens affectionnaient particulièrement. Le peintre allemand Joseph Heintz le Jeune (vers 1600-après 1678), qui semble avoir vécu à Venise à partir de 1625, en a immortalisé le spectacle dans l'un de ses tableaux. La foule s'amusait à lâcher des chiens sur les taureaux. Quand ceux-ci étaient complètement épuisés, on les mettait à mort en les décapitant. Ce n'est qu'en 1802 que l'on abolit ce jeu cruel et non sans danger. Il venait en effet de provoquer un terrible accident où une tribune de spectateurs s'était écroulée en faisant nombre de victimes. Heintz a exécuté quantité de peintures consacrées à la vie quotidienne des Vénitiens, dans lesquelles il représenta fidèlement l'architecture urbaine comme ici le Campo San Polo, qu'il peignit de façon très détaillée. On reconnaît à droite le palais gothique Soranzo, en fait deux palais jumelés. Hormis quelques détails, la physionomie de ce palais n'a guère changé depuis. On distingue l'emplacement du cours d'eau qui courait sur le côté de la place en limite du palais Soranzo et des maisons voisines et fut comblé au XVIIIe siècle.

La Casa Goldoni

Dans le quartier de San Polo se trouve aussi la maison natale de Carlo Goldoni (1707-1793), l'illustre dramaturge et auteur de comédies vénitien. Dans ses pièces de théâtre inspirées par la Commedia dell'Arte, il a su brosser comme nul autre le tableau de la vie vénitienne au XVIIIe siècle. Le palais Centani-Rizzi, de style gothique tardif, est aujourd'hui entièrement consacré à la mémoire de l'écrivain, qui y naquit le 26 février 1707. On y expose des documents sur la vie de Goldoni. Parallèlement, l'édifice abrite la section théâtrale du Museo Civico (musée de la Ville) ainsi qu'un Institut d'études théâtrales. Mais, même si l'on n'est pas un spécialiste du théâtre, la visite en vaut la peine, à la fois pour en savoir plus sur Goldoni et pour découvrir ce beau palais. C'est l'occasion de jeter un coup d'œil dans une cour intérieure de maison vénitienne très bien conservée. Il n'est pas certain que son pavement en brique date vraiment du XVe siècle, mais il présente le motif à chevrons typique de l'époque. On remarquera l'escalier qui longe deux côtés de la cour et qui repose sur des arcades ogivales de dimensions croissantes. On admirera encore l'une de ces belles margelles de puits *(vera da pozzo)* que l'on trouvait jadis dans la plupart des maisons vénitiennes. C'est là que les habitants puisaient l'eau des citernes aménagées sous la cour de leurs immeubles.

Le problème de l'alimentation en eau potable

Rares sont les visiteurs de Venise, aujourd'hui, qui ont conscience des efforts surhumains que les Vénitiens durent consentir des siècles durant pour capter cette eau indispensable à leur existence même.

Combien de naufragés sont morts de soif au beau milieu de l'océan ? Le même problè-me s'est posé à Venise, posée comme un navi-re sur la mer, entourée d'eau de toutes parts, mais qui connut d'immenses difficultés pour assurer son approvisionnement en eau potable. Dès les origines, les puits forés en de rares endroits sur les îles les plus élevées ne suffi-rent pas à couvrir les besoins en eau de la ville. C'est pourquoi les premiers colons commen-

Margelle de puits (« vera da pozzo ») dans la cour de la Ca' d'Oro, XIVᵉ siècle.

Schéma d'un puits vénitien.

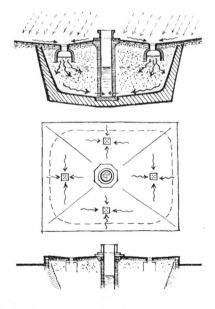

La cour de la Ca' Lion-Morosini et son puits, XIIIe siècle.

cèrent à recueillir l'eau de pluie dans des citernes. On faisait aussi venir de l'eau potable du continent par bateau, car les citernes et les puits existants risquaient toujours d'être submergés et rendus inutilisables par les inondations.

Au fil du temps, l'aménagement des puits alla en se perfectionnant. Pour construire des bassins collecteurs, il fallait tenir compte de divers facteurs : avoir une capacité suffisante pour recevoir un maximum d'eaux pluviales, éviter que l'eau de mer puisse s'y infiltrer en cas d'inondation et veiller à protéger l'eau potable de toute autre forme de contamination. Les puits vénitiens élaborés depuis le Moyen Âge furent bien vite adaptés à ces conditions. Il s'agissait d'installations complexes et coûteuses. Chaque espace libre était exploité pour le captage de l'eau. La majeure

partie en était recueillie en pavant le terrain autour des citernes et en lui donnant une inclinaison permettant à la pluie de s'écouler vers des trous. Parfois, des rigoles supplémentaires en pierre polie amenaient l'eau à ces orifices, dont certains étaient pratiqués tout autour des puits.

Sur la plupart des places de la ville, on peut voir aujourd'hui encore ces conduites à ciel ouvert avec leurs embouchures, sans deviner ce qui se trouve en dessous, car l'eau recueillie n'arrivait pas directement dans une citerne : elle était d'abord filtrée au moyen d'un ingénieux système. Une fosse profonde était creusée, qui occupait parfois toute la superficie d'une place publique et presque toujours celle d'une cour intérieure. Cette cavité était tapissée d'argile, puis emplie de sable. On maçonnait dans ce sable un puits de briques ouvert vers le bas, juste avant la couche d'argile. Sous les ouvertures vers lesquelles était amenée l'eau de pluie se trouvaient également des chambres de puisage peu profondes, isolées vers le bas par des pierres naturelles sans mortier. En cas de pluie, ce système permettait de stocker d'importantes quantités d'eau tout en favorisant l'infiltration dans le sable. Quand la pression était assez forte, c'est-à-dire quand l'eau stockée dans le sable du bassin en argile imperméable atteignait un certain volume, cette eau montait dans le puits. Comme elle avait tra-

Des puits sur le Campo Sant'Angelo. La place est surélevée pour empêcher toute infiltration dans les ouvertures.

versé toute la couche de sable, elle était débarrassée de ses impuretés.

Les puits jouaient donc un rôle déterminant lors de la planification d'une construction, car il est extrêmement difficile de déplacer un puits existant, à moins d'abattre et de reconstruire toute la maison. Ils conditionnaient ainsi l'évolution de toutes les phases de construction ultérieures. Si l'on voulait capter un maximum d'eau, il fallait paver toute la cour d'une maison privée. Aucune plate-bande, ni même un bac de fleurs, ne pouvait entrer en concurrence avec une citerne. Voilà pourquoi les cours vénitiennes ne sont généralement pas recouvertes d'une toiture et ne présentent pas d'espaces verts. Pratiquement chaque place, ainsi que les demeures patriciennes et les grands complexes d'habitations, comportaient jadis un puits collecteur dont l'ouverture était surmontée d'une margelle de pierre (« vera da pozzo »). Afin d'éviter les infiltrations d'eau de mer en cas d'inondation, la zone autour du puits était surélevée, une particularité que l'on retrouve un peu partout à Venise, par exemple sur le Campo San Trovaso ou le Campo Sant'Angelo.

Les puits publics étaient munis d'un couvercle et d'un cadenas. À des moments précis, l'employé municipal autrefois chargé de contrôler la distribution d'eau venait les ouvrir à la population, ce qui était une mesure destinée à réglementer la consommation d'eau et à empêcher toute forme de pollution. L'empoisonnement des puits était une menace qui planait constamment sur les esprits.

En temps de guerre, c'était un moyen efficace pour terroriser la population civile. On s'en servait aussi volontiers à des fins politiques, en accusant certains individus ou groupes sociaux – sorcières, juifs et hérétiques – d'avoir empoisonné un puits afin de dresser la population contre eux. Ce ne fut pas le cas à Venise, où l'alimentation en eau, comme tant d'autres matières d'intérêt public, était scrupuleusement réglementée et contrôlée à la satisfaction de tous. Par ailleurs, la municipalité n'était pas seule à mettre des puits à la disposition de la population. De riches particuliers vivant aux abords d'une place faisaient parfois ériger des puits pour le bien-être du voisinage. La plupart d'entre eux étaient ornés des armoiries du bienfaiteur.

En dépit du contrôle sévère de la distribution de l'eau, les Vénitiens ignorèrent des siècles durant un problème qui ne fut résolu que par Napoléon. Les cimetières regroupés autour des églises étaient en effet souvent contigus aux places publiques exploitées pour le captage. En cas d'inondation, l'eau faisait remonter les cadavres, de sorte que les poisons issus de la putréfaction risquaient de s'infiltrer dans les puits lors du reflux. Ce n'est qu'en 1807 que le comblement du canal entre San Michele et San Cristoforo della Pace permit de créer une île-cimetière à part entière.

Au début du XXᵉ siècle, les « vere da pozzo », ces margelles de puits souvent ornées de riches sculptures, étaient encore un spectacle familier sur les places de Venise. On en trouve un très bel exemplaire du XVIᵉ siècle sur

la petite place derrière le chœur de l'église Santi Giovanni e Paolo. Hélas, l'introduction d'un système de distribution d'eau centralisé les a rendues superflues. Les Vénitiens n'ont pas su reconnaître la valeur artistique de ces petits joyaux. Les plus belles margelles, dont beaucoup provenaient de maisons privées, ont fini dans les jardins des villas de riches, recyclées en bassins pour poissons rouges. Certaines pièces ont été mises à l'abri dans des musées pour leur intérêt ethnographique, et leur beauté plastique y a été reléguée au second plan par leur aspect fonctionnel. Ce n'est que depuis quelques années que l'on s'efforce d'en conserver les derniers exemplaires sur leur site initial, en tant que vestiges du patrimoine culturel. Il n'y a que là qu'ils pourront rappeler, aux autochtones comme aux touristes, ce qu'était la vie quotidienne dans la Venise d'autrefois, et prouver que technique et art ne doivent pas forcément s'exclure.

Margelle de puits du XVIe siècle sur le côté de l'église Santi Giovanni e Paolo.

L'église des Frari (Santa Maria Gloriosa dei Frari ou Santa Maria Assunta)

En 1222, peu après la fondation de leur ordre par saint François, les frères franciscains s'installèrent à Venise. Les Vénitiens les appelèrent simplement « I Frari » (forme vénitienne de « i frati », les frères).

Vers 1250, ils entamèrent la construction d'une première église, l'ancêtre de l'église des Frari actuelle. Tout comme les Dominicains, les Franciscains ne se retiraient pas dans des monastères isolés, mais ils consacraient leur vie à porter assistance au peuple. Dans le cours de leurs activités, les deux ordres entraient parfois en concurrence, de sorte qu'il parut judicieux de leur concéder des terrains situés dans des endroits très éloignés les uns des autres (l'église dominicaine correspondante est Santi Giovanni e Paolo, dans le quartier de

Castello). L'afflux aux messes franciscaines fut rapidement tel que l'église primitive s'avéra bientôt trop petite. En 1340, on entreprit donc d'agrandir le bâtiment pour en faire un des plus vastes sanctuaires de la cité. Celui-ci ne fut achevé qu'un siècle plus tard, en 1445. À l'instar de toutes les églises médiévales de Venise, celle des Frari est une construction en briques dont la façade est animée par des ornements en pierre d'Istrie blanche. Elle paraît très austère, mais un regard attentif y appréciera certains raffinements architecturaux, tels que les pinacles ondoyants de la façade, la corniche ogivale qui en fait le tour, les meneaux graciles et les encadrements délicatement profilés des fenêtres.

à la foule des fidèles qui venaient assister aux offices. La décoration somptueuse, la profusion d'œuvres d'art et d'autels offerts par des confréries ou par des familles fortunées sont là pour témoigner de la faveur dont jouissaient les Franciscains. C'est ainsi que l'expression « grange à sermons » que l'on avait forgée pour désigner ces immenses églises dépouillées des ordres mendiants ne peut aucunement s'appliquer à l'église des Frari. Conservé intact, le chœur, dans la nef centrale, est aujourd'hui le seul ensemble de ce type à Venise. Dans cet espace délimité par des cloisons en marbre, les frères mineurs restaient à l'écart de la communauté laïque. Seuls leurs chants et leurs prières parvenaient aux oreilles des fidèles.

L'intérieur

L'église des Frari fut édifiée selon un plan en croix latine. Sept chapelles absidiales sont rattachées au transept situé au sud-ouest. Six piliers circulaires en pierre de taille jalonnent les nefs latérales à peine plus basses, créant un ensemble spacieux et plein de majesté. Des tirants en bois peint contribuent à stabiliser les vastes voûtes en arête de la nef principale. L'église offrait ainsi suffisamment d'espace et de visibilité

Les Frari

Titien, *L'Assomption*, 1516-1518, p. 242

Titien, *La Vierge de la famille Pesaro*, 1519-1526, p. 244

Autres sites intéressants :
1 Le tombeau de Titien
2 Le tombeau du doge Nicolò Tron
3 La tombe de Claudio Monteverdi,
  l'autel d'Alvise Vivarini
  et de Marco Basaiti (1503)
4 Le tombeau d'Antonio Canova

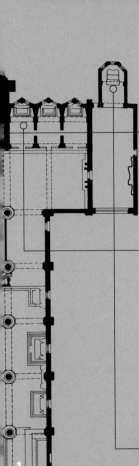

Le tombeau du doge Foscari, après 1457, p. 235

Donatello,
Saint Jean-Baptiste,
1438, p. 243

Giovanni Bellini, *Pala di Pesaro,* 1488, p. 245

Le chœur

Le chœur de l'édifice est éclairé par d'élégantes baies à remplages superposées en deux registres. On remarque que, contrairement à l'orientation traditionnelle vers l'est, le maître-autel de l'église des Frari est orienté vers le sud-ouest, une particularité due aux irrégularités du terrain sur lequel fut bâti le sanctuaire. C'est pourquoi en début de soirée, lorsque les rayons obliques du soleil couchant viennent baigner l'église, les fines structures ajourées des fenêtres révèlent toute leur grâce. Deux superbes monuments funéraires ornent les murs latéraux du chœur.

Antonio et Paolo Bregno :
Tombeau du doge Francesco Foscari, **après 1457**
Marbre

Sur le mur de droite du chœur se dresse le monument funéraire de Francesco Foscari, qui fut l'un des doges les plus puissants et les plus importants de l'histoire vénitienne et qui régna de 1423 à 1457. Il fut contraint à démissionner parce qu'on soupçonnait ce fier personnage de vouloir s'emparer du pouvoir. Ce n'est qu'après sa mort que la République l'honora parmi les plus grands. Ce monument, qui allie des éléments gothiques aux formes naissantes de la Renaissance, fut commandité par son neveu après 1457, l'année de la mort de Foscari. Dû à Antonio et à Paolo Bregno,

on y voit le défunt entouré de silhouettes féminines incarnant les vertus des souverains, à savoir l'Intelligence, la Justice, la Tempérance et la Force. En face de ce monument se dresse le gigantesque tombeau du doge Nicolò Tron (1471-1473), une œuvre maîtresse de la première Renaissance qui fut exécutée par Antonio Rizzo. Les formes gothiques encore présentes sur le monument Foscari ont cédé le pas à un répertoire formel inspiré de l'Antiquité.

Une tombe bien modeste pour un si grand musicien : Claudio Monteverdi (1567-1643)

Devant l'autel de la chapelle Saint-Ambroise en l'église des Frari, une dalle funéraire est scellée dans le sol. On la voit souvent fleurie. Un simple paraphe informe le visiteur qu'il s'agit de la dernière demeure de Claudio Monteverdi, qui fut l'un des plus grands compositeurs d'Italie. Son œuvre fut la première à mêler intimement les parties vocales et instrumentales, sans que l'instrument soit réduit à n'être qu'un substitut de la voix humaine. Le premier à avoir mis en relief la voix isolée, il fut aussi le pionnier de l'opéra moderne.

Comme la plupart des compositeurs de son temps, Monteverdi s'intéressait surtout au madrigal, cette élégante forme vocale qui traversa son œuvre depuis le premier recueil de chants du jeune homme de vingt ans jusqu'au dernier livre de madrigaux, le huitième, qu'il publia lui-même cinq ans avant sa mort. Le madrigal, une pièce vocale basée sur des textes poétiques, était au XVIe siècle la plus importante forme de musique de chambre. Les premières compositions de ce genre s'attachèrent surtout à entrelacer savamment plusieurs voix (généralement quatre ou cinq) de registres différents afin d'exprimer toutes les inflexions des poèmes.

Monteverdi développa l'ancienne forme polyphonique inspirée des motets, afin de créer des morceaux traités en cantates, voire des concertos vocaux, où les solos étaient accompagnés par les instruments. Ce faisant, ses harmonies devinrent de plus en chromatiques, c'est-à-dire qu'elles comportèrent des sons décalés d'un demi-ton qui sortaient de la gamme proprement dite. Il n'hésita pas non plus à utiliser des dissonances.

Domenico Fetti, Claudio Monteverdi, *vers 1623, huile sur toile, Gallerie dell'Accademia, Venise.*

Parallèlement aux madrigaux, il composa dix opéras, dont trois seulement nous sont parvenus au complet. Monteverdi y combina différentes formes musicales, les récitatifs et les arias cohabitant avec des madrigaux et des passages instrumentaux. Grâce à ces innovations, ses opéras acquièrent une diversité et une expressivité qui leur valurent un succès triomphal.

Dans la musique religieuse en revanche, qui devint son activité principale durant la seconde moitié de sa vie, il resta attaché à des règles plus traditionnelles de composition. Il y respectait généralement l'harmonie polyphonique « à l'ancienne », sans doute parce que sa musique religieuse était destinée à Saint-Marc et qu'une bonne part de la musique d'église antérieure – écrite par des compositeurs aussi remarquables qu'Adrien Willaert ou Andrea Gabrieli – avait été conçue pour l'acoustique particulière de cette basilique, avec ses coupoles et ses tribunes. Tout mélomane qui aurait l'occasion d'écouter une pièce polyphonique de Monteverdi ou de ses précurseurs à Saint-Marc même, ne devrait s'en priver en aucun cas. Dans d'autres œuvres en revanche, Monteverdi développa le style nouveau de la « seconda pratica », caractérisé par la distribution raffinée des solos, par une riche orchestration et par une expression musicale des émotions contenues dans le texte.

Même si c'est à Venise que Monteverdi connut ses plus grands triomphes, il n'était pas originaire de cette ville. Il était né à Crémone en 1567 et était entré tout jeune en contact

Le début du « Possente Spirito », dans le troisième acte d'Orfeo, premier opéra de Monteverdi (1607).

avec la musique vénitienne. Son professeur, le Véronais Marcantonio Ingegneri, maître de chapelle de la cathédrale de Crémone, était en effet un adepte de la polyphonie vénitienne. Après avoir achevé sa formation musicale et remporté ses premiers succès, Monteverdi entra au service du duc Vincenzo Ier de Mantoue en 1590. Il y fut d'abord joueur de viole à la chapelle ducale. Lorsqu'en 1595 l'empereur Rodolphe II convia le prince mantouan à soutenir les troupes des Habsbourg contre les Turcs, Monteverdi fut nommé à la

tête de la chapelle itinérante qui accompagna le duc car, même si les caisses de l'État étaient peu remplies, toute campagne militaire digne de ce nom devait comprendre non seulement trois compagnies de tirailleurs à cheval, mais aussi toute une suite avec des pages, des scribes, des médecins, des cuisiniers, des maîtres de chai… et des musiciens. L'expédition commença donc comme un voyage d'agrément, qui passa par Innsbruck, Vienne et Prague. Des fêtes brillantes y offrirent bien des occasions d'écouter la musique de la chapelle ducale. Arrivés enfin à Vysehrad, où les troupes impériales assiégeaient la forteresse tenue par les Turcs, le duc et le gros de son contingent tombèrent malades et la campagne s'acheva sur un retour précipité à Mantoue. Quant à Monteverdi, cette entreprise lui fit prendre conscience de sa situation subalterne à la cour, situation qui ne cessait d'entraver sa création musicale. En tant que membres de la cour princière, les artistes

L'intérieur de Saint-Marc.

avaient un statut situé à mi-chemin entre celui des simples employés et celui des courtisans nobles.

Régie par un code de conduite bien réglé, la vie dans l'entourage du duc se réduisait à une sorte de jeu savant où, théoriquement, l'artiste était plutôt un privilégié. La réussite de Monteverdi était telle qu'elle lui valut de violentes attaques. Un prêtre de Bologne rédigea un pamphlet véhément condamnant le genre musical nouveau élaboré par Monteverdi, avec ses dissonances et la mise en relief du solo vocal. Le compositeur en fut d'abord profondément blessé, mais ses succès lui donnèrent raison. En 1599, il accompagna le duc en cure à Spa. Ce voyage lui offrit l'occasion de découvrir le nouveau style de déclamation chantée des compositeurs français, qu'il fut le premier à introduire en Italie.

Quand, en 1601, il accéda finalement aux fonctions de maître de chapelle de Mantoue, sa situation ne s'améliora pas pour autant. Il lui fallait, encore et encore, attendre une rémunération digne de sa musique et mendier de l'argent dans des conditions humiliantes tout en payant de sa poche les élégances vestimentaires nécessaires à la cour. Souvent, les vaines promesses du duc Vincenzo lui servaient de seul viatique pour survivre au quotidien. Ces questions d'argent toujours conflictuelles, sa réputation à la cour et le climat humide de Mantoue finirent par affaiblir sa santé. En 1607, sa femme mourut et sa situation devint intenable. Monteverdi tomba gravement malade à son tour et il se retira à

Crémone chez son père, qui voulut le dissuader de retourner à Mantoue. Mais une fois encore Claudio se laissa séduire par les promesses du duc et il se retrouva exposé aux pires humiliations. À la mort de Vincenzo, les caisses de l'État se trouvèrent vides. Face à cette crise, son fils et successeur, le duc Francesco, congédia tous les membres de la cour qui ne lui paraissaient pas indispensables, dont son maître de chapelle, alors âgé de 45 ans. L'un des plus célèbres compositeurs d'Italie était littéralement mis à la rue. Sans son vieux père à Crémone, Monteverdi aurait

Frontispice de l'édition de 1609 d'Orfeo.

été sans logis. La nouvelle de ce renvoi se répandit en Europe comme une traînée de poudre. Les Vénitiens, grands mélomanes, saisirent leur chance. Ils firent une offre tout à fait inouïe à l'ex-courtisan sans ressource : en tant que nouveau maître de chapelle de Saint-Marc, il recevrait un salaire princier de 400 ducats, plus un logement gratuit et d'autres avantages. Dès lors, Monteverdi pouvait goûter à la liberté vénitienne, si différente de l'ambiance artificielle d'une cour princière.

Ce n'est pas un hasard si d'autres artistes, tels Titien, n'ont jamais voulu quitter Venise pour l'horizon d'une cour princière étouffante. Non seulement les Vénitiens étaient prompts à payer, mais ils autorisèrent aussi leur « divin Claudio » – qualificatif que leur avait dicté l'enthousiasme – à travailler pour d'autres commanditaires. D'ailleurs, dès que les finances de la cour de Mantoue eurent été redressées, on revint solliciter le grand compositeur. C'est un plaisir de lire dans ses lettres avec quelle froide sérénité Monteverdi put désormais traiter ses anciens maîtres, même s'il continua à parfois travailler pour eux. Il avait enfin trouvé la stabilité. Les problèmes financiers avaient disparu et les Vénitiens, à la fois mélomanes et affectueux, lui vouaient une immense vénération. Plus aucune proposition, aussi séduisante fût-elle, ne put lui faire quitter Venise. Il ne fait aucun doute que ses trente dernières années, placées sous le signe d'une grande activité créatrice, furent les plus heureuses et paisibles de sa vie.

Lorsque Monteverdi mourut à l'âge de 76 ans, le doge et le gouvernement lui dédièrent une messe solennelle à Saint-Marc. Aucun autre artiste, hormis Titien, n'avait été honoré par une cérémonie officielle de cette envergure. C'est dans la même église que celle où l'illustre peintre fut inhumé, aux côtés des doges, que Monteverdi trouva le repos éternel. Les Vénitiens continuent à y vénérer sa tombe car, par sa musique, Claudio Monteverdi a contribué lui aussi à la gloire et à la magnificence de la Sérénissime.

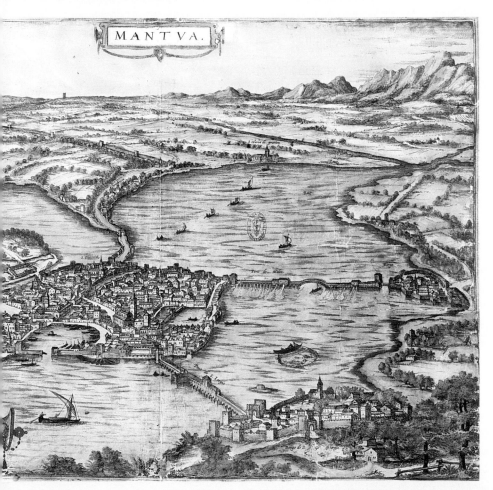

Vue de la ville de Mantoue en 1575.

Titien :
L'Assomption, **1516-1518**
Huile sur bois, 690 x 360 cm

Dès qu'on pénètre dans l'église des Frari, le regard est attiré par le maître-autel et par *L'Assomption* de Titien. Le triangle imaginaire composé par les lumineux accents de couleur rouge des vêtements des apôtres, de Marie et de Dieu le Père semble concrétiser le miracle. Il n'y a que dans le sanctuaire même que l'on peut comprendre comment l'artiste a réussi à adapter son tableau au cadre environnant. Lorsque cette œuvre fut dévoilée au public en 1518, elle suscita à la fois un immense étonnement et un rejet spontané, qui se mua ensuite en enthousiasme. Il ne s'agissait pas seulement de la beauté de la Mère de Dieu, mais surtout des apôtres qui contemplent sa montée au ciel. Leurs gestes et leurs regards, tous les mouve-

ments des corps expriment la surprise, l'effroi et l'extase religieuse que leur procure le prodige en train de se produire. Le firmament doré où plane Dieu est séparé du ciel bleu des vivants par une nuée pleine d'an-gelots qui emportent Marie. La voûte céleste semble s'ouvrir comme une coupole d'or. *L'Assomption* de Titien est considérée comme le premier chef-d'œuvre de la haute Renaissance à Venise.

La chapelle des Florentins (Cappella dei Fiorentini)

À droite du presbytère se trouve depuis le XIXᵉ siècle la chapelle des Florentins, qui avaient jadis (peut-être dès 1436) leur autel dans le transept gauche. C'est en tout cas de cette année que date un contrat conclu avec les franciscains pour l'installation d'une chapelle florentine. Fait intéressant, les Florentins semblent avoir possédé auparavant – et peut-être encore après 1436 – un autel en l'église dominicaine Santi Giovanni e Paolo, car c'est seulement en 1443 que le Conseil des Dix approuva le transfert dans l'église des Frari. On ignore malheureusement le motif qui poussa la confrérie des Florentins à ce déménagement.

Donatello : *Saint Jean-Baptiste,* 1438
Bois, hauteur 141 cm

Cette statue en bois polychrome de saint Jean-Baptiste devait orner la chapelle des Florentins. Depuis le XVIᵉ siècle, cette pièce était supposée dater de la dernière année du séjour de Donatello à Padoue (1443-1453). La silhouette émaciée du Baptiste, avec ses grandes mains et sa physionomie qui n'a rien de commun avec les critères de la beauté idéale, est devenue représentative de l'œuvre tardive du maître. Cette idée a cependant été démentie par une restauration effectuée dans les années 1970, qui a révélé la date de 1438 gravée sur le socle.

**Titien : *La Vierge de la famille Pesaro*,
1519-1526**
Huile sur toile, 385 x 270 cm

Avec cette Vierge, Titien a peint un chef-
d'œuvre de plus dans l'église des Frari. Le
donateur en manteau de brocart noir,
l'évêque Jacopo Pesaro, est agenouillé
devant la Mère de Dieu. Sur le côté,
d'autres membres de la famille et, au-dessus, saint Antoine de Padoue qui veille sur
eux. Jacopo est accompagné d'un saint
chevalier qui porte un étendard avec les

armoiries des Pesaro et celles du pape
Alexandre VI Borgia. Ces bannières font
allusion à une victoire navale remportée
sur les Turcs, où Jacopo Pesaro comman-
dait la flotte pontificale. Titien a fait un
choix révolutionnaire en décentrant la
Mère de Dieu sur le bord droit du tableau,
mais cette option tient compte de la position de la toile dans le sanctuaire. La Madone est ainsi visible de loin quand on vient
de l'entrée principale. Ce faisant, Titien
créa une composition dynamique pleine de
signification. Le donateur est agenouillé
directement devant la Madone qui se tour-
ne vers lui avec autant d'attention que
saint Pierre. En revanche, le contact des
figures divines avec le reste de la famille se
fait de manière indirecte.

Giovanni Bellini : *Pala di Pesaro*, 1488
Huile sur bois

Ce retable *(pala)* de Giovanni Bellini signé
en 1488 fut également créé pour la vaste
famille des Pesaro. Il se trouve dans la
sacristie qui leur sert de chapelle. Comme
le veut la tradition, la Madone et les saints
(Nicolas et Benoît) sont représentés sépa-
remment sur les panneaux du triptyque,
mais ils figurent dans un même espace, ce
qui confère à ce tableau une dimension très
réelle, renforcée par les silhouettes vigoureuses des saints dans leurs robes imposantes. Albrecht Dürer, qui voyait en Bellini le meilleur peintre de Venise, en fut
impressionné. Ces figures lui servirent de
modèle pour ses *Quatre Apôtres*.

La Scuola Grande di San Marco, fin du xvᵉ siècle.

Les Scuole : des œuvres sociales aux dépenses somptuaires

À Venise, le visiteur attentif remarque ici et là de superbes édifices qui ne sont ni des églises, ni des palais de familles patriciennes. Il s'agit des « Scuole », ces confréries de laïcs qui jouèrent un rôle éminent dans la vie de la cité. Ces organisations pieuses existaient aussi dans d'autres cités italiennes, mais elles n'ont jamais détenu autant de pouvoir et d'influence qu'à Venise. Bien que les Scuole fussent issues du mouvement médiéval des flagellants, les pratiques de pénitence n'y ont guère joué de rôle. C'étaient des associations religieuses qui se réunissaient pour la prière commune, fournissaient des fonds à des œuvres de bienfaisance et, surtout, finançaient les messes de leurs membres malades, agonisants ou défunts. À une époque marquée par la crainte des tourments de l'au-delà censés faire expier les péchés de ce monde, les Scuole remplirent une mission extrêmement importante, car seuls l'argent et les bonnes œuvres étaient en mesure de tempérer les souffrances de l'au-delà. Aux gens qui ne pouvaient à eux seuls réunir suffisamment d'argent pour des donations ou des messes, les biens communautaires des confréries permettaient de remplir ces obligations religieuses capitales. Les membres d'une Scuola bénéficiaient ainsi d'une sorte d'assurance sur l'au-delà.

La plupart des Scuole étaient organisées en fonction d'un métier ou d'un pays, par exemple en référence à une corporation d'artisans ou en tant qu'associations de Florentins, Levantins, Allemands, etc. Il existait en outre des « Scuole Grande », associations caritatives comptant plus de 500 affiliés ; y adhérer constituait un honneur particulier. Elles possédaient des maisons somptueuses, alors que les Scuole plus petites et moins fortunées devaient se contenter de bâtiments modestes, voire d'un simple autel dans une église. Celles-

Membres de la Scuola Grande di San Giovanni Evangelista devant leur saint patron, *XIVᵉ siècle, Scuola Grande di San Giovanni Evangelista, Venise.*

ci ont d'abord limité leurs activités caritatives à leur adhérents.

Les scuole offraient non seulement une sécurité pour l'au-delà, mais aussi pour les aléas de la vie sur terre. Les Scuole liées à un pays ou à une corporation font songer à nos assurances professionnelles actuelles. Les contributions que riches et pauvres versaient en fonction de leurs moyens et que les Scuole investissaient dans de bons placements ser-

vaient à aider les membres âgés ou malades, leurs veuves et orphelins.

Une modalité typiquement vénitienne consistait à trouver des remplaçants aux affiliés appelés à servir sur les galères, car les rameurs des galères vénitiennes n'étaient pas des esclaves, mais des citoyens. En temps de guerre, chaque paroisse devait théoriquement fournir un nombre donné de rameurs, mais il était possible de se soustraire à cette

Gentile Bellini, La Scuola Grande di San Giovanni Evangelista en procession sur la place Saint-Marc *(détail), 1496, Gallerie dell'Accademia, Venise.*

obligation en désignant un remplaçant qui se voyait rémunéré. Ce système avait fonctionné parfaitement au Moyen Âge, où les Vénitiens étaient essentiellement des pêcheurs et des marins. La situation changea au XIIIᵉ siècle avec l'enrichissement de la cité et avec l'afflux de gens venus du « continent », qui s'installèrent à Venise après la Grande Peste du milieu du XIVᵉ siècle. Ces nouveaux venus n'étaient pas des marins, mais des artisans incapables d'endurer la vie en mer. C'est alors que les corporations se chargèrent de fournir les matelots nécessaires. Mais c'étaient souvent les Scuole rattachées aux corporations qui payaient ces remplaçants.

Une autre mission importante consistait à doter les filles désargentées afin qu'elles puissent se marier. C'était le seul moyen de les protéger de la prostitution, raison pour laquelle ces aides étaient accordées de préférence aux femmes les plus belles.

Quant aux Scuole Grande, elles étaient les véritables successeurs des anciennes confréries de flagellants. Grâce à leur grand nombre

La salle capitulaire du premier étage de la Scuola Grande di San Rocco.

d'affiliés, parfois de très riches Vénitiens, elles accumulèrent au fil du temps des fortunes énormes. Les nobles pouvaient y avoir accès, mais la direction de ces Scuole était toujours aux mains des bourgeois, à savoir ces quelque cinq à dix pour cent de membres qui ne dépendaient pas des aides de la Scuola. Eux seuls pouvaient être élus à la « Banca », l'organe de direction de chaque confrérie.

Parallèlement à leurs activités religieuses et caritatives, les Scuole Grande satisfaisaient un autre besoin de la population : le goût du prestige. Les membres de la Banca étaient autorisés à revêtir des tenues qui évoquaient celles des sénateurs et des procurateurs. Quant au « Guardian Grande », le directeur principal, il portait des habits inspirés de la tenue du doge. Les Scuole étaient admises dans les grandes processions ou les manifestations officielles du gouvernement, mais elles s'illustraient dans un autre domaine encore, tout aussi prestigieux : l'architecture. Les contributions des membres ainsi qu'une politique d'investissement habile leur permettaient d'élever des maisons luxueuses et décorées d'œuvres d'art de grande valeur. Grâce à cette présence visible dans le tissu urbain, les Scuole – surtout les Scuole Grande – occupaient une position clé dans la structure sociale de Venise. Les bourgeois pouvaient y acquérir ce fameux prestige qu'aucune autre activité dans l'État vénitien ne leur apportait. Même la charge de grand chancelier, la plus haute fonction accessible à un bourgeois particulièrement bien introduit dans l'État, ne permettait pas un tel étalage de luxe. Et même le membre le plus insignifiant d'une confrérie pouvait s'enorgueillir d'appartenir à une communauté qui possédait ces imposants édifices et ces beaux autels. Rien d'étonnant donc à ce que les Scuole Grande aient mené un grand train de vie et rivalisé les unes avec les autres.

Ce contexte pouvait parfois causer la ruine d'une confrérie, comme ce fut le cas pour la Scuola Grande della Misericordia. En 1532, poussée par l'ambition de construire encore plus grand et encore plus beau, elle chargea Jacopo Sansovino, l'architecte le plus réputé de la ville qui s'occupait alors du réaménagement de la Piazzetta, de lui élever un nouveau siège, mais ce projet ambitieux s'avéra trop onéreux. Le bâtiment grandiose fut effectivement achevé et l'intérieur orné de fresques superbes, mais la façade resta à jamais privée du revêtement en pierre qui aurait vraisemblablement dû parachever l'édifice.

L'édifice inachevé de la Scuola Grande della Misericordia.

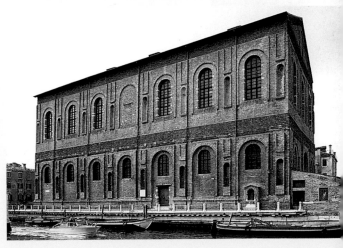

La Scuola Grande di San Rocco

Cette Scuola fut fondée après la Grande Peste de 1477 par deux confréries dédiées à saint Roch. Celui-ci, atteint de la peste au cours d'un voyage, puis soigné et guéri par un ange, était devenu le saint invoqué en cas d'épidémie. En 1485, la Scuola parvint à récupérer dans le Sud de la France la dépouille mortelle de son patron. C'est à cette relique que la confrérie, qui portait assistance aux malades, dut sa popularité et sa fortune. Dès 1489, on posa la première pierre d'une église. Puis, vers 1516, on entama la construction d'un logis dont la façade fut ornée d'une profusion de marbres de couleur. Elle était censée rivaliser avec la façade de la Scuola Grande della Misericordia, pour laquelle avaient été prévues des colonnes dégagées. Du coup, la confrérie de San Rocco décida vers 1550 de remanier son édifice et chargea l'architecte Gian Giacomo de' Grigi de concevoir une façade encore plus somptueuse.

La Sala dell'Albergo

C'est à l'intérieur que la Scuola cachait ses plus beaux trésors. Tout au long de sa vie, Tintoret (Jacopo Tintoretto, 1518-1594) travailla pour la Scuola di San Rocco, dont il réalisa la quasi totalité des peintures, cela en dépit du fait que nombre de membres de la confrérie n'appréciaient pas du tout son style pictural. Certains en arrivèrent même à faire des donations pour des tableaux en spécifiant qu'elles ne devaient en aucun cas servir à payer Tintoret.

Tintoret : *Saint Roch en gloire,* 1564
Huile sur toile, 240 x 360 cm

Les partisans de Tintoret parvinrent toujours à faire valoir leur choix, tant il est vrai
que les propositions du peintre étaient irré-
sistibles. Lorsqu'on décida, en 1564, de
faire décorer l'intérieur de la Scuola Grande di San Rocco, la confrérie invita plusieurs artistes à présenter des projets. Alors
que les autres se contentaient de fournir

des esquisses pour le plafond de l'Albergo,
la salle de réunion des dirigeants de la
Scuola, Jacopo s'empressa de peindre en
une nuit une toile complète qu'il offrit gra-
cieusement à la confrérie, à la suite de quoi
il devint membre de la Scuola et fut même
nommé à la « Banca », l'organe de direction. Pour voir les peintures de Tintoret
dans l'ordre chronologique, il faut com-
mencer la visite par l'Albergo, au premier
étage.

Tintoret : *Le Christ devant Pilate,* 1565
Huile sur toile, 515 x 380 cm

Tintoret : *La Crucifixion,* 1565
Huile sur toile, 536 x 1224 cm

Il va de soi que, après cette proposition astucieuse de Tintoret, on lui passa aussi la commande des autres toiles de l'Albergo. Tandis que le plafond était consacré au saint patron de la Scuola, aux Vertus et enfin à Venise et aux autres grandes Scuole, les parois furent ornées de scènes de la Passion du Christ. Au premier abord, *Le Christ devant Pilate* semble moins dynamique que *Le portement de la Croix* ou même la saisissante *Crucifixion*. Son intérêt réside surtout dans le contraste entre la paisible figure de Jésus debout devant Pilate et la foule agitée. Toute la lumière du tableau semble converger vers le Sauveur vêtu de blanc – ou plutôt émaner de lui. La profonde sérénité du Christ n'est déjà plus dans les remous de la Passion.

La Crucifixion est l'une des rares œuvres de Tintoret qui ait été datée et signée. Parmi les solutions variées et inédites que le peintre n'a cessé d'inventer sur ce thème, cette version est certainement l'une des plus intéressantes. Le format horizontal adapté au mur existant constitue déjà une grande nouveauté. Sur un trait de génie, l'artiste n'a pas choisi le moment de la crucifixion même, mais celui où l'on redresse la croix, de sorte que le tableau échappe à la verticalité traditionnelle. L'espace libre au milieu de l'image est le segment d'un cercle dont le centre coïncide avec la croix du Christ, et la foule semble tourbillonner autour de cet axe. Ce procédé de composition est renforcé par l'auréole rendue plus dense sous la poutre transversale.

Tintoret : *Le miracle du serpent d'airain*, 1575-1577
Huile sur toile, 840 x 520 cm

Au moment où l'on décida d'entreprendre la décoration picturale de la salle capitulaire du premier étage, Tintoret posa à nouveau sa candidature, malgré l'opposition de nombreux membres de la Scuola. Mais le peintre, en homme d'affaires avisé, revint avec une proposition alléchante. Au

lieu d'exiger des honoraires élevés que la confrérie aurait à payer en une fois, il promit de décorer entièrement la salle contre versement d'une rente viagère de 100 ducats. Il était difficile de refuser une offre pareille. De 1575 à 1581, il travailla donc à la décoration de la salle. Les peintures du plafond furent consacrées à des thèmes de l'Ancien Testament, celles des murs au Nouveau Testament. Les trois grands compartiments du plafond, *La récolte de la manne, Moïse faisant jaillir l'eau du rocher* et, au centre, *Le miracle du serpent d'airain*, évoquent l'aide apportée aux assoiffés, l'alimentation des affamés et le soin des malades – toutes activités caritatives auxquelles s'adonnait la Scuola. Les épisodes de la vie du Christ sur les parois contribuent également à mettre ce thème en valeur. Au fil du temps, la décoration de cette superbe salle capitulaire fut encore enrichie grâce aux fonds de la Scuola ou aux donations des membres aisés. C'est ainsi que vinrent s'y ajouter *L'Annonciation* de Titien (1525) et plus tard deux œuvres de jeunesse de Giovanni Battista Tiepolo, *Abraham et les anges* et *Agar assisté par les anges*. Les boiseries sculptées représentant des scènes de la légende de saint Roch, par Giovanni Marchiori (1743), comptent parmi les œuvres maîtresses de la sculpture vénitienne du XVIIIe siècle. Les douze figures caricaturales sont dues à Francesco Pianta le Jeune (fin du XVIIe). Quant au Mercure à droite de l'escalier, il tient un manuscrit roulé contenant des explications.

Tintoret : *Marie-Madeleine,* **1583-1587**
Huile sur toile, 425 x 209 cm

La salle de méditation du rez-de-chaussée resta longtemps dépourvue d'ornements, car la sobriété de son architecture était suffisante pour les réunions de prière, les assemblées et les distributions d'aumônes. Comme dans d'autres Scuole, c'est la salle du premier étage qui servait aux fonctions de représentation. Ce n'est qu'après l'aménagement de celle-ci que l'on entreprit de décorer le rez-de-chaussée avec des scènes de la vie de la Vierge. La « sala terrena » fut donc la dernière à être peinte de 1583 à 1587 par Tintoret, qui avait déjà consacré vingt années de sa vie au service de la Scuola. Le rôle déterminant qui revient à la lumière dans l'œuvre tardive du maître est particulièrement manifeste dans ces toiles du rez-de-chaussée. Sur les étroits panneaux dédiés aux deux femmes ermites Marie-Madeleine et Marie l'Égyptienne, certaines parties du paysage semblent sortir de l'ombre à la lueur d'un éclair. Ces contrées désertes paraissent tout imprégnées d'un climat surnaturel. Ainsi, l'expérience religieuse profonde vécue par les saintes dans ces paysages évocateurs se communique au spectateur. Le bel escalier qui mène du rez-de-chaussée à l'étage, dû à Antonio Abbondi dit « Lo Scarpagnino », fut érigé entre 1544 et 1546, peut-être sous la direction de Jacopo Sansovino : une réalisation qui préfigurait les somptueux escaliers de l'art baroque.

Tintoret :
La fuite en Égypte, **1583-1587**
Huile sur toile, 422 x 580 cm

Les toiles de Tintoret, au rez-de-chaussée, furent très controversées. Ses contemporains accusèrent l'artiste d'être un improvisateur brouillon et ils prétendaient en outre que la composition de ses tableaux irritait le regard. Mais son œuvre suscitait aussi des réflexions qui allaient au-delà de la simple question du caractère de réalité d'un tableau, réflexions qui s'appliquaient principalement à *L'Annonciation* et à *La fuite en Égypte.* La première œuvre se situe dans le décor misérable d'une maison d'artisan aux murs délabrés et au mobilier déformé – des éléments qui contrastent étrangement avec le riche plafond à la vénitienne et avec le lit aux draps blancs surmonté de baldaquins de soie rouge davantage dignes de la future reine céleste. *La fuite en Égypte* déconcerta également les spectateurs de l'époque. Les fugitifs y sont vus de face et ils se dressent à l'orée d'un vaste paysage, mais un bosquet impénétrable et une rivière les séparent des petites gens qui, de l'autre côté, vaquent à leurs occupations quotidiennes. Eux-mêmes sont tellement serrés dans le coin du tableau qu'ils ne semblent plus avoir leur place dans ce paysage paisible, comme s'ils étaient déjà sur le point d'en sortir. C'est bien là une expression picturale particulièrement évocatrice de l'exil et de l'absence de tout refuge.

La Scuola Grande di San Giovanni Evangelista

La confrérie de saint Jean l'Évangéliste, fondée en 1261, était l'une des plus anciennes de Venise. En 1369, elle se vit offrir une relique de la Croix, ce qui lui valut un grand prestige et des revenus considérables. Au début du xvᵉ siècle, la confrérie décida agrandir l'édifice. Une fois que tous les travaux, sauf l'escalier intérieur, eurent été terminés, Pietro Lombardo fut chargé en 1478 d'élever un superbe portail donnant accès à la cour. La lunette au-dessus de l'entrée est ornée de l'aigle, symbole de Jean l'Évangéliste et emblème de la Scuola. En confiant ce travail à Lombardo, on était assuré d'obtenir un résultat mariant le style Renaissance à la mode avec les formes foisonnantes du gothique tardif – une option architecturale qui convenait bien aux besoins de représentation d'une Scuola tout en témoignant de sa prospérité et de son rayonnement culturel.

Gentile Bellini :
Le miracle de la Sainte Croix,
fin du xvᵉ siècle
(aujourd'hui à l'Accademia)
Huile sur toile, 323 x 430 cm

De nos jours, il ne reste plus grand-chose des trésors de la Scuola. Les tableaux qui l'ornaient au xvᵉ siècle étaient issus de l'atelier de la famille Bellini, très influente à l'époque. Les œuvres du père au rez-de-chaussée ont disparu, mais le grand cycle pictural exécuté par ses successeurs est à présent visible aux Gallerie dell' Accademia. La relique de la vraie Croix qui avait fait la renommée de la

Scuola constitue le thème principal de ces tableaux. La toile de Gentile Bellini dépeint un miracle qui se serait produit entre 1370 et 1382. Lors d'une procession, la précieuse relique serait tombée du Ponte di San Lorenzo dans le canal, échappant aux mains des membres de la confrérie qui tentaient de la récupérer, jusqu'à ce que le directeur de la Scuola, Andrea Vendramin, réussisse à la récupérer. On voit ici le moment où il ramène l'objet à la berge. Ces tableaux consacrés aux avatars de la relique de la Scuola ne se limitent pas à rapporter des événements, ils constituent aussi un témoignage intéressant de la vie et de l'aspect de Venise au XVe siècle.

De plus, ces toiles comportent un bon nombre de portraits. Si l'identité des personnages agenouillés est toujours controversée (on a même cru y voir à tort des membres de la famille Bellini), à gauche on reconnaît sans peine la reine de Chypre, Catherine Cornaro, accompagnée de sa suite.

San Giacomo dell'Orio

Dès que l'on quitte les grands axes touristiques de Venise, la cité se met à ressembler à une petite ville italienne bien tranquille. C'est le cas sur le Campo San Giacomo dell'Orio, que l'on apprécie tout particulièrement en temps de carnaval, quand les habitants du quartier organisent sur la place une fête communale qui n'a rien à voir avec les festivités tapageuses de la place Saint-Marc. Le nom de l'église vient d'un laurier (*lauro* en italien) qui poussait jadis en ce lieu. Une autre interprétation, plus fantaisiste, veut que l'église, l'une des plus anciennes de la ville (ixe siècle), ait été élevée sur une île peuplée de loups. Elle tirerait alors son nom de « lupo », ou de « lupao ». La position inhabituelle de son haut campanile des xiie et xiiie siècles, érigé à côté et non pas devant l'église, s'explique par les nombreux remaniements apportés à ce sanctuaire au xiiie siècle, puis du xve au xviie siècle. Au Moyen Âge, la façade avec l'entrée principale se trouvait à l'emplacement actuel du clocher.

L'intérieur

À défaut de grande famille ou de couvent assurant une décoration homogène, les remaniements successifs, encore visibles aujourd'hui, ont été greffés peu à peu. Comme dans d'autres églises très anciennes de Venise, certaines colonnes de marbre sont des pièces de butin ramenées de Méditerranée orientale. La chaire en forme de tulipe est adossée à une colonne de granit déjà présente dans le sanctuaire primitif. Avec ses ornements abondants, cette chaire évoque les créations de l'école de Lombardo du début du xvie siècle. San Giacomo est un des rares sanctuaires qui ait conservé la simplicité d'une église paroissiale.

Le quartier de Dorsoduro

Le quartier de Dorsoduro

Dorsoduro occupe la partie sud-ouest de Venise. Son nom, qui signifie « dos dur », évoque une épine dorsale et provient sans doute de la nature de son sol, partiellement rocheux, plus ferme et plus élevé que celui des autres quartiers de la ville. Dorsoduro comprend le secteur le plus élégant du Canal Grande, avec la Salute, l'Accademia et le musée Guggenheim. Il englobe aussi une partie de l'Université, le port, le quartier modeste de San Nicolò dei Mendicoli et l'île de la Giudecca.

Scuola Grande dei Carmini (Scuola Grande di Santa Maria del Carmelo), Giovanni Battista Tiepolo, *Notre-Dame-du-Mont-Carmel apparaissant au bienheureux Simon Stock*, 1739-1749, p. 285

Église San Sebastiano, Paolo Véronèse, *Esther couronnée par Assuérus,* 1555-1556, p. 292

San Nicolò dei Mendicoli, p. 296

Église des Gesuati (Santa Maria del Rosario), Giovanni Battista Tiepolo, *La Vierge avec trois saintes*, vers 1748, p. 305

Église des Carmini (Santa Maria del Carmelo), vue de l'intérieur, p. 287

Autres sites
intéressants :

1 Église dell'Angelo
Raffaele
2 San Trovaso (Santi
Gervasio e Protasio)
3 Les Zattere

Église San
Pantalon,
Antonio Fumiani,
*Le martyre et
l'apothéose
de saint
Pantaléon,*
après 1684, p. 271

Ca' Rezzonico,
Giovanni
Battista Tiepolo,
*Pulcinella in
villegiatura,*
vers 1793, p. 277

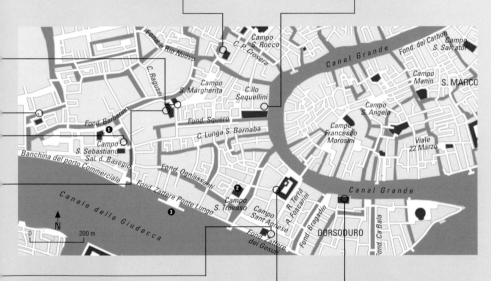

Gallerie dell'
Accademia,
Giorgione,
La tempête,
vers 1510, p. 318

Collection Guggenheim,
Pablo Picasso,
Les baigneuses,
1937, p. 338

Les Zattere

Le dimanche matin, ou pendant les douces soirées printanières et estivales, les Vénitiens aiment à déambuler sur les Zattere. Ce large quai bordant sur des kilomètres le « Bacino » (bassin), le port de Venise, s'étire de la pointe de la Douane jusqu'à l'extrémité occidentale de Venise. Il y fait bon s'asseoir à la terrasse d'un café pour y admirer l'île voisine de la Giudecca. Autrefois, le bois nécessaire aux habitants pour stabiliser leurs îles, pour y bâtir et pour se chauffer descendait des montagnes par flottage *(zattera)* jusqu'à ce quai, dès lors surnommé Zattere. Selon d'autres sources, le nom de la promenade viendrait du vénitien *arzere* (plage).

Miracle de saint Pantaléon admirable et ultime chef-d'œuvre de Véronèse, un triptyque de Paolo Veneziano et le superbe *Couronnement de la Vierge*, peint en 1444 par Giovanni d'Alemagna et Antonio Vivarini, qui décore la chapelle latérale gauche du chœur.

Giovanni Antonio Fumiani :
Martyre et apothéose
de saint Pantaléon, après 1684
Huile sur toile

À partir de 1684, Fumiani (1643-1710) consacra 25 années à la décoration du plafond de cette église, où il fut d'ailleurs enseveli. Son œuvre comprend quarante toiles montées sur des châssis de bois. Au premier abord, le spectateur ne perçoit que la démesure d'un gigantesque spectacle céleste. Avec le temps, il finit par isoler les différentes scènes du martyre de saint Pantaléon. À droite, l'empereur romain Dioclétien, abrité sous un dais, ordonne la torture et la mort du saint. Ce dernier s'abandonne à son destin en dessous d'un arc élevé, le corps ceint d'une auréole de lumière éclatante. Les assistants du bourreau lui montrent les instruments de torture. Le ciel s'est entrouvert, pour mieux accueillir l'âme du condamné.

San Pantalon
(San Pantaleone)

Erigée à la fin du XVIIᵉ siècle par l'architecte Francesco Comino, cette église à nef unique cache des trésors de l'art pictural derrière une façade inachevée. L'extraordinaire plafond baroque de Fumiani représente des scènes du martyre de saint Pantaléon. Mais on découvre également ici le

Ca' Rezzonico

Après avoir racheté en 1746 ce palais baroque inachevé, œuvre de Baldassare Longhena, à la famille Buon (voir p. 69), la famille Rezzonico en parachève la construction et en aménage luxueusement l'intérieur. Elle engage Giovanni Battista Tiepolo, Andrea Brustolon (dont on peut encore voir le magnifique mobilier sculpté) et d'autres artistes. La décoration interne de l'édifice, aujourd'hui Musée du XVIIIe siècle vénitien, offre un cadre on ne peut plus authentique pour présenter les différentes facettes de l'art vénitien du XVIIIe siècle, de l'ameublement aux porcelaines et de l'habillement aux plus humbles objets usuels. Le grand escalier menant aux chambres fastueuses et aux salons du premier étage est l'œuvre de Giorgio Massari.

Giovanni Battista Tiepolo :
Le triomphe de Zéphyr et de Flore, 1731-1732
Huile sur toile, 395 x 225 cm

La scène unit la personnification divine du vent d'ouest et la déesse des fleurs et du printemps. Pourvu de délicates ailes diaphanes, le doux Zéphyr embrasse tendrement Flore, qui s'appuie sur un angelot. Le couple plane sur une masse nuageuse sombre s'élevant en diagonale au-dessus de Cupidon, le dieu de l'amour. La palette des couleurs est typique de Tiepolo et elle mêle clarté et intensité lumineuse. À l'origine, la toile ne se trouvait pas à la Ca' Rez- zonico mais bien à la Ca' Pesaro. Elle a vrai- semblablement été réalisée à l'occasion des noces d'Antonio Pesaro et de Caterina Sagredo en 1732. Le bonheur, la fécondité et les autres promesses évoquées par le tableau furent toutefois refusés aux mal- heureux époux : peu après le mariage, Antonio décéda, laissant une veuve sans enfant.

Giovanni Battista Tiepolo :
Allégorie nuptiale, 1758
Fresque, 630 x 1030 cm

A l'occasion des noces de Ludovico Rezzonico et de Faustina Savorgnan, qui
eurent lieu le 16 janvier 1758, Giovanni
Battista Tiepolo (1696-1770), avec la collaboration de Gerolamo Mengozzi Colonna,
couvrit de gigantesques fresques les plafonds de deux des salles du premier étage.
Ces deux œuvres se réfèrent directement à
l'événement nuptial. Sur celle de la salle de
l'Allégorie nuptiale, les nouveaux époux
ont pris la place d'Apollon dans le char du
Soleil tiré par de superbes coursiers blancs.
Incarnation de l'astre du jour pour les
anciens Grecs, le dieu en personne se
tient en retrait. Le trio est entouré par
les trois Grâces et par des personnifica-
tions de la Gloire, de la Sagesse et de
l'Abondance, toutes prometteuses d'un
avenir heureux. La douce lumière d'un ciel
éclairé par les rayons du soleil évoque également un futur climat de félicité et de joie.
À l'époque, un mariage était souvent prétexte à la redécoration des chambres indi-
viduelles, sinon parfois du palais tout
entier – en particulier lorsqu'il s'agissait
des noces de membres de deux grandes
familles nobles. Les sentiments personnels
et mutuels des deux futurs mariés ne
jouaient guère. Néanmoins, une telle
union ne se fondait pas toujours uniquement sur des contingences purement
matérielles.

L'art du vêtement masculin au XVIIIᵉ siècle

Le musée abrite de nombreux objets utilisés au XVIIIᵉ siècle par les personnes de qualité venues des quatre coins de l'Europe à Venise pour y jouir de la vie. Le voyageur acquérait alors les produits de l'industrie de luxe vénitienne – tels les miroirs et la dentelle – dont on admire des exemples aujourd'hui dans le musée de la Ca' Rezzonico. Le palais comprend une intéressante collection de vêtements de la période rococo.

Giovanni Domenico Tiepolo :
Pulcinella in villegiatura, vers 1793
Fresque (démontée), 198 x 150 cm

En 1753, devenu peintre officiel de Venise, le peintre Giovanni Battista Tiepolo acquiert une maison de campagne située à Zianigo, près de Mestre. C'est son fils Giovanni Domenico (1727-1804), dont il a dirigé et assuré l'apprentissage et avec lequel il a collaboré à plusieurs reprises, qui achèvera la décoration intérieure de la villa. Au cours de la dernière décennie du siècle, plus de 20 ans après la mort de son père, il couvrira tous les murs de fresques. Longtemps engoncé dans les traditions picturales de la famille, Domenico finit par imposer sa manière personnelle et fit exploser toute sa fantaisie dans l'art mineur de l'ornementation des villas. A Zianigo, les centaures voisinent avec des scènes de la vie de tous les jours ou, comme ici, avec des personnages de la Commedia dell'Arte. Le regard est d'abord accroché par la sérénité d'un groupe de clowns (*Pulcinelle,* ou polichinelles) traditionnellement vêtus de blanc. À la réflexion se dégage une image ironique, sinon satirique et critique de la société de l'époque. C'est comme des rapaces, des goinfres et des fainéants que l'artiste représente les personnages caractéristiques de la Commedia, s'écartant ainsi des thèmes habituels de la décoration de villas. Les fresques ont été démontées en 1906, peu avant la destruction de la Villa Zianigo, et sont exposées depuis 1936 à la Ca' Rezzonico.

Pietro Longhi :
Le coiffeur, **vers 1760**
Huile sur bois, 63 x 51 cm

Maure ou *La marchande de beignets*. Ici, il dépeint une dame élégante en train de se faire coiffer sous le portrait de Carlo Ruzzini, qui fut doge de Venise de 1723 à 1735. Peut-être appartient-elle à la famille de cet éminent personnage? Une petite table recouverte d'une fine étoffe blanche porte les objets nécessaires à sa toilette : un précieux poudrier de porcelaine, des houppettes à poudre de riz, des peignes et un miroir derrière lequel a été repoussée une autre pièce de tissu – nappe ou vêtement, on ne sait. Seul le coiffeur regarde le spectateur. Une nourrice aux joues rouges et à la chevelure non poudrée amène un bambin dans ses bras pendant que la maîtresse de maison se fait coiffer, sans doute en vue d'une fête ou d'un événement semblable, comme le suggère le riche manteau rouge bordé d'hermine qu'elle porte. Les couleurs s'accordent et se répondent. Ce rouge rappelle celui, mêlé d'or, de l'habit que porte le doge sur le portrait ; il se retrouve également sur le bonnet du petit enfant. Cette répétition de tons évoque de manière subtile les traditions d'une famille riche.

Le musée abrite également une large collection d'œuvres (plus de trente toiles) de Pietro Longhi (1702-1775), qui a mieux que tout autre rendu fidèlement la vie dans la Venise du XVIIIᵉ siècle. Citons des œuvres comme *Le chocolat du matin, La lettre du*

Pietro Longhi :
La visite du masque,
vers 1760-1770
Huile sur bois, 62 x 50 cm

Parée d'une robe rouge et bleue dont la coupe et les tons évoquent un uniforme pimpant, une jeune femme en train de broder est assise à une table à ouvrage, en compagnie de deux hommes. Un feuillet de musique émerge de la poche du personnage debout. L'autre visiteur est affublé de la « bauta », le masque traditionnel que les nobles vénitiens du XVIIIᵉ siècle portaient pratiquement en permanence. Une servante amène un plateau garni de deux tasses et d'un petit pot. Ce dernier contient vraisemblablement du cacao, boisson à la mode dans le monde élégant du rococo. La table à ouvrage et, perché sur la commode, un porte-perruques garni d'une coiffe élégante suggèrent que la scène se passe dans les appartements privés de la dame. L'homme debout, à qui ne sont offerts ni chaise ni tasse, pourrait bien être le professeur de musique, dont la présence rendrait moins scabreuse la présen-ce d'un homme dans la chambre d'une dame. Le rang inférieur du musicien est clairement posé. Pourtant, ici, les rôles sont inversés : son importance picturale dépasse de loin celle de l'élégant visiteur. La présence de ce dernier est comme occultée par son masque, alors que le visage des trois autres personnages est finement mis en lumière, même celui, plus humble, de la petite servante.

Giacomo Casanova : bien plus qu'un grand séducteur, il fut un témoin du siècle

En l'an 1785, au château de Dux, en Bohême. Joseph Karl Emmanuel, comte de Waldstein, vient d'engager un bibliothécaire logé et nourri, disposant de son propre carrosse et de serviteurs attachés à sa personne, grati-fié enfin d'un salaire annuel de mille florins. Il s'agit d'un Vénitien de haute taille, vieillis-sant mais portant encore beau, un personna-ge vêtu à l'ancienne mode de France, affublé de vestes de soie brodées d'or et arborant un chapeau à plume sur des cheveux poudrés. Apparition venue du siècle précédent aux yeux ébahis des rares visiteurs du château, ou relique d'un monde balayé par la Révolution française, Giacomo Casanova exercera le métier de bibliothécaire jusqu'à la fin de sa vie en 1798. Il n'a d'ailleurs que faire de ces temps nouveaux où l'Europe tout entière s'at-tache désormais aux valeurs romantiques comme la loyauté, la fidélité et l'atta-chement à la patrie. Bluffeur galant, tricheur consommé et subtil, camé-léon cosmopolite, Casanova a fait du monde entier sa maison. Amant raffiné, il s'intéresse trop à toutes les

Altera nunc rerum facies, me quero nec adsum:
Non sum qui fueram non puto esse: fui

Johann Berka, Giacomo Casanova à l'âge de 63 ans, *estampe coloriée.*

femmes pour ne s'attacher qu'à une seule. Rapidement oublié par ses contemporains (sauf par ses innombrables créanciers), il trouve au château de Dux la retraite idéale pour se consacrer à ses deux passions : l'alchimie et la rédaction de ses mémoires. Décrivant les frivolités et les couleurs d'un monde rococo à jamais évanoui, sa biographie ne trouvera d'éditeur que bien longtemps après sa mort – et encore, ce dernier la réduira plus ou moins à un simple recueil d'histoires galantes.

Au XIXᵉ siècle, un éditeur consciencieux qui désirait en faire l'exposé au public, a malheureusement effectué des changements drastiques, la légèreté, la sympathie et la discrétion avec lesquelles Casanova traitait ses aventures amoureuses étant restées incompréhensibles pour lui. C'est ainsi que

Louis Marin Bonnet, L'éventail brisé, *vers 1780. Estampe d'après J.-B. Huet, Archiv für Kunst und Geschichte, Berlin.*

Casanova est devenu synonyme de puissance virile, de séducteur ardent et impénitent. Le vrai Casanova est bien plus que cela. Avec son goût du jeu et de la mascarade, il est une figure typique du XVIIIᵉ siècle. Il est vrai qu'il a aussi un penchant immodéré pour l'érotisme – un penchant inconcevable pour le lecteur du XIXᵉ siècle, qui était bridé par le carcan de la pruderie. Fils d'une actrice connue et d'un directeur de théâtre, Casanova est né en 1725 à Venise, cité du plaisir et du carnaval perpétuel : un fait symptomatique s'il en est. Destiné à la théologie par sa famille, il se montre bien plus intéressé par la médecine, la science naturelle universelle de son temps. Il assimilera donc aussi cette discipline au cours de ses études supérieures à Padoue. De retour dans sa ville natale, il se perfectionne dans tous les domaines scientifiques connus au cloître de Santa Maria della Salute, où enseigne le père Barbarigo, l'un des plus éminents savants de l'Italie d'alors. Son savoir permet à Casanova les mystifications les plus diverses, celles-ci n'altérant absolument pas une popularité sans faille dans les cercles les plus huppés de l'Europe galante. Ses connaissances l'aident à fabriquer des encres sympathiques qu'il utilise pour écrire des lettres d'amour ou signer des lettres de

Une cellule du palais des Doges.

changes. Il fait « croître » du mercure, se voit chargé par Louis XV d'installer en France une loterie publique (qui fonctionnera telle quelle de 1762 à 1836), invente des parfums séducteurs, compose un roman utopique et développe des teintures pour les tissages de son dernier protecteur, le comte de Waldstein.

Pourtant, un événement fâcheux avait bien failli mettre très tôt un terme à cette carrière bien remplie. De tout temps, les autorités vénitiennes ont fermé les yeux sur les petites escroqueries, particulièrement communes dans les « ridotti » (maisons de jeux et de plaisir). Mais elles n'ont jamais badiné avec l'espionnage ou avec la trahison de secrets d'État. Or Casanova a d'excellents rapports avec l'ambassadeur de France, avec qui il partage une maîtresse. Ce seul fait incite les Vénitiens à arrêter Casanova dans la nuit du 25 au 26 juillet 1755, sous un prétexte futile. Ils le condamnent sans procès à cinq années d'internement et l'enferment aussitôt dans une cellule des Plombs, la prison située sous les toits du palais des Doges. Personne ne lui fait part de la cause de son arrestation et du verdict. Craignant d'y finir ses jours, Casanova réussit pourtant à fuir – ce que nul n'avait pu faire avant lui. Lors d'une promenade sur les toits organisée pendant que sa cellule est nettoyée, Casanova découvre un bout de fer et un morceau de marbre, qu'il transforme aussitôt en outils. À l'aide de coton arraché à sa courtepointe, d'huile de salade de Lucques, de l'amadou que l'on cousait dans les vêtements pour se prémunir de la transpiration et de soufre reçu pour soigner une prétendue rage de dents, il bricole une lampe à la lueur de laquelle il creuse chaque nuit le sol de sa prison. Cette première tentative se solde par un échec : surpris, Casanova est aussitôt changé de cellule. Malgré des contrôles plus fréquents, il parvient à dissimuler l'outillage qu'il avait sauvé dans une Bible de son nouveau compagnon de cachot. Grâce à l'aide de ce dernier, le père Marino Balbi, il réussit à percer un trou dans le toit. Les deux prisonniers s'échappent, parviennent à la « Sala quadrata » (salle Carrée) où ils sont aperçus et pris pour des visiteurs enfermés par mégarde. Libérés par un portier, ils hèlent une gondole et quittent Venise avant même que leur évasion ne soit découverte.

Publié à Prague en 1787 sous le titre *Histoire de ma fuite des Plombs de Venise*, le récit de cette évasion rocambolesque lui ouvrira les portes de la noblesse européenne aussi longtemps que les rapports sociaux ne changeront pas. Dans la solitude du château de Dux, personne ne s'intéressera plus aux aventures de ce vieil homme singulier et lunatique. Aujourd'hui enfin, quelque 200 ans après sa mort, on apprend à ne plus voir Giacomo Casanova seulement comme un amant doué ou comme un séducteur impénitent, mais bien comme un personnage universel, libertin et libertaire acquis aux manières, aux idées et surtout aux savoirs de son temps.

Heinrich Berka, Casanova s'enfuit des Plombs par les toits du palais des Doges, *1783. Estampe de la première édition de l'*Histoire de ma fuite des Plombs de Venise.

Scuola Grande dei Carmini (Scuola Grande di Santa Maria del Carmelo)

Fondée en 1594, la Scuola Grande dei Carmini est la dernière-née des six grandes confréries de Venise. Placée sous la protection de Notre-Dame-du-Mont-Carmel, elle se réunit d'abord dans l'église des Carmes. En 1627, la confrérie fait construire dans le voisinage un édifice dont elle fait son siège. D'apparence sobre, avec son ornementation délicate et ses colonnes étroites, la façade du complexe serait l'œuvre de Baldassare Longhena. Au XVIIe et au XVIIIe siècles la Scuola jouit d'une popularité extraordinaire et devient l'une des principales corporations de dévotion et de secours mutuels. En 1675, elle compte 75 000 membres, soit près de la moitié de la population de la ville. À l'instar des autres Scuole, elle aurait dû être dissoute sous le règne de Napoléon, mais sa bonne réputation – et l'appui de quelques membres très influents – assurera sa survie pendant une courte période, jusqu'en 1806. La Scuola renaîtra en 1840, au cours de l'occupation autrichienne, sous les auspices de l'empereur Ferdinand Ier. Elle est toujours active aujourd'hui. Cette confrérie accueille également des femmes, ainsi qu'en témoignent les noms répertoriés au rez-de-chaussée de l'édifice.

Giovanni Battista Tiepolo :
Notre-Dame-du-Mont-Carmel
apparaissant au bienheureux
Simon Stock, 1739-1748
Huile sur toile, 533 x 342 cm

Le rez-de-chaussée de l'édifice n'a pas reçu une ornementation des plus opulentes : elle se réduit à des toiles monochromes de Nicolò Bambini, consacrées à la vie de la Vierge Marie. En revanche, la riche Scuola a confié au peintre le plus renommé de l'époque la décoration du plafond de la salle supérieure réservée au chapitre (Sala capitolare). Tiepolo y a figé le moment où la Vierge confie le scapulaire au bienheureux Simon Stock. Venu d'Angleterre et ministre général de l'ordre, Simon Stock réorganise les Carmes au XIIIᵉ siècle : d'ermites exilés de la Terre Sainte, les Carmes deviennent un ordre mendiant citadin. Petite bande de tissu, le scapulaire est pour les carmélites le symbole de leur entière dévotion à Marie, depuis que celle-ci serait apparue au frère Simon et lui en aurait offert un en gage de protection. Tiepolo a entouré la scène centrale d'anges et d'incarnations des vertus théologales (Foi, Espérance et Charité) et morales (Prudence, Justice, Tempérance et Force). Signalons encore une intéressante *Judith et Holopherne* de Giovanni Battista Piazzetta (vers 1743) entre la Sala dell'Albergo et l'Archivio (Salle des archives).

Renaissance au début du XVIᵉ siècle. Au-dessus de l'entrée se reconnaît encore une partie de la fenêtre ronde de l'ancien édifice. Austère et dotée d'un fronton de briques typiquement vénitien, la nouvelle structure se drape dans une simplicité et une modestie qui impressionnent. La plupart du temps, toutefois, les fidèles et les touristes pénètrent dans l'édifice par l'entrée latérale originelle, qui s'ouvre sur le Campo Santa Margherita.

Les Carmini (Santa Maria del Carmelo)

L'intérieur

Appelée I Carmini par les Vénitiens, l'église de l'ancien couvent carmélite de Santa Maria del Carmelo paraît quelque peu en retrait sur le Campo Santa Margherita. Entamée en 1286, la construction de l'édifice sera achevée en 1348. Les carmélites l'occuperont donc peu de temps après la réforme de leur ordre qui eut lieu au milieu du XIIIᵉ siècle. Les religieux abandonnent alors leur vocation d'ermites, renoncent au vœu de silence et à leur régime végétarien pour se transformer en un ordre mendiant urbain. S'élevant à proximité du couvent, sur le Campo dei Carmini, la façade principale de l'église a été refaite dans le style

La structure de base de l'édifice gothique originel est encore bien reconnaissable. Les nefs principale et latérales sont séparées les unes des autres par deux rangées de colonnes élancées. Le chœur fut remanié vers 1514 par Sebastiano Mariano da Lugano, qui réussit ici à intégrer des formes typiques de la Renaissance aux voûtes nervurées gothiques. Pour cela, l'architecte subdivisa les hautes et fines ogives en trois zones fenêtrées, tout en insérant dans la rangée supérieure des ouvertures munies d'arcs en plein cintre. En partie dorées et garnies de peintures, les sculptures sur bois de la nef centrale datent de la fin du XVIᵉ siècle et du début du XVIIᵉ siècle.

Lorenzo Lotto : *Saint Nicolas en gloire entre saint Jean-Baptiste et sainte Lucie,* **1527-1529**
Huile sur toile, 335 x 188 cm

L'église abrite plusieurs retables, dont une remarquable *Nativité* réalisée vers 1510 par Cima da Conegliano (nef de droite, second autel) et une élégante toile de Lorenzo Lotto (vers 1480-vers 1556) dressée dans la nef de gauche, près du portail latéral. Fondé sur un bleu profond, sur le vert et sur des nuances lilas, son chromatisme n'est absolument pas courant pour l'époque, mais cependant typique de l'artiste. Aujourd'hui toutefois, peu de spectateurs se rangeront à l'avis négatif de Lodovico Dolce, un théoricien de l'art qui vécut au XVIᵉ siècle et qui assimilait cette peinture à un exemple de « coloration horrible ». Au pied de saint Nicolas, on voit saint Jean-Baptiste et sainte Lucie (dont le martyre est évoqué par les deux yeux disposés sur une petite coupe). Selon la légende, la Vierge aurait remplacé les yeux qui lui furent arrachés par d'autres, plus beaux encore. Mais le plus étonnant, pour un retable, c'est l'étendue du paysage qui couvre près du quart de la toile. Une scène d'un tel romantisme et d'une telle grâce reste l'exception dans la peinture du début du XVIᵉ siècle.

Francesco di Giorgio Martini :
Descente de Croix,
vers 1475
Bronze, 86 x 52 cm

La pièce la plus étonnante de cette église est sans doute une petite plaque de bronze (86 x 52 cm) attribuée au Siennois Francesco di Giorgio Martini, architecte, théoricien et peintre de renom. Ce bas-relief décoré d'une *Descente de Croix* avait été réalisé vers 1475 pour l'Oratorio della Santa Croce à Sienne. Dérobé par Napoléon, qui l'emporta à Milan, il fut acquis par le baron Margrani qui en fit don à l'église des Carmes de Venise.

De ce chef-d'œuvre de Martini émane une expressivité extrême, ainsi qu'une douceur, une délicatesse infinie. Debout, échevelée et gesticulante, Madeleine est l'incarnation même de la détresse la plus poignante. À y regarder de plus près, deux masses ressemblant à des nuages se transforment en deux groupes d'anges éplorés, voltigeant autour de la Croix, qui sont gravés avec une finesse et un sens de l'animation extraordinaire. Le sculpteur exploite ainsi à fond les propriétés du bronze pour offrir une scène d'un rendu aussi plastique que pictural.

San Sebastiano

L'église du XIVᵉ siècle bâtie pour les Hiéronymites (ordre de saint Jérôme) fut, pour une raison qui nous est restée inconnue, rénovée très peu de temps après sa construction. L'édifice originel avait été terminé en 1468. Les plans du nouveau bâtiment sont plus que vraisemblablement l'œuvre d'Antonio Abondio, dit Lo Scarpagnino – un architecte du début du XVIᵉ siècle apprécié à l'époque pour ses constructions à l'aspect simple et modeste mais aux qualités architectoniques parfaites. Scarpagnino modifia l'orientation de l'édifice en déplaçant la façade du côté du rio. Cette nouvelle façade, face au pont, est de caractère classique à colonnes corinthiennes et fronton surmonté de trois statues.

L'intérieur

Au premier regard, l'intérieur de l'église paraît d'une simplicité extrême. La tribune des frères surprend pourtant : au lieu d'être installée au-dessus de l'entrée comme dans la plupart des églises vénitiennes, elle fait le tour complet de la nef principale, libérant ainsi l'espace nécessaire à l'aménagement de six petites chapelles latérales. La sacristie, dans laquelle on pénètre par une porte située sous les orgues, fut ornée en 1551 par des artistes de Vérone mandés par le prieur Bernardo Torlioni, lui-même originaire de cette ville. L'un d'entre eux fut chargé de la décoration du plafond de cette sacristie, relativement bas et orné de dorures. Les prêtres de San Sebastiano furent si satisfaits de son travail qu'ils lui confièrent en 1555 l'habillage pictural du plafond de l'église proprement dit. Pendant près de dix ans, ce jeune artiste, qui avait pour nom Paolo Véronèse, ne cessa de peindre au bénéfice exclusif de l'intérieur du sanctuaire avec force raccourcis, hardiesse et exubérance.

Paolo Véronèse :

Esther couronnée par Assuérus, 1555-1556
Huile sur toile, 500 x 370 cm

Le deuxième travail exécuté par Véronèse à San Sebastiano en 1555 et 1556, une série de scènes de la vie d'Esther (figure héroïque de l'Ancien Testament), orne trois grandes toiles encastrées au plafond du sanctuaire et divisées en panneaux de tailles diverses. Esther était une jeune Juive orpheline vivant en Perse, sous la tutelle de son oncle Mardochée. Très belle, elle fut choisie pour reine par le roi Xerxès (Assuérus) qui venait de répudier son épouse (ce que dépeint le premier médaillon ovale). Elle contrecarra victorieusement les desseins du vizir Haman qui voulait exterminer les Juifs dans l'Empire. Du fait de son attitude héroïque, elle fut considérée par les Pères de l'Église comme une incarnation de la résistance de l'Église. L'évocation de l'histoire d'Esther dans un édifice religieux du XVIe siècle n'est pas innocente : elle doit être rapprochée de l'extension des troubles religieux à cette même époque. Royalement belle, Esther est ici le symbole du catholicisme qui sauve les croyants et défait leurs ennemis. Véronèse donne la pleine mesure de son talent en y multipliant étoffes précieuses et ornements raffinés et réussit ainsi à retenir l'attention de futurs commanditaires à Venise.

Toutefois, Véronèse ne conçoit pas son œuvre seulement comme un tremplin pour sa carrière d'artiste. Nulle autre peinture n'est empreinte d'un sentiment religieux aussi profond. Il semble d'ailleurs logique que ce grand peintre ait été enterré dans l'église qu'il avait si bien décorée. Sa tombe se trouve, avec celle de son frère Benedetto, en avant de la chapelle, au pied même de l'orgue qu'il avait orné quelques années auparavant.

Paolo Véronèse :
Le martyre de saint Sébastien, 1558
Fresque, 350 x 480 cm

C'est en 1558 que Véronèse s'attaque à l'illustration des scènes de la légende du saint patron de l'église. Ces fresques sont situées à l'étage supérieur et elles ne sont visibles que depuis la galerie des moines. Pieds et poings liés sur un banc de torture, saint Sébastien est roué de coups de gourdin. Les mouvements complexes des personnages (des bourreaux en l'occurrence),

la superposition difficile mais pleinement réussie des corps et les raccourcis audacieux transcendent le cadre purement descriptif de la légende. Les structures architecturales figées dans le temps intègrent la scène dans un édifice donnant l'illusion d'être ouvert. La réalité de l'espace fictif peint se fond dans la réalité de l'espace de l'église : les flèches des soldats paraissent venir d'un côté de la galerie alors que leur victime semble déjà agoniser du côté opposé.

Sant'Angelo Raffaele

Deux églises se dressent aux extrémités d'une même place : San Sebastiano et Sant'Angelo Raffaele. Selon la tradition une des huit églises vénitiennes fondées au VIIe siècle par saint Magne, évêque d'Oderzo, plusieurs fois remaniée depuis, Sant'Angelo Raffaele fut reconstruite de 1618 à 1639 par Francesco Contino. À l'origine, toutes ses façades auraient dû être décorées. En réalité, comme c'est souvent le cas, seule la façade principale le fut (en 1735).

Giovanni Antonio Guardi ou Francesco Guardi :
Le départ de Tobie, 1750-1753
Huile sur toile, 80 x 91 cm

L'intérieur de l'église est orné de peintures des XVIᵉ et XVIIᵉ siècles. *Le départ de Tobie*, la pièce maîtresse du sanctuaire, fait partie d'un ensemble de cinq scènes de la vie de Tobie (en particulier sa rencontre avec l'archange Raphaël) peintes au milieu du XVIIIᵉ siècle sur le parapet protégeant l'orgue situé au-dessus de l'entrée.

San Nicolò dei Mendicoli

À l'instar du quartier de Castello, à l'est, la pointe occidentale de Venise a toujours été le quartier des petites gens, des marins et des pêcheurs. Ils se nomment, aujourd'hui encore, les Nicolotti, se référant ainsi au nom de leur paroisse San Nicolò. Pauvres, ces habitants le sont certainement, mais ils n'ont jamais été des mendiants, comme le suggérerait le terme « dei Mendicoli », (venant de l'italien *mendico*, mendiant). Au contraire, surmontée du Lion de Venise, une colonne se dresse devant le sanctuaire

et témoigne du rang réel de ce quartier dans la société vénitienne d'autrefois. La population y élisait en effet son propre leader, un pêcheur, qui jouait le rôle de « doge » des Nicolotti. Tout comme un doge de la République, ce personnage revêtait une toge rouge lors de cérémonies officielles. Après son élection, entouré de nombreux habitants de son quartier, le leader des Nicolotti se rendait au palais des Doges. Lors d'une réception solennelle, il y échangeait un baiser fraternel avec le maître de la Sérénissime République. Cet ancien rituel symbolique démontre l'importance reconnue de la communauté des pêcheurs et des petites gens dans les structures de l'État. Sur la façade principale de San Nicolò s'ouvre un petit portique, caractéristique des églises médiévales de Venise. C'est un des rares qui ait subsisté, avec celui de San Giacometo. Jadis, de telles structures servaient d'abri à des mendiants et même d'habitation à des nonnes pauvres appelées « pinzocchere ».

Le bon saint Nicolas

Le maître-autel n'est pas agrémenté, comme dans la plupart des cas, d'une peinture, mais bien d'une niche où trône une grande statue de saint Nicolas, réalisée vers le milieu du XVᵉ siècle. Revêtu d'une robe épiscopale recouverte de dorures, Nicolas bénit les fidèles de sa main levée. Les dorures de la sculpture sont autant de témoignages de la profonde vénération des Nicolotti pour saint Nicolas.

Patron des marins, il est le héros de nombreuses légendes, dont l'une est évoquée ici. Sur ses genoux se devinent les boules d'or qu'il offrit une nuit à trois jeunes filles sans ressources, les sauvant vraisemblablement ainsi de la prostitution, leur unique

moyen de survivre et de se constituer la dot nécessaire à un éventuel mariage. Même si ce ne sont que des attributs vénaux et bassement matériels, la statue du bon saint évêque était d'une grande importance pour les pauvres habitants du quartier. Cela valait aussi bien pour les pêcheurs, toujours à la merci des colères de la mer, que pour leurs familles, qui vivaient à la limite de la misère.

L'intérieur

La richesse de la décoration intérieure de San Nicolò est l'expression parfaite de l'amour des habitants du quartier pour leur église. Ne bénéficiant que des dons modestes des pêcheurs, des marins et des petites gens, le sanctuaire n'a jamais pu être remanié ni décoré de manière totalement nouvelle. Érigé au XIIe siècle, l'édifice originel ne fut donc modernisé que peu à peu, par le remplacement graduel des structures devenues vétustes. Ainsi, San Nicolò dei Mendicoli est unique à Venise et particulièrement évocatrice, en ce sens qu'elle englobe les éléments décoratifs propres aux différents courants artistiques qui se sont succédé au cours des siècles. L'architecture intérieure fut ainsi rénovée au XIVe siècle. Rehaussés, les arcs du chœur et du transept portent encore des peintures de l'époque. Les chapiteaux de la nef furent remplacés ; deux d'entre eux portent les dates 1361 et 1364. Les combles furent aussi rénovés. Une autre série de transformations considérables fut entreprise en 1580. Le vaisseau principal de l'église fut alors orné de panneaux de bois sculptés, dorés et garnis de peintures retraçant divers épisodes de la vie du Christ. Des statues des douze apôtres furent placées sur la corniche au-dessus des colonnes et un arc de triomphe coiffé par une sculpture en bois doré représentant le Christ entouré de la Vierge, de saint Jean et de deux anges.

Les *squeri* de San Trovaso

Au bord d'une petite darse s'ouvrant sur le Rio San Trovaso s'étend le plus ancien des trois *squeri* (atelier de fabrication de gondoles) encore en activité. Images indissociables de Venise, les gondoles ont de tout temps assuré le transport des biens et des personnes entre les îles de la lagune. Elles sont devenues plus rares aujourd'hui. Malgré leur coût élevé (plus de vingt millions de lires), le carnet de commandes de ce chantier naval est complet pour plusieurs années. Il faut d'ailleurs plus d'une année

pour construire et décorer une gondole à partir de huit sortes de bois différentes. Particulièrement résistante au temps, la gondole est longue de 11 m et large de 1,4 m. Son flanc droit est moins large de 24 cm que le gauche : la gîte à tribord qui en résulte facilite la « nage » du batelier muni de son aviron unique. Chacun peut acquérir une gondole, quelle que soit sa nationalité, mais seul un Vénitien a le droit d'exercer le métier de gondolier, qui exige aujourd'hui une licence et dont l'apprentissage dure dix ans. En pratique, il se transmet de père en fils. Il existe encore environ 400 de ces bateliers qui constituent une véritable caste.

San Trovaso
(Santi Gervasio e Protasio)

Le nom de cette église provient de la contraction des noms Gervasio et Protasio (Gervais et Protais). Un sanctuaire dédié à ces deux frères martyrs avait déjà été fondé à son emplacement au IXe siècle. Perché assez haut au-dessus de la lagune, le quartier s'est peuplé très tôt. Financé par la famille Barbarigo, un nouvel édifice fut érigé en 1028. Incendié en 1105, il fut reconstruit aussitôt. Au XVIe siècle, son état de délabrement était tel qu'il s'écroula et on le reconstruisit en 1585. Le sanctuaire existant a seulement été consacré en 1657. Il possède deux façades identiques, l'une donnant sur le Campo San Trovaso, l'autre sur le rio homonyme.

Chiesa dei Gesuati (Santa Maria del Rosario)

Il ne faut pas confondre la « Chiesa dei Gesuiti », l'église des Jésuites (dans le quartier de Cannaregio), avec la « Chiesa dei Gesuati », l'église des Jésuates. Fondé à Venise à la fin du XIVe siècle, bien avant celui des Jésuites, l'ordre des « pauvres Jésuates » était voué au service des hôpitaux pour miséreux. Au début du XVIe siècle, ses membres firent ériger aux Zattere un couvent dédié à saint Jérôme. D'un style typique de la haute Renaissance, le frontispice de son église se dresse à la gauche de la « Chiesa dei Gesuati ». En 1668, l'ordre fut dissous et ses biens transférés aux Dominicains. En 1724, ceux-ci confièrent à l'architecte Giorgio Massari la construction d'une nouvelle église, dont le fronton rappelle celui de leur sanctuaire de la Giudecca, mais qui porte encore le nom de leurs prédécesseurs.

Giovanni Battista Tiepolo,
L'institution du Rosaire,
1738-1739
Fresque, 1400 x 450 cm

Tiepolo entama la décoration du plafond de l'église peu après la consécration de celle-ci. En trois fresques, il illustra la vie de saint Dominique. Sur des panneaux latéraux, il réalisa une *Apothéose de saint Dominique* (au-dessus de l'entrée) et un *Saint Dominique agenouillé, bénissant un frère dominicain* (probablement Fra Paolo, le fondateur de la nouvelle église) qui domine le maître-autel. Dans le panneau central, la Vierge tend un rosaire au saint ; plus bas, le saint distribue des rosaires aux croyants, après en avoir confié un au doge. Le rapport Église-État est ainsi subtilement évoqué : les Dominicains révèlent leur objet de dévotion (et, par là, une nouvelle façon de prier) et en même temps affirment la prééminence de la Foi sur le temporel puisque le saint paraît plus proche de la Vierge que le plus haut représentant de la République. Incarnation de l'Hérésie, le Malin est précipité dans un trou sombre, béant au bord inférieur de la scène. Tiepo-

lo a ici conféré une importance particulière à la lumière et à la couleur. La clarté et la vivacité des tons croissent régulièrement du bas vers la Madone, transformant les surfaces horizontales en un espace vertical s'ouvrant graduellement vers le haut.

Giovanni Battista Piazzetta,
Les saints Vincent Ferrer, Hyacinthe
et Louis Bertrand, **1738-1739**
Huile sur toile, 345 x 172 cm

La troisième chapelle latérale de droite abrite un retable de Piazzetta qui constitue une sorte de pendant à *La Vierge avec trois saintes* de Tiepolo dans la première chapelle. Piazzetta s'est ici également essayé à la composition d'une œuvre articulée autour de trois personnages individuels – dans ce cas trois Dominicains, saint Vincent Ferrer, saint Hyacinthe et saint Louis Bertrand. Deux toiles aux sujets similaires, mais deux générations.

Piazzetta faisait partie des « ténébristes » (de l'italien *tenebroso*, sombre) qui brossaient leurs tableaux avec un nombre réduit de couleurs étouffées. La manière dont Piazzetta extrait ses personnages de la masse colorée de l'arrière-plan est typique de cette école. La représentation de l'ange voisin du bord supérieur de la toile constitue un tour de force époustouflant : en retravaillant la couleur de fond, Piazzetta parvient à en extraire le relief d'un être plein de vie et cela avec un raccourci comme avec une maîtrise de la couleur des plus impressionnants. Son chef-d'œuvre enrichit les anciens principes picturaux d'un nouveau rendu plus lumineux des clairs-obscurs, mais dont la palette se confine encore au noir, au brun, au gris et au beige.

Giovanni Battista Tiepolo :
La Vierge avec trois saintes,
vers 1748
Huile sur toile, 340 x 168 cm

Quelque dix années après la réalisation du retable de Piazzetta, Tiepolo peignit lui aussi un retable, représentant la Vierge avec trois saintes dominicaines : Catherine de Sienne, Agnès de Lima et Agnès de Montepulciano. Piazzetta avait placé ses personnages sur un fond de ciel diffus. Tiepolo dessine les siens dans un lieu à la réalité bien matérialisée.

Ainsi, un chardonneret posé à l'arrière-plan semble tout prêt de s'envoler vers le ciel réduit à une simple échancrure, à peine visible derrière la Madone et les trois saintes. La composition s'articule autour du foyer de lumière éclatante que constituent les habits des trois femmes, à la manière de Paolo Véronèse qui travaillait, lui, au XVIe siècle. La masse dorée du nuage sur lequel trône la Vierge et la manière dont Tiepolo a intégré aux vêtements une gradation de nuances de plus en plus claires, en partant d'un plafond sombre, prouvent que Tiepolo maîtrisait les techniques du clair-obscur chères à Piazzetta et aux peintres de sa génération. Les deux artistes font ici montre dans le rendu des couleurs d'une virtuosité inégalée à Venise depuis Titien.

La Commedia dell'Arte : parvenus stupides et paysans subtils, riches vieillards et sempiternelles victimes

La Commedia dell'Arte est un genre théâtral centré sur l'art scénique, dont les personnages (médecins bouffons, érudits grotesques, vieillards riches et libidineux, clowns) sont interprétés par des acteurs masqués à la fois acrobates, mimes et chanteurs. C'est le célèbre écrivain vénitien Carlo Goldoni (1707-1793) qui la porta à son apogée et qui en précipita la fin.

La Commedia s'est développée à partir du milieu du XVIᵉ siècle sous le nom de « Commedia a sogetto » ou de « Commedia al improvviso all'Italiana », soulevant des tempêtes de rires enthousiastes aux quatre coins de l'Europe. Venise en est rapidement devenue le foyer. Ainsi, le genre doit beaucoup aux comédies pleines de verve écrites en dialecte vénitien par le Padouan Angelo Beolco, dit « Il Ruzzante » (1502-1542). Ce dernier mit en scène, sans accessoires ni décors importants, des pièces jouées à même la rue dont les thèmes, tirés de la vie populaire, se font l'écho d'une certaine critique de la société. Goldoni et ses contemporains s'attacheront à en modifier les canevas, tout en conservant les rôles-types : les masques. Ces derniers finissent par disparaître à la fin du XVIIIᵉ siècle. Les thèmes de la Commedia dell'Arte se retrouvent dans des pièces plus tardives, comme *Le serviteur de deux maîtres, Le barbier de Séville* et *La servante maîtresse*. Ses personnages tombent ensuite dans l'oubli. Seul l'écrivain Dario Fo, prix Nobel de littérature en 1997, a depuis tenté de les faire revivre.

La galerie des personnages de la Commedia dell'Arte est relativement cloi-

Gabriel Bella, Une troupe de théâtre sur la Piazzetta *(détail), avant 1792, Pinacoteca Querini Stampalia, Venise.*

sonnée : les jeunes (« Giovani ») et les vieux (« Vecchi »), les rôles masqués et les rôles non masqués. En général, les jeunes y font meilleure figure que leurs aînés. Mais les faiblesses des uns et des autres sont également caricaturées à l'excès : au goût du plaisir, à l'amour aveugle, à la vénalité et à la naïveté propres aux premiers correspondent l'avarice, la concupiscence, les manières juvéniles et la prétention des seconds. Au sein des « Giovani » apparaît toujours un couple d'amoureux éperdus, les « Amorosi », dont la jeunesse et la beauté est mise en évidence par l'absence de masque. L'amoureuse se transforme souvent en courtisane, n'hésitant pas à délaisser son amant dès que l'argent entre en jeu. Cupide et concupiscente, la vieille servante de la jeune femme lui sert fréquemment d'entremetteuse.

Pantalone est l'un des principaux « Vecchi ». Masqué, il est attifé d'un costume rouge, étriqué et normalement destiné à la jeunesse, d'un bonnet et d'une large cape noirs, ainsi que de longues culottes, que depuis on appelle en français « pantalons ». Son visage arbore un nez large et long, au-dessus d'une barbe en pointe. Il porte un sac rebondi, symbolisant richesse et avarice. Pantalone incarne l'opulent marchand vénitien qui s'exprime dans le dialecte de sa patrie lorsqu'il tente d'obtenir les faveurs d'une jeune et jolie femme. Il est en même temps l'objet de l'attention soutenue des autres personnages, qui n'ont qu'un seul but : le délester de son or. Systématiquement tourné en ridicule, il finit tou-

Artiste inconnu, Arlequin, *estampe coloriée,* Raccolta Teatrale del Burcardo, Rome.

jours par être dupé et grugé. Aux côtés de Pantalone évolue souvent un personnage complémentaire, le « docteur », tout de noir vêtu et affublé d'énormes lunettes, sorti de la célèbre université de Bologne. D'un air pétri d'importance, il débite un flot incessant de paroles et de phrases creuses, farcies de mots étrangers. Il incarne l'intellectuel suffisant – médecin, juriste ou philosophe – qui abreuve

Martin Engelbrecht, Pantalone, *estampe coloriée, Augsbourg, Biblioteca e Raccolta Teatrale del Burcardo – S.I.A.E. – Raccolta Teatrale del Burcardo, Rome.*

le monde de ses conseils. Les « Vecchi » comptent aussi un « Capitano », vieux beau qui vante à tous ses prouesses militaires, mais qui disparaît peureusement dès que la situation sent le roussi. Il représente souvent un étranger, sorte de caricature des nombreux soldats des grandes puissances européennes (entre autres l'Espagne et l'Allemagne) qui ont occupé l'Italie. Après Pantalone et la jeune amante, les personnages les plus importants sont les « Zanni » (abréviation vénitienne du prénom italien Giovanni/Gianni), qui sont en général plusieurs et ont reçu des noms bien à eux au fil du temps. Ils sont le plus souvent au service du riche Pantalone. De couleur claire, leur chemise et leurs larges culottes rappellent le costume des paysans de Bergame dont ils parlent le dialecte : une pointe visant les nombreux Bergamasques engagés comme portefaix dans les grandes villes portuaires du nord de l'Italie, telles que Gênes et Venise. Affublés d'un masque qui ne leur cache que la moitié supérieure du visage, les « Zanni » portent au côté un sabre de bois, symbole de leur caractère batailleur et de leur gloutonnerie démesurée. Ici encore, il faut y voir une parodie : celle de pauvres paysans poussés par la famine vers une ville où ils se font laquais ou porteurs. Rustres et grossiers, voire madrés et retors, ils sont invariablement paresseux, indiscrets et curieux. Réelle ou feinte, leur stupidité est prétexte aux clowneries les plus drôles. À l'équipage de Pantalone se joint habituellement Arlequin, personnage au costume coloré et rapiécé, sans doute originaire de France. Rusé et raffiné, il exécute les acroba- ties les plus audacieuses. Souvent, c'est à lui que revient le mérite de démêler l'écheveau dans lequel se sont empêtrés les jeunes amants, laissant Pantalone s'en aller tout penaud.

Une grande partie du succès de la Commedia dell'Arte tient à l'identification immédiate des masques et des thèmes, dont la diversité est pourtant infinie. Ainsi, le spectateur reconnaît à coup sûr Pantalone, ses serviteurs, les Zanni, et leurs innombrables compagnons, qui pouvaient varier d'une troupe théâtrale à l'autre. À la seule vue des masques, il peut deviner les caractères et les problèmes évoqués dans la pièce. Sur la trame de l'histoire ainsi dévoilée, les acteurs brodent à coup d'improvisations, de « lazzi » (de l'italien *lazzo*, plaisanterie), de bouffonneries et de cabrioles. Appréciée pour sa vivacité, pour son tempo et pour ses dialogues aux réparties drôles et rapides, la Commedia dell'Arte se fit virulent instrument de critique politique et sociale à un moment où la police et l'Inquisition veillaient étroitement au caractère strictement anodin des pièces, du moins dans la forme écrite qui nous est parvenue. C'est pourquoi ces pièces, dont seul l'aspect inoffensif a été mis sur papier, sont souvent d'un certain ennui à la lecture.

Giovanni Domenico Tiepolo, Polichinelles funambules, *1793, Ca' Rezzonico, Venise. Polichinelle (Pulcinella), qui apparut dans la Commedia dell'Arte à la fin du XVIᵉ siècle, est l'un des parents napolitains des « Zanni ».*

Aujourd'hui, elle ne représente plus guère qu'une source inépuisable d'amusements burlesques. L'une des richesses de cette forme théâtrale improvisée réside néanmoins dans la possibilité offerte au spectateur de prendre part au spectacle : pendant le carnaval vénitien, riches et pauvres se côtoient, vêtus de costumes de la Commedia, et se laissent entraîner dans le jeu des acteurs. Cette forme artistique a disparu avec l'arrivée d'un nouveau théâtre au XVIIIᵉ siècle. Mais de nombreuses toiles nous rappellent les différents personnages de la Commedia dell'Arte, que l'on peut admirer dans les musées de Venise.

Gallerie dell'Accademia

Paolo Veneziano :
***Polyptyque de Santa Chiara,** dit du*
Couronnement de la Vierge
Bois, 98 x 63 cm

La partie centrale de ce polyptyque, un retable formé par l'assemblage de nombreux petits tableaux individuels, en provenance de l'église Santa Chiara à Venise, représente le *Couronnement de la Vierge.* Ce panneau principal est flanqué de huit épisodes de la vie du Christ. Dans le *Couronnement,* des scènes montrant saint François, sainte Claire et les quatre Évangélistes côtoient une Pentecôte, à gauche, et un Christ jugeant le monde, à droite. On reconnaît les prophètes David et Isaïe, figés un peu au-dessus de la scène. De style gothique, le superbe encadrement originel a été en partie restauré au XIXᵉ siècle. Mort vers 1360, Paolo Veneziano est l'un des premiers peintres vénitiens dont le nom nous soit parvenu : sa signature figure en effet sur nombre de pièces réalisées entre 1333 et 1358. Comme ses contemporains vénitiens, il est fortement attaché aux traditions byzantines. Comme eux, manifestement étranger aux chefs-d'œuvre si bien exécutés dans Padoue toute proche par le Toscan Giotto dès le début du XIVᵉ siècle, il fait fi de l'intérêt nouveau porté à la représentation

plus en volume des corps, qui permettait un rendu davantage riche en détails. Ce refus est particulièrement évident dans le *Couronnement de la Vierge* : les corps s'y noient complètement dans de somptueux brocarts qui confèrent à l'œuvre tout entière des accents de richesse et de solennité.

Jacobello del Fiore :
***Madone de Miséricorde*,**
panneau central, 1436 ?
Bois, 86 x 113 cm (pour l'ensemble)

Cette Madone emplit le panneau central d'un triptyque dont les deux volets latéraux sont consacrés à saint Jean-Baptiste, à gauche, et à saint Jean l'Évangéliste, à droite. L'encadrement d'origine en bois doré, richement décoré, n'a pas été conservé. Couvrant de son manteau une humanité en adoration, la Madone est ici un symbole populaire de la protection offerte par la Mère du Christ contre les forces du Mal. Elle exprime l'espoir d'une intercession en faveur des croyants lors du Jugement dernier. Exemple d'un mode de représentation qui se répandit en Occident au XIIIᵉ siècle, cette *Madone de Miséricorde* de Jacobello del Fiore (1394-1439), purement vénitienne, peut être mise en relation avec le culte byzantin du manteau marial. En 1204 en effet, un fragment de ce vêtement avait été enlevé de l'église Notre-Dame des Blachernes de Constantinople pour être transféré à Saint-Marc. De plus, la posture de l'Enfant Jésus plaqué sur le sein de la

Vierge n'est pas sans rappeler un type iconographique propre aux églises d'Orient. Si de telles Vierges au manteau protecteur se retrouvent dans l'œuvre des anciens peintres vénitiens, la Madone de Jacobello présente pourtant de nombreuses modifications stylistiques : les plis et les ourlets s'épandent souplement, la chevelure bouclée est traversée d'éclatants rais de lumière, la Vierge et saint Jean l'Évangéliste se détachent sur un pré fleuri, alors que saint

Conegliano ou Vittore Carpaccio. Les cycles picturaux de leurs ateliers voisinent avec ceux de maîtres isolés et nous offrent une image fidèle de la vie à Venise à la fin du xvᵉ siècle. C'est ainsi que la Galleria abrite une série de toiles très importantes de Giovanni Bellini, incontestablement le plus grand des peintres vénitiens de l'époque.

Giovanni Bellini :
***Madonna degli alberetti,* 1487**
Bois, 74 x 58 cm

Les Madones de Giovanni Bellini (1430-1516) étaient déjà tenues en haute estime du vivant de l'artiste. Plus de 80 œuvres évoquant ce thème sont sorties de son atelier. La *Madonna degli alberetti* – la Vierge aux

Jean-Baptiste se dresse, lui, sur un fond rocheux qui évoque son séjour dans le désert. Le xvᵉ siècle, porteur des fondements de l'âge d'or de la peinture vénitienne du siècle suivant, est superbement représenté dans les galeries de l'Accademia par de nombreux exemples d'une incontestable qualité. Les chefs-d'œuvre des Bellini et des Vivarini y côtoient ceux d'artistes aussi significatifs que Cima da arbustes – en est la première connue chronologiquement. Le contenu et le sens religieux de l'image sont estompés par la relation entre la mère et l'enfant, tendre, extrêmement vivante et toujours rendue de manière différente, propre à fasciner donc tout « observateur » moderne de Bellini, qui serait peu accoutumé à la signification de l'iconographie religieuse de jadis.

Giovanni Bellini : *Pietà*, vers 1505
Bois, 65 x 87 cm

Si l'on ne connaît cette œuvre que par des reproductions, on est toujours surpris par la petitesse de sa taille réelle. En effet, l'isolement des personnages sur fond d'un paysage étendu produit une extraordinaire impression de monumentalité. D'autre part, même si l'on sait que l'on voit ici Marie faire ses adieux au Christ, son fils, peu avant de le mettre en terre, cette interprétation, qui comprend comme un aspect d'instantanéité, ne s'impose pas réellement à l'esprit. Au contraire, la détresse d'une mère pour son fils décédé agit ici de manière parfaitement détachée, intemporelle. Le groupe se détache au premier plan, séparé du reste du paysage par une prairie fleurie, riche en espèces naturelles et disposée en demi-lune. S'étendant jusqu'à la ville, cette vaste surface suggère une rupture avec les événements terrestres. Le spectateur peut entièrement concentrer sur les personnages de l'avant-scène sa compassion et son adoration.

Gallerie dell'Accademia

Paolo Véronèse, *Le repas chez Lévi,* 1573, p. 322-323

Titien, *Saint Jean-Baptiste,* vers 1540, p. 319

Marco Ricci, *Paysage avec des lavandières,* vers 1720, p. 326

1 Entrée
2 Peinture vénitienne des XIVᵉ et XVᵉ siècles dans l'ancienne salle de réunion de la Scuola Grande di Santa Maria della Carità (Paolo Veneziano, Jacobello del Fiore)
3 Peinture vénitienne du XVᵉ et du début du XVIᵉ siècle (Bellini, Giorgione, Cima da Conegliano, Lotto)
4 Peinture vénitienne du XVIᵉ siècle (Titien, Véronèse, Tintoret)
5 Peinture vénitienne du XVIᵉ siècle (Bassano, Schiavone)
6 Peinture vénitienne du XVIIIᵉ siècle (Tiepolo, Pittoni, Piazzetta, Guardi)
7 Peinture paysagiste du XVIIIᵉ siècle (Ricci)
8 Peinture du XVIIᵉ siècle (Carache, Strozzi, Fetti)
9 Peinture de la Scuola di San Giovanni Evangelista (Gentile Bellini, Carpaccio)
10 Peinture de la Scuola di Santa Orsola (Carpaccio)
11 Sala dell'Albergo de la Scuola Grande di Santa Maria della Carità
12 Peinture vénitienne du XVᵉ siècle (Bellini, Vivarini) et expositions tournantes de Santa Maria della Carità

Rosalba Carriera, *Autoportrait,* avant 1744?, p. 329

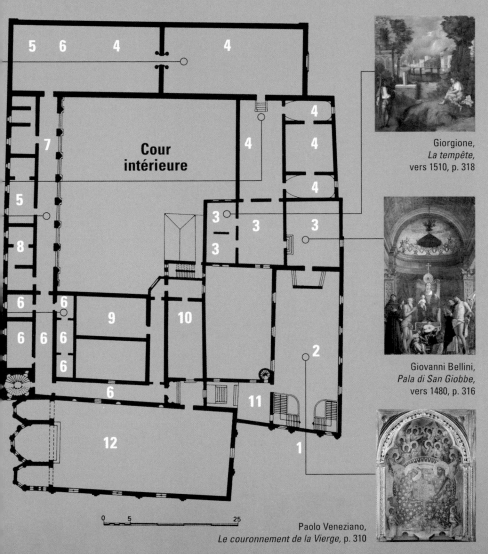

Cour intérieure

5 6 4 4

7

5

8

4

4

4

4

4

4

3 3 3

3

6 6
6 6 6
9 10
6 6
6

2

11

1

12

0 5 25

Giorgione,
La tempête,
vers 1510, p. 318

Giovanni Bellini,
Pala di San Giobbe,
vers 1480, p. 316

Paolo Veneziano,
Le couronnement de la Vierge, p. 310

Giovanni Bellini :
Pala de San Giobbe, **vers 1480**
Bois, 471 x 258 cm

Cette œuvre provient de l'église San Giobbe à Venise, où l'on peut toujours en admirer l'encadrement originel. Le fait que l'œuvre allait être encadrée a été ici totalement exploité par Bellini : dans l'église, cette structure a dû paraître prolongée sur le retable grâce à une voûte en plein cintre et à caissons reposant sur des pilastres homologues à ceux du bâti auquel elle était fixée. Ainsi, l'autel semble s'ouvrir sur une petite chapelle, où plusieurs saints sont assemblés autour du trône de la Vierge. L'émotion suscitée par cette œuvre chez les contemporains de Bellini a dû être particulièrement intense, non seulement à cause de cette perspective affirmée, mais aussi grâce à ses couleurs éclatantes et réalistes qu'un chroniqueur de la fin du xvie siècle a qualifiées de première utilisation « effective » de la peinture à l'huile.

**Giovanni Battista
da Conegliano,
dit Cima da Conegliano :
La Madone sous l'oranger,
1497-1498**
Bois, 212 x 139 cm

Les œuvres de Cima da Conegliano (vers 1459-1517/1518) séduisent surtout par leurs paysages enchanteurs, évocateurs des Préalpes natales de l'artiste. L'ouvrage fortifié, à gauche, a pu être identifié comme étant le château de San Salvatore di Colalto. Les personnages semblent un peu rigides et sont dépourvus de la vitalité qui anime ceux de Bellini. En disposant la Vierge et les saints dans un paysage, il ajoute aux scènes habituelles de ce genre une dimension iconologique supplémentaire.

Par exemple, à gauche dans le fond, saint Joseph attend en compagnie d'un âne : la Madone peut donc être assimilée à la Marie de la fuite en Égypte, se reposant ici sous un oranger. En revanche, l'austère figure trônant au premier plan et la présence sans rapport avec la fuite en Égypte des saints Jérôme et Louis confèrent plutôt à cette scène le caractère conventionnel d'une « Sacra Conversazione ».

Giorgione :
La tempête, vers 1510
Huile sur toile, 68 x 59 cm

Titien :
Saint Jean-Baptiste, vers 1540
Huile sur toile, 201 x 134 cm

Parmi les rares œuvres de Giorgione (1478-1510) qui nous sont parvenues, *La tempête* est sans conteste l'une des plus originales. Il n'existe toutefois pas d'unanimité quant à sa signification : les différentes interprétations offertes par les historiens de l'art ont, à elles seules, fait l'objet de plusieurs ouvrages. Ce qui est représenté ici reste une énigme. Et c'était sans doute l'intention du peintre et de son commanditaire, Gabriele Vendramin.

Au début du xvɪᵉ siècle, un groupe de jeunes nobles vénitiens – pour lesquels Giorgione travaillait fréquemment – se passionna pour les œuvres d'art les plus ésotériques. Le non-initié, lui, peut toujours s'imprégner de cette atmosphère humide, chaude et orageuse qui paraît osciller entre mélancolie, menace et intime communion avec une nature libre. Après Giovanni Bellini, Giorgione fut le deuxième maître à susciter nombre d'émules dans les rangs des peintres vénitiens du début du xvɪᵉ siècle.

Ses œuvres traduisent l'aspiration à une vie heureuse, isolée, proche de la nature, un sentiment exprimé par les poètes de l'Antiquité, mais aussi par des auteurs de l'époque, comme Jacopo Sannazzaro dans son roman pastoral *Arcadia*, consistant en une série de courts poèmes et publié sous sa forme définitive en 1504.

Titien (vers 1488-1576) compte lui aussi au nombre des artistes influencés par Giorgione. Vers 1540, lorsqu'il peint son *Saint Jean-Baptiste*, il a toutefois trouvé depuis longtemps son propre langage pictural avec l'opposition entre personnages et paysage. À l'arrière-plan, un cours d'eau évoque le baptême conféré au Christ par le Baptiste.

Titien :
La présentation de la Vierge au Temple,
1534-1538
Huile sur toile, 335 x 775 cm

L'Accademia actuelle comprend, entre
autres, les bâtiments de l'ancienne Scuola
Grande di Santa Maria della Carità. En
1534, cette institution vouée à la
dévotion et au secours mutuel com-
manda à Titien, à cette époque le peintre le
plus célèbre – et sans doute aussi le plus
cher – de la ville, un tableau destiné à sa

salle de réunion. C'est en ce lieu que l'on
peut admirer l'unique œuvre de Titien préservée dans son cadre originel, un cadre
aujourd'hui métamorphosé en galerie
d'art.
Titien y illustre, par une mise en scène
habile, une célèbre légende mariale : dès
l'âge de trois ans, la Vierge réussit à gravir
sans aide les raides marches menant au
Temple. À gauche, la foule se presse devant
un large paysage alpin ; le maître y a représenté les membres du comité directeur de
la Scuola. À droite, la jeune Marie escalade

seule l'escalier, devant une structure architecturale qui empêche le regard de se perdre dans le lointain. L'enfant est coiffée d'une auréole d'or. Titien unit ainsi et sépare à la fois les deux niveaux intrinsèques de l'image : celui d'un portrait de groupe et celui d'un événement religieux. Portraits et scène sacrée sont donc conjugués dans le même tableau. Mais, par le choix d'un arrière-plan approprié, le peintre parvient de manière subtile à intégrer ces différences. Il offre ainsi au spectateur la possibilité de se concentrer séparément sur chacun des deux motifs.

Tintoret :
***La translation du corps de saint Marc,* 1562**
Huile sur toile, 398 x 315 cm

Quelque quatorze années après le succès retentissant de l'ensemble des *Miracles de Saint-Marc* exécuté en 1548 pour la Scuola di San Marco (toile aujourd'hui également transférée à l'Accademia), Tintoret reçut une nouvelle commande consacrée à la légende de ce saint, mais destinée cette fois à la grande salle de la Scuola.

Comme pour les *Miracles*, le rendu de l'espace joue un rôle majeur dans la composition dramatique. L'effet tient moins du raccourci époustouflant du corps exhibé que de la construction en perspective de l'ensemble. L'artiste y a représenté le moment précis de la légende où un violent orage éclate, faisant fuir la foule et permettant ainsi aux marchands vénitiens d'enlever le cadavre.

Paolo Véronèse :
Le repas chez Lévi, **1573**
Huile sur toile, 555 x 1310 cm

À l'origine, cette énorme toile décorait le réfectoire des dominicains de Santi Giovanni e Paolo, où elle remplaçait une *Cène* de Titien, détruite par un incendie en 1571.

Elle fut d'ailleurs conçue et intitulée comme telle par Véronèse. Mais, le 18 juillet 1573, le maître fut mandé par l'Inquisition. Ailleurs qu'à Venise, où le gouvernement exerçait une influence certaine sur l'Inquisition, les jugements de cette dernière pouvaient avoir des conséquences particulièrement dangereuses

pour la liberté de l'art, dans lequel il affirmait qu'un peintre peut exprimer librement à sa fantaisie les situations les plus variées. Invité par l'Inquisition à modifier les parties jugées offensantes, il se contentera de rebaptiser cette Cène en *Repas chez Lévi* (un publicain riche, mais surtout mécréant), métamorphosant ainsi la toile en une scène profane de banquet vespéral haute en couleurs, plus appropriée que la représentation du dernier repas du Christ. Véronèse put alors déployer sans retenue toutes les facettes de son art. Plus que tout autre peintre du XVIᵉ siècle, il se spécialisa dans les étoffes coûteuses, les pierres précieuses et les perles. Pour lui comme pour Titien, ce sont les couleurs, immuablement liées aux sujets, qui constituent les principaux instruments de la réalisation artistique. Dans ses dernières œuvres, Titien abandonna entièrement les couleurs localisées au profit d'une sorte de brume colorée. Il est vrai que les riches soieries présentes dans toutes ses toiles sont, pour Véronèse, un prétexte tout trouvé pour étaler autant que possible de nombreux jeux de lumière sans que les couleurs ne s'affranchissent du sujet concret. On peut donc supposer que c'est l'effet décoratif de sa peinture qui lui importait, mais cela pour des raisons totalement différentes de celles invoquées par l'Inquisition. Et pourtant, c'est précisément ce jeu réfléchi des coloris qui confère à l'ensemble de la composition toute sa puissance.

pour les personnes convoquées. Dans ce cas précis, elle reprochait au peintre une représentation inconvenante, indigne d'une scène religieuse, et elle se déclarait outrée par la présence d'ivrognes, de lansquenets allemands et même d'un personnage saignant du nez. Véronèse répondit à ces critiques par un surprenant plaidoyer

Une des voûtes de l'église vénitienne Santa Maria degli Scalzi (voir p. 34) s'ornait autrefois d'une gigantesque fresque de Tiepolo, *Le miracle de la sainte maison de Lorette*. Le toit de l'église, touché par une bombe autrichienne dans la nuit du 27 au 28 octobre 1915, s'écroula et l'œuvre de Tiepolo aussi.

Il en subsiste heureusement deux études du panneau central, l'une à l'Accademia, l'autre à Londres. L'esquisse ne correspond pas tout à fait à ce que l'on peut voir sur d'anciennes photos et n'en reprend, en outre, que le motif central. Ce dernier apparaît dominant sur cette étude et c'est lui qui confère à la scène tout son dynamisme. Escortée par des anges musiciens, la maison de la Vierge aurait été transportée par d'autres anges depuis Nazareth jusqu'à la côte dalmate, et aussitôt après transférée dans la cité italienne de Loreto (Lorette). Ce miracle aurait eu lieu en l'an 1295.

Aujourd'hui encore, Loreto reste l'un des lieux de pèlerinage marial les plus fréquentés.

Giovanni Battista Tiepolo :
Le miracle de la sainte maison de Lorette,
1744-1745
Huile sur toile, 124 x 85 cm

Giovanni Battista Pittoni :
L'Annonciation, **1757**
Huile sur toile, 153 x 205 cm

Né à Venise peu avant Tiepolo, Giovanni Battista Pittoni (1687-1767) possédait un style pictural influencé par Tiepolo tout en étant proche de celui de nombreux peintres de l'Italie centrale de l'époque : il avait de fait passé une grande partie de sa jeunesse à Rome et en Émilie-Romagne. Mais, contrairement à son célèbre collègue,

il ne quitta plus Venise ensuite, bien que ses toiles fussent également appréciées dans l'Europe entière. À l'instar de *L'Annonciation,* l'ensemble de son œuvre est marqué par l'emploi caractéristique de toutes les nuances du rose doux et de tons bleu-vert intimement liés à de délicats bruns pâles. Apparaissant comme une émanation du style rococo, cette toile témoigne pourtant aussi des faiblesses caractéristiques de Pittoni, et notamment de sa manière peu assurée de dessiner.

Marco Ricci :
***Paysage avec des lavandières,* vers 1720**
Huile sur toile, 136 x 198 cm

Au XVIᵉ siècle déjà, les Vénitiens affichaient une préférence marquée pour les paysages. Quelques rares exemples en ont été conservés dans les villas, entre autres sous forme de fresques. En revanche, le XVIIᵉ et le XVIIIᵉ siècles abondent en œuvres de ce genre : d'un format réduit ou d'une taille moyenne, elles décorent dès lors les palais des nantis de l'époque. Marco Ricci (1676-1730) fut le fondateur de l'école paysagiste qui prospéra au XVIIIᵉ siècle à Venise et en Italie du Nord. Les générations suivantes s'inspirèrent de ses scènes larges et variées, aux jeux de couleurs finement harmonisés. Ricci lui-même ne s'est pas contenté d'étudier les paysages vénitiens anciens et les œuvres du Napolitain Salvator Rosa, mais il prit connaissance de la peinture des paysagistes anglais et néerlandais au cours d'un voyage en Europe du Nord qui dura plusieurs années. Ce *Paysage avec des lavandières* dépeint la vallée du Piave, que Ricci intégrera dans nombre de ses paysages.

Giovanni Battista Tiepolo :
Diane et Actéon, 1720-1722
Huile sur toile, 100 x 135 cm

Cette toile appartient à une série de quatre œuvres qui illustrent des scènes inspirées des *Métamorphoses* d'Ovide. Le chasseur Actéon surprend Diane se baignant avec ses nymphes. Découvert, il est métamorphosé en cerf par la déesse de la chasse et aussitôt dévoré par ses propres chiens. Ces tableaux ont longtemps été attribués à Sebastiano Ricci. Ce n'est qu'en 1922 que l'on a établi qu'ils étaient en réalité des œuvres de jeunesse de Tiepolo, un Tiepolo encore sous l'influence de l'ancienne peinture vénitienne du XVIIᵉ siècle. Il nous présente ici une grotte éloignée de toute civilisation, à l'exception de la ferme visible dans le lointain. Les corps pâles des nymphes et la demi-lune argentée qui domine Diane forment un contraste éclatant avec le bleu sombre de l'eau.

Francesco Guardi :
La rade de Saint-Marc avec
San Giorgio Maggiore et la Giudecca, **1780-1790**
Huile sur toile, 72 x 97 cm

Au cours de sa vie, Francesco Guardi (1712-1793) n'a cessé de peindre l'île-cloître de San Giorgio Maggiore. Dans cette version tardive, il est une fois de plus manifeste que Guardi ne se contente pas d'un rendu documentaire des bâtiments et des sites de sa ville natale, ni de simples portraits de ses compatriotes. Même si tous les aspects essentiels de l'architecture, des embarcations et des navires sont identifiables, il apparaît que les thèmes véritables de ses œuvres sont la lumière et la couleur. La scène est éclairée par un soleil caressant. De légères vagues troublent l'eau du Bacino, dans laquelle se mirent les bateaux et San Giorgio. Ce sont de fins arcs lumineux qui émanent d'une surface réfléchissante que l'on ne peut observer que rarement, même par temps particulièrement calme.

En vérité, personne ne verra jamais San Giorgio se refléter ainsi dans l'eau, comme si elle se dressait au bord d'une lagune sombre et sans ride. Un ciel parsemé de nuages gris-blanc répète dans des nuances plus claires les couleurs de l'eau, de navires et des structures architecturales. Guardi choisit ses couleurs d'après des critères propres à sa composition et non comme s'il voulait reproduire la palette des teintes réellement offertes par les îles et le canal. Mais, en même temps, il restitue par elles un coloris vénitien typique qui se laisse admirer cent fois amplifié, sur la mer comme au ciel, par temps légèrement couvert. Une coloration régulière et une eau tranquille nous suggèrent l'image même de la sérénité, malgré les innombrables activités humaines qui sont en cours. Quant à San Giorgio et à la Giudecca, elles nous apparaissent moins comme des îles que comme de gros navires flottant entre la mer et les cieux.

Rosalba Carriera :
Autoportrait, avant 1744 ?
Pastel sur papier, 31 x 25 cm

En 1705, la jeune vénitienne Rosalba Carriera (1675-1757), élève de Giuseppe Diamantini et d'Antonio Balestra, postula pour être admise dans une académie de peinture romaine de renom, l'Accademia di San Luca. Son directeur, le peintre Carlo Maratti, dit Carluccio delle Madonne, la compara à Guido Reni, l'un des maîtres du

XVIIe siècle. La carrière de Rosalba se transforma rapidement en triomphe. Très tôt, elle se trouva d'importants protecteurs et se fit inviter par toutes les dynasties régnantes d'Europe. Carriera était alors surtout connue pour ses portraits et miniatures pleins de sensibilité, celui de Louis XIV notamment. Elle ne brossait pas de tableaux à l'huile, mais réalisait des pastels fins et tendres. L'aspiration du rococo naissant à la simplicité et à l'intimité se retrouve dans ses portraits : ceux-ci ne cadrent plus des personnages conventionnellement situés dans le lointain et pris en pied, mais se limitent désormais à la tête et à la partie supérieure du tronc. Carriera a peint cet autoportrait vers l'âge de 70 ans.

Le souvenir de la Venise de jadis

Aujourd'hui encore, l'image de la ville aux îlots et aux lagunes reste fortement influencée par les œuvres des paysagistes urbains, les védutistes du XVIIIe siècle. Le touriste actuel en recherche toujours les couleurs et la lumière. Après Francesco Guardi, le plus

Canaletto, Le rio dei Mendicanti, *1723, Ca' Rezzonico, Venise.*
Ce rio dei Mendicanti mène de San Zanipolo à la lagune, au nord. Blanchie par les rayons du soleil, l'élégante façade de gauche est celle de l'église San Lazzaro dei Mendicanti, dont le complexe englobe un cloître et la Scuola Grande di San Marco. Ces derniers édifices n'ont guère changé depuis l'époque de Canaletto.

Canaletto, La Libreria vue du môle de Saint-Marc, *avant 1740, collection privée, Rome.*
La Libreria occupe le premier tiers de la toile, à droite. Derrière elle, le long du môle, s'étire la Zecca
(Hôtel des Monnaies). Sa façade n'était alors percée que par une seule ouverture au rez-de-chaussée
et garnie de fenêtres à barreaux aux étages, de manière à protéger le bâtiment des voleurs. Ensuite
s'étirent les gigantesques Granai di Terranova, les plus grands magasins à grain d'Europe, détruits
en 1807 sur l'ordre de Napoléon pour y implanter les jardins… royaux.

important des védutistes vénitiens fut sans conteste Giovanni Antonio Canal, dit Il Canaletto. Né le 18 octobre 1697 à Venise, il y mourut le 20 avril 1768. Il ne se consacra à la peinture de sa ville natale qu'après avoir étudié le métier de son père, Bernardo Canal, qui était un créateur de décors de théâtre renommé. Il devait y acquérir une connaissance approfondie de la perspective et des effets architecturaux. À côté de ses toiles de fond pour les théâtres, Canaletto se lança rapidement dans la représentation de paysages urbains, un thème toujours plus apprécié des étrangers, en particulier des Anglais riches et avides d'érudition. À partir de 1730, il travailla fréquemment pour le compte de Joseph Smith, un agent commercial arrivé en 1720 à Venise et qui y fut nommé consul britannique en 1744. Ce dernier était considéré comme l'autorité absolue concernant les

Canaletto, La Libreria vue du môle de Saint-Marc *(détail), avant 1740, collection privée, Rome.*
Au XVIᵉ siècle, le réaménagement de la place Saint-Marc avait été confié au toscan Jacopo Sansovino.
Marchands d'épices et cabaretiers en avaient alors été chassés. Au XVIIIᵉ siècle pourtant, le môle et une
partie de la Piazzetta offraient toujours le spectacle coloré d'un marché nullement limité aux produits
de luxe. Les vendeurs y officiaient sous des toiles hâtivement dressées sur quelques perches pour se pro-
téger des ardeurs du soleil.

affaires de goût, et cela pas seulement auprès des voyageurs et résidents anglais. Il acquit à son propre compte une bonne part des œuvres de Canaletto, qu'il revendait ensuite souvent à ses compatriotes. Les clients se pressaient donc nombreux, toujours plus exigeants : ils attendaient de l'artiste un portrait fidèle de la souveraine des mers qu'ils admiraient tant.

Les personnages de Canaletto, contrairement aux édifices présentés en détail, semblent être composés de simples touches de couleur et conservent leur anonymat tout en étant plongés dans leurs activités. Le spec-tateur a l'impression qu'ils vont bientôt s'animer et continuer à vaquer à leurs occupations. Les traces de la vie urbaine sont partout présentes : l'atelier d'un menuisier, la porte ouverte d'une église, un puits à moitié fermé, des rideaux qui s'animent sous la caresse du vent... Au premier regard, les toiles de Canaletto paraissent réellement représenter une « ville sous verre », selon l'expression consacrée de l'historien de l'art Michaël Levey. Mais en réalité Canaletto ne brosse pas qu'un portrait purement servile de Venise. Les sites urbains ne sont pour lui que prétextes à décrire, avec force détails, des jeux d'ombre et de lumière, des intensités et des tonalités. De fait, chacune de ses peintures baigne dans une clarté dûment adaptée à la situation décrite : soit les ombres les plus noires s'opposent à l'éclat d'un soleil brûlant, soit la lagune se fait laiteuse et miroite sous un ciel légèrement nuageux. Même si la description proprement dite passe souvent au second plan, derrière les jeux de lumière, l'œuvre de Canaletto, tout en magnifiant la vérité, parvient aisément à nous plonger dans la Venise réelle du XVIIIᵉ siècle.

Canaletto, Le retour du Bucentaure devant le palais des Doges le jour de l'Ascension, *1729, collection privée, Milan.*
Les épousailles symboliques du doge avec la mer constituaient la cérémonie officielle la plus importante de la République. Portant le chef de l'État et les membres du gouvernement, l'imposante galère dorée est ici ancrée devant le palais des Doges. Au premier plan se balancent les gondoles qui vont escorter le Bucentaure. Il ne s'agit pas ici de ces esquifs de couleur noire qui sillonnent aujourd'hui la lagune, mais d'embarcations élégantes aux superstructures superbement décorées.

La collection Peggy Guggenheim

Peggy Guggenheim (1898-1979) était la nièce de Solomon R. Guggenheim, le richissime collectionneur d'art américain. En 1919, elle hérita d'une coquette somme qui lui permit de quitter les États-Unis pour Paris. Elle y apprit à connaître et à aimer l'art moderne. Par deux fois, elle aura pour projet de fonder une galerie, d'abord en France puis à Londres. Après 1940, la guerre l'empêcha de se fournir auprès de ses amis artistes dispersés en Europe. En 1941, elle regagna donc New York avec ses précieuses collections constituées en Europe, qu'elle rassembla dans une nouvelle galerie baptisée *Art of this Century*. Elle retourna en Europe dès 1946. À Venise, elle racheta le Palazzo Venier dei Leoni (voir p. 73), où elle vivra désormais,

entourée de nombreux chiens. En 1976, Peggy Guggenheim fit don de son importante collection d'œuvres d'art du XXᵉ siècle à la fondation Solomon R. Guggenheim. C'est cette dernière qui administre le musée vénitien depuis la mort de Peggy en 1979.

Marino Marini, *L'ange de la Ville*, 1949

Sur la terrasse ouverte sur le Grand Canal, cette sculpture équestre de Marino Marini (1901-1980) paraît s'étirer joyeusement sous les rayons du soleil vénitien. Il s'agit d'un exemple typique de ces plaisants « Anges de la Ville » que Marini a inlassablement reproduits tout au long de sa carrière. Aujourd'hui, sa pose évocatrice d'une respiration profonde et sa nudité qui ne cache aucun détail passent généralement pour une forme d'humour érigée sur le goût des volumes essentiels. On ne s'imagine plus guère le tollé engendré par cette statue à l'aube des années 1950. Peggy Guggenheim rapporte dans ses mémoires que le pénis en était régulièrement démonté pour ne pas heurter les fidèles qui se rendaient à l'église par le Grand Canal.

Max Ernst
Couple zoomorphe en gestation, 1933
Huile sur toile, 91,9 x 73,3 cm

Dès la fin des années 1920, Max Ernst (1891-1976) développa inlassablement le thème de figures humaines ou animales entremêlées. Dans le même temps, il inventait les techniques du frottage et du grattage ; créées en frottant ou en grattant les matériaux naturels les plus variés, des structures abstraites sont fixées sur des feuilles de papier ou sur des toiles. Ici pourtant, où le noir se détache violemment du fond, ce couple zoomorphe ne révèle l'utilisation d'aucun de ces deux procédés. En fait, cette toile traduit l'intérêt porté par Max Ernst à l'agencement aléatoire des surfaces : c'est de cette masse sombre à première vue informe que s'extirpent les « personnages ». Les lignes roses, jaunes ou bleuâtres qui traversent l'ensemble sont autant de rets desquels la Forme tente de se libérer, à moins qu'il ne s'agisse d'intestins ou de mystérieuses veines nourricières, éléments indissociables du développement de la créature. Cette toile paraît être l'illustration d'un texte écrit l'année précédente par Max Ernst à propos de l'inspiration artistique. Il y assimile le processus créatif à une mutation continue des formes. Cette transformation permet au peintre de créer les formes les plus variées, dont il sera toujours possible de dégager des structures connues.

Giorgio de Chirico :
La tour rouge, **1913**
Huile sur toile, 75,5 x 100,5 cm

Par leur apparent vide onirique, les peintures de Giorgio de Chirico (1888-1978) ont influencé, entre autres, les surréalistes qui cherchaient à extraire la réalité cachée de la réalité immédiate. Exemples typiques de la « pittura metafisica » (peinture métaphysique), ses vues urbaines sont composées de structures architecturales simples et volumineuses, animées par de rares personnages, des mannequins hiératiques, des statues commémoratives et des signes industriels (cheminées, locomotives, etc.). D'étranges jeux de perspectives et des ombres menaçantes en renforcent l'atmosphère mystérieuse. La ruelle étroite, sombre et rectiligne supporte le regard du premier plan vers une tour rouge qui se détache sur un ciel noirâtre, porteur de lourdes menaces. La présence, à gauche, d'une silhouette de statue équestre ne parvient pas à ôter à la tour son caractère dominateur.

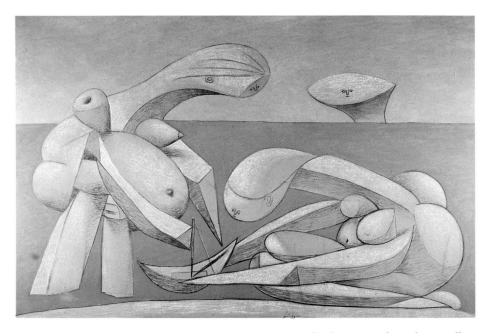

Pablo Picasso : *La baignade*, 1937
Huile, craie et crayon Conté sur toile,
129 x 192 cm

Au premier plan, deux jeunes femmes
nues jouent avec un petit bateau. Pour
arrondir au maximum leurs formes, Pablo
Picasso (1881-1973) a outrageusement
arqué vers l'arrière le personnage de
gauche, de manière à amener son posté-
rieur jusque sous la nuque. À l'horizon,
une autre tête émerge des flots bleus, sans
pour autant parvenir à troubler l'intimité
ni la sensualité tranquille de la scène principale : celle d'un homme, témoin de leurs
jeux, ou celle d'une troisième demoiselle ?
Impossible à première vue de trancher.
Pourtant, il existe des dessins préparatoires
à ce tableau où la tête paraît nettement
masculine, souvent barbue et chevelue. À
partir du seul rendu de la figure penchée
vers le bateau, on pourrait assimiler le
tableau à un spectacle ludique. Mais le
regard que le personnage porte vers le
spectateur donne à ce dernier l'impression
de se refléter lui-même dans le tableau. Le
thème de la plage évoqué ici, comme celui
des baigneuses, a été repris plusieurs fois
par l'artiste au cours des années 1920 et au
début des années 1930.

Jackson Pollock : *La forêt enchantée*, 1947
Huile sur toile, 114,6 x 221,3 cm

Dès 1942, Peggy Guggenheim exposa dans sa galerie new-yorkaise *Art of this Century* de jeunes peintres américains influencés par le surréalisme européen. Parmi eux, Jackson Pollock (1912-1956), alors âgé de trente ans. Dans ses premières œuvres, ce dernier se consacre souvent à des motifs et des signes. Pourtant, on y découvre déjà le style de sa phase artistique postérieure, le *dripping*. Cette expression anglaise décrit parfaitement la technique des coulées de peinture sur toile qui rendra Pollock célèbre : de manière spontanée, les couleurs sont répandues par arrosage et dégoulinent sur des canevas disposés à même le sol. Des étagements de surfaces finissent par naître de ces réseaux de lignes enchevêtrées, expressions et reflets d'un processus créatif en évolution continue. Le *dripping* constitue l'un des fondements du développement de l'*Action Painting*.

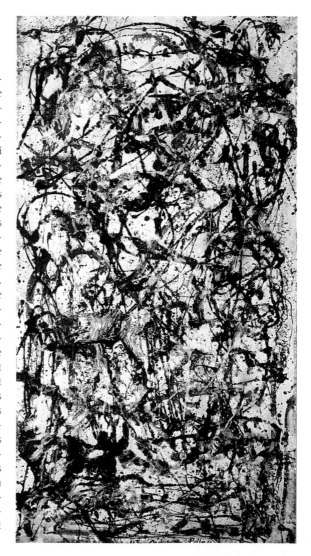

La Giudecca

La Giudecca

Plutôt pauvre, l'île de la Giudecca fait partie intégrante du quartier de Dorsoduro, alors que San Giorgio et son cloître bénédictin homonyme – dont elle n'est séparée que par un petit bras de mer – appartiennent au riche quartier de San Marco. Jadis, elle était appelée *spina lunga* (longue épine) en raison de sa forme en arête de poisson. L'origine de son nom actuel n'est pas claire. Peut-être ce dernier reflète-t-il la présence d'une communauté juive, les *Giudei,* installés ici autrefois. Certains se réfèrent plutôt au *giudicato* (*Zudegà* en vénitien), une sentence qui assignait autrefois à des familles dissidentes chassées de Venise une résidence forcée sur cette île. Plus tard, cette dernière devint le lieu de villégiature de quelques patriciens qui y possédaient villas et jardins. Au XIXe siècle s'y installèrent ateliers et usines, et la Giudecca devint un des quartiers d'habitation de Venise les plus pauvres.

Le Mulino Stucky, p. 348

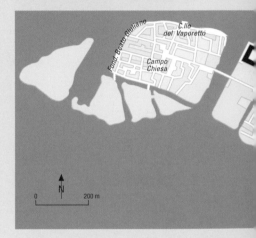

Autres sites intéressants :
1 Le Teatro Verde
2 Santa Eufemia di Giudecca
3 Santi Cosma e Damiano

San Giorgio Maggiore, p. 357

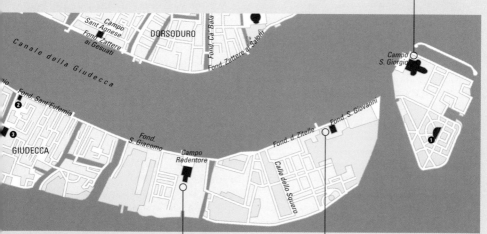

DORSODURO

Campo
Sant'Agnese

Fond. Zattere
ai Gesuati

Fond. Ca' Bala

Fond. Zattere ai Saloni

Canale della Giudecca

Campo
S. Giorgio

Fond. Sant'Eufemia

GIUDECCA

Fond.
S. Giacomo

Campo
Redentore

Fond. d. Zitelle

Calle dello Squero

Fond. S. Giovanni

Il Redentore, p. 345

Les Zitelle (Santa Maria
della Presentazione), p. 349

Il Redentore

Au cours des années 1575-1576, la peste est dans Venise, où elle exerce ses ravages pendant plus d'une année. Plus de la moitié de la population périt. Face à cette détresse, le Sénat fait vœu d'élever un sanctuaire en l'honneur du Rédempteur – « Il Redentore » en italien – pour délivrer la ville de ce fléau. Son emplacement est choisi sur la Giudecca de manière à rendre l'édifice visible des autres îles. Ainsi, les Vénitiens survivants auront constamment devant les yeux un rappel de l'aide assurée par Dieu. Une commission est convoquée pour fixer le lieu précis de la construction et l'aspect de cette dernière. L'architecte est désigné : ce sera Andrea Palladio, le plus renommé de son temps à Venise. Le choix architectural est simple : soit une structure allongée, traditionnelle, soit une construction en rotonde, plus moderne. Les membres de l'assemblée portés vers l'architecture – parmi lesquels figure Marcantonio Barbaro, ami et protecteur de Palladio – favorisent la seconde option, qui est tenue pour la quintessence de la perfection architectonique par de nombreux bâtisseurs de la Renaissance. Pourtant, la majorité de leurs collègues vote pour la structure allongée. (C'est donc Baldassare Longhena, avec la Salute, qui sera le premier à édifier une église votive à structure centrale, également à la suite d'une épidémie de peste.) En fait, le sanctuaire allongé exprimait bien mieux les exigences reli-gieuses formulées lors du récent Concile de Trente (1545-1563) convoqué à la suite des troubles de la Réforme, concile qui avait complètement revu la politique de l'Église romaine et réaffirmé solennellement les dogmes de cette dernière. En particulier, il s'était prononcé pour les églises à plan basilical axé sur le maître-autel. Palladio accomplit sa mission avec une habileté éblouissante, comme à San Giorgio Maggiore quelque dix ans plus tôt. Un blanc éclatant et des proportions élégantes distinguent l'église du Rédempteur des modestes bâtiments du voisinage. Le motif des pignons en échelons – déjà utilisé à San Giorgio Maggiore – est ici porté à sa perfection. Coupole et façade semblent se fondre en un seul bloc, en une structure rehaussée et ramassée vers le centre. Les parties extérieures du frontispice ne sont pas articulées jusqu'aux pilastres aplatis. Des niches abritant des sculptures avec de petits frontons arrondis annoncent un portique dont le tympan s'appuie sur des colonnes engagées. L'entrée, dont l'arc en plein cintre est le correspondant de l'arrondi de la coupole, attire les fidèles directement au cœur du sanctuaire. À distance, le dôme et sa statue du Sauveur paraissent constituer le prolongement de la façade. Aujourd'hui encore, Venise célèbre la « Festa del Redentore » le troisième dimanche de juillet. La nuit précédente est particulièrement animée : les Vénitiens, munis d'un bon pique-nique, sillonnent en tous sens le canal sur des embarcations illuminées.

L'intérieur et le chœur

La clarté de l'agencement des volumes intérieurs de l'église reflète celle des structures architectoniques porteuses. Les proportions des éléments individuels présentent un rapport équilibré, typique de l'architecture de Palladio. L'unification de l'espace est encore plus accentuée qu'à San Giorgio Maggiore. Elle est obtenue, entre autres, au moyen de hautes colonnes qui s'élancent, à partir de petits socles rectan-gulaires, droit vers la charpente. Entre chacune des trois chapelles disposées de part et d'autre de la nef (et communiquant entre elles) se dresse un mur orné de niches. Ce motif mural se répète des deux côtés, en avant de la croisée du transept, où il est surmonté d'un arc en plein cintre. Palladio crée ainsi l'impression que le volume principal se termine à cet endroit précis pour donner naissance, au-delà, à une structure nouvelle. Dans le même temps, il rapproche optiquement le maître-autel, lui aussi coiffé d'un arc en plein cintre.

Séparations et réunions des compartiments intérieurs sont agencées avec génie. L'aire délimitée par la croisée sous dôme et le transept aux extrémités en culs-de-four peut être considérée comme constituant l'espace central, avec l'échancrure également en forme de culs-de-four située en avant du chœur des moines. La nef principale s'y rattache, tel un bras allongé. Palladio fusionne de cette façon les différents concepts qu'il a créés pour le Redentore. Du point de vue purement liturgique, il crée de fait une église à structure basilicale (allongée), alors que le motif en rotonde se dégage de la zone du chœur.

La fête du Rédempteur (Festa del Redentore)

La distance avec l'île principale n'offre pas seulement un point de vue élargi du sanctuaire, elle rallonge aussi le trajet des processions. Une fois l'an, le doge, les hauts dignitaires et la population effectuaient ensemble le pèlerinage au Redentore en remerciement pour la délivrance de la peste. Un pont de barques était alors jeté sur le large canal de la Giudecca. Aujourd'hui encore, la fête du Rédempteur se déroule dans la nuit précédant le troisième dimanche de juillet. Un feu d'artifice illumine alors la Giudecca.

Le Mulino Stucky

À la fin du XIXᵉ siècle, un complexe industriel fut installé dans la partie occidentale de la Giudecca. Les formes de ses bâtiments évoquaient l'architecture allemande ou anglaise. En 1896, l'entrepreneur Giovanni Stucky confia la construction d'un gigantesque moulin à un architecte allemand, Ernst Wullekopf. Abandonné en 1954, ce monumental édifice se dégrade lentement. Personne ne peut dire aujourd'hui quelle sera son affectation future.

Les Zitelle (Santa Maria della Presentazione)

La Giudecca possède une autre église conçue par Palladio, Santa Maria della Presentazione, aux accents architectoniques urbains, qui est plus connue sous son nom vénitien de « Le Zitelle ». Le frontispice à tympan central et la coupole à clochetons sont des éléments typiquement palladiens. Pourtant, les historiens de l'art s'accordent sur le fait que Palladio n'a pas participé personnellement à la réalisation définitive

du sanctuaire. Les pilastres à peine saillants rendent peu manifeste l'articulation des murs. Percé d'une grande fenêtre, le fronton rappelle celui de San Trovaso (voir p. 301), dont la reconstruction date de la même époque. Il est probable qu'un autre architecte (peut-être Jacopo Bozzetto qui a suivi le chantier) a fortement retravaillé les plans de Palladio. Les sources manquent pour retracer en détail l'historique de l'église. Ce que l'on sait avec certitude, c'est qu'en 1566 les Jésuites avaient acquis des terrains sur la Giudecca pour y bâtir une maison d'éducation réservée aux jeunes filles pauvres. Cette institution fut dès lors subventionnée par nombre de pieux Vénitiens. Souvent en effet, dans l'impossibilité de se marier ou d'entrer au couvent par manque d'argent, les orphelines et les filles sans dot prenaient le chemin de la prostitution. À Santa Maria della Presenta-

tazione, on leur enseignait un métier artisanal qui accroissait considérablement leurs chances de prendre un jour un époux. Les demoiselles des Zitelle réalisaient des dentelles au point de Venise, particulièrement prisées.

Les courtisanes de Venise :
grandeurs et vicissitudes d'un art de vivre

Le terme « courtisane » évoque communément l'érotisme, les plaisirs et la vie luxueuse ; il ne s'applique pas à la prostitution telle qu'on l'entend habituellement. C'est le XIXᵉ siècle qui a paré de toutes les séductions ces dames, dont les représentantes les plus connues, ou les plus célébrées, vivaient alors à Paris ou à Rome. Pourtant, du XVIᵉ au XVIIIᵉ siècle, la courtisane vénitienne, soutenue dans sa carrière par l'opulence de la classe d'affaires de la Cité des Doges, était déjà un modèle du genre. Dans les dialogues de ses *Raggionamenti*, l'Arétin (1492-1556), qui vit alors à Venise, décrit crûment et avec une bonne dose de méchanceté les pratiques et les mœurs du monde des courtisanes. La littérature du XVIIIᵉ siècle mettra, quant à elle, l'accent sur leur érotisme licencieux, mais elle ne nous renseignera guère sur la vie et les moyens de subsistance de celles qui exerçaient cette activité : textes et descriptions n'ont d'autre but que d'éveiller ou d'entretenir la

Paris Bordone, Les amants de Venise, *vers 1525-1530. Huile sur toile, 95 x 80 cm, Pinacoteca di Brera, Milan. Il n'est pas certain que cette scène dépeigne une courtisane et son amant, mais la manière singulière dont l'argent est ici mis en exergue rend toutefois cette hypothèse des plus plausibles.*

libido du lecteur. C'est à la cour des papes, à la fin du XVᵉ et au début du XVIᵉ siècle, que la courtisanerie se transforma en une espèce particulière d'amour vénal, dans sa forme la plus libre et la plus mondaine. Il est vrai que la Contre-Réforme en avait amorcé le déclin constant.

Courtisane parmi les plus illustres et poétesse de renom, Veronica Franco (décédée en 1591) ne correspond pas à cette image. Les sentiments intimes qu'elle exprime dans ses lettres et poèmes émanent d'une femme de cœur et intelligente, prompte à goûter aux joies de l'amour, mais aussi en butte à ses tourments. La réputation des courtisanes vénitiennes se propagea dans toute l'Europe jusqu'au XVIIIᵉ siècle. Pourtant, le XVIᵉ siècle fut lui aussi une époque privilégiée pour le sexe faible à Venise. Jamais, sauf pendant l'Antiquité, la femme n'aura connu la possibilité de mener une vie aussi indépendante et d'être aussi bien considérée grâce au seul commerce de son corps. Des sources de cette époque attestent que prostituées et courtisanes pèsent lourd dans l'économie de la ville. Mais seules ces dernières ont droit au titre de « *onesta meretrix* » (honnête catin). L'importance de leur position sociale est sous-entendue dans leur nom, « *cortegiana* » (féminin de « *cortegiano* », courtisan, homme de cour). En revanche, le vocable « *puttana* » (putain) désigne une prostituée pauvre et méprisée. Pourtant, les courtisanes sont à l'écart aussi bien de la haute société que des classes les plus démunies.

Portrait de Veronica Franco. Ce frontispice de son recueil de poèmes Terze Rime *ne figure pas dans l'édition princeps de 1576, probablement parce qu'elle n'avait pas 23 ans, comme indiqué, mais bien 30 ans lorsque la gravure fut réalisée.*

Grâce à son, ou à ses amants, une jeune et jolie femme peut se voir assurer logement, nourriture, vêtements et jusqu'à une pension mensuelle. Elle vit ainsi dans une aisance, sinon dans un luxe, auquel elle n'aurait jamais pu prétendre autrement. Ses gains sont égaux à ceux d'un ecclésiastique de haut rang et à ceux d'un bon capitaine de navire ; ils s'élè-

Gabriel Bella, Le corso des courtisanes sur le Rio della Sensa, *avant 1792. Huile sur toile, Biblioteca Querini Stampalia, Venise.*

vent à plus du double de ceux d'un maître arti-san. Aucun autre métier de l'époque n'offre autant de possibilités financières à la femme. Après la fin de sa carrière, la misère prédite par les conventions morales ne l'attend pas nécessairement : souvent même, une servante de l'amour parvient à se constituer une dot suffisante pour se bien marier. Mieux encore :

une jolie femme dont le profil professionnel allie expérience sexuelle, culture et talents d'hôtesse (tels la lecture, la conversation érudite, la danse, la musique et le chant) est une épouse potentielle des plus recherchées. La plupart du temps, une courtisane finira par convoler avec un artisan ou avec un marchand. Une union avec un amant noble n'est pas rare, ainsi qu'en témoignent les chroniques vénitiennes du début du XVIe siècle : elle suscite tout au plus un petit scandale, dont les remous s'estompent bien vite. L'ascension sociale est une chose, mais le revers de la médaille est la totale dépendance de la femme envers ses protecteurs : elle est souvent en butte à la brutalité, perd sa bonne réputation et est à la merci des perversions sexuelles de ses amants, qui vont parfois jusqu'à la défiguration et au meurtre. Elle est sans défense face à la violence des membres de la haute société, les seuls à pouvoir entretenir une courtisane, à moins qu'elle n'ait d'autres protecteurs disposés à l'appuyer.

La position sociale de la courtisane était ainsi ambivalente : honorée comme créature de luxe, elle était en même temps exclue pour des raisons de morale et exploitée sexuellement. Facteur important et favorisé de l'économie de l'État, elle n'en était pas moins légalement tenue de se distinguer des riches bourgeoises et des femmes de la noblesse, notamment par son habillement. Si l'on accorde crédit aux sources de l'époque, il s'agissait non seulement de la déprécier mais encore de distinguer ses avances de celles, souvent équivoques, faites par de respectables dames aux voyageurs « innocents » et sans doute éblouis par la réputation de beauté et de luxe dont jouissaient les femmes vénitiennes dans toute l'Europe.

Une toile de Carpaccio révèle le peu de disparités entre la courtisane et la vraie dame. Robes décolletées et animaux exotiques ont longtemps fait penser au portrait de deux courtisanes. On sait aujourd'hui qu'il s'agissait en réalité de deux nobles dames de la maison des Torelli.

Vittore Carpaccio, Les courtisanes *(en réalité des dames vénitiennes), vers 1490. Huile sur bois, 94 x 64 cm, Museo Correr, Venise.*

San Giorgio Maggiore

San Giorgio Maggiore

Par leur position, l'île de San Giorgio Maggiore et sa voisine, la Giudecca, constituent un pivot stratégique contrôlant le trafic entre les canaux de Venise et la lagune. D'après des sources anciennes, la verdoyante San Giorgio fut d'abord connue sous le nom d'« île aux cyprès ». Très tôt, elle se couvrit de vergers et de vignobles et accueillit un moulin, des salines et une petite église. En l'an 982, des bénédictins s'y installèrent sous la houlette de Giovanni Morosini. Graduellement, leur établissement se transforma en l'une des principales abbayes de cet ordre en Italie. En 1109, celle-ci récupéra à Constantinople

des reliques de saint Etienne. Depuis lors, le sanctuaire fut une composante essentielle du Noël vénitien : chaque année, le 26 décembre, jour de la fête de saint Etienne, la « Signoria » et la foule arrivées au cours de la nuit venaient y assister à une messe solennelle donnée en l'honneur du saint martyr. En l'an 1800, alors que les Français menaçaient la papauté à Rome, l'abbaye de San Giorgio abrita le conclave qui installa Pie VII à la tête de la chrétienté. Cet événement fut le dernier à marquer de son empreinte l'histoire du monastère : peu de temps après, les soldats français pillèrent livres précieux et œuvres d'art accumulés là au cours des siècles, et dont il ne reste plus rien.

La façade

Entre 1559 et 1563, Andrea Palladio construisit un réfectoire, dit « Aula Palladiana », pour l'ordre des Bénédictins. En 1565, il entama pour eux la réalisation d'une nouvelle église, qui fut continuée à partir de 1568 sur les plans du maître. La façade ne fut achevée qu'en 1610. Les moines n'auraient pu choisir meilleur architecte que Palladio : après avoir œuvré à Vicence, il s'était depuis longtemps imposé comme un bâtisseur de villas et un constructeur d'édifices dont l'harmonie des formes s'appréciait particulièrement à distance. Avec San Giorgio, le génie de Palladio a conçu le pendant idéal de la place Saint-Marc, de l'autre côté du bassin. Coiffé d'un fronton triangulaire, un grand « pronaos » (portique) factice en marbre blanc d'Istrie s'appuie sur quatre colonnes saillantes à haut piédestal. Il dissimule partiellement une façade plus large, mais placée comme en retrait, elle aussi surmontée d'un fronton triangulaire, rythmée de tabernacles à colonnes et encadrée de pilastres doubles. Palladio réussit à fondre ces réminiscences typiques du temple classique en une structure suprêmement élégante. Le contraste entre la partie centrale plus élevée et les compartiments latéraux reflète la segmentation de l'intérieur du sanctuaire. Une coupole munie d'une lanterne contribue à accentuer la dynamique de l'édifice.

San Giorgio Maggiore   **357**

L'intérieur

L'articulation interne de l'édifice est d'une simplicité extrême. Sur un plan en croix latine, Palladio a créé une basilique à transept, aux nefs latérales plus basses. La lumière y entre à flots par de larges verrières latérales en demi-cercles inspirées des thermes antiques et percées dans les voûtes en plein cintre qui soutiennent le toit. Comme pour la façade extérieure, la compartimentation de l'espace est réalisée par des demi-colonnes posées sur des piédestaux élevés et par des pilastres plus petits qui leur sont subordonnés. Toutes les fonctions de ces éléments architectoniques apparaissent clairement définies : les hautes colonnes corinthiennes à chapiteaux composites supportent la voûte et les pilastres soutiennent, eux, les ouvertures en arcade vers les nefs latérales. Si l'harmonie des structures suggère la sérénité, l'ampleur des formes engendre le respect.

Le chœur

Les nouvelles règles édictées par la Contre-Réforme recommandaient la séparation des moines et des laïcs, même pendant les messes communes. Conformément aux prescriptions du Concile de Trente – qui s'acheva en 1563, peu avant que Palladio n'entame son projet –, le chœur des moines est donc placé au-delà du maître-autel, après un escalier de quatre marches, derrière les colonnes massives d'une sorte de portique situé sous les grandes orgues. Il reste pourtant visible et accessible à partir de la nef principale. Sorte de rectangle longitudinal qui s'achève en demi-cercle, il est scandé en alternance de niches et de fenêtres et garni de sculptures de Gasparo Gatti.

Tintoret : *La récolte de la manne*, vers 1590
Huile sur toile, 377 x 576 cm

En 1975, cette œuvre fut soudainement placée sous les feux de la rampe par la thèse de Nicola Ivanoff, un historien d'art italien. Jusque-là, la scène avait été considérée comme une représentation de la récolte de la manne. Selon Ivanoff en revanche, les Israélites ne sont nullement occupés à ramasser la nourriture céleste : la peinture se réfère plutôt à un épisode annexe relaté dans le quatrième livre de Moïse (Pentateuque), à savoir le refus de la manne par les Juifs dégoûtés de celle-ci. La foule qui se presse à l'arrière-plan à gauche tendrait à entériner cette version, ainsi que l'homme parlant avec agitation à Moïse assis au premier plan. C'est cependant l'absence totale de tension dramatique qui domine. Au contraire, les différentes activités rurales semblent conférer à ce superbe paysage arboré une touche idyllique. Même l'homme revêtu d'une armure typique du XVIᵉ siècle, qui se dresse derrière Moïse, ne parvient pas à rompre la sérénité de la scène. Un donateur n'aurait d'ailleurs jamais accepté d'être dépeint dans le rôle d'un personnage négatif.

Tintoret :
La Cène, 1592-1594
Huile sur toile, 365 x 568 cm

Face à *La manne*, une *Cène* décore le mur droit du chœur. Les deux toiles ont été conçues par Tintoret en fonction de leur futur emplacement, comme en témoignent les rendus respectifs des lumières. Elles sont liées à la célébration de la messe et au sacrement de l'Eucharistie. La première traite d'un repas dans le désert, évoqué par l'Ancien Testament et annonçant la Cène, la seconde représente le dernier repas du Christ dans le Nouveau Testament et introduit la communion. Ici, l'énorme table n'est pas disposée transversalement, mais diagonalement : cela souligne l'aspect naturel du repas, que l'attitude des personnages transforme en joyeux banquet. En même temps, le spectacle acquiert une forte dynamique spatiale. Malgré la présence de nombreuses figures secondaires, on note immédiatement le rôle dominant et central d'un Christ auréolé d'une lumière éclatante. Des anges évanescents, probablement invisibles pour les personnages et le halo entourant la tête des apôtres confèrent à cette Cène un aspect à la fois irréel et mystique.

Le quartier de Cannaregio

Le quartier de Cannaregio

Madonna dell'Orto, p. 380

Jouxtant la gare de Venise, Cannaregio est le quartier le plus étendu de la cité. Son nom viendrait du « Canal regio » (c'est-à-dire « canal royal ») qui le traversait, à moins qu'il ne fasse référence aux roseaux (*canna*, en italien) qui abondaient jadis entre les îles du nord-ouest de la cité. Au xvie siècle, dans la partie septentrionale du quartier, juste à côté de la gare actuelle, les autorités mirent en chantier un réseau de larges canaux susceptibles de desservir de nouveaux lotissements bien aérés, destinés entre autres aux manufactures et à leurs ouvriers. Sur une rive au moins, ces voies d'eau furent bordées de quais spacieux, dits « fondamenta ». La zone occidentale de Cannaregio comprend surtout des maisons simples et malheureusement aussi de nombreuses habitations en ruines. Toutefois, les loyers peu onéreux y attirent de plus en plus de jeunes. Vers l'est, c'est-à-dire vers le Rialto, les édifices se font graduellement plus étroits et ils sont mieux entretenus.

San Giobbe, plafond de la
Cappella Martini, p. 367

Palazzo Labia,
Giovanni Battista Tiepolo,
*Le festin d'Antoine
et Cléopâtre*, 1746-1747, p. 370

Autres sites intéressants :
1 Scuola Vecchia dell'Abbazia
2 Scuola Nova di Misericordia
3 La Maddalena
4 Ghetto Nuovo

Ca' d'Oro,
Andrea Mantegna,
Saint Sébastien,
1504-1506, p. 388

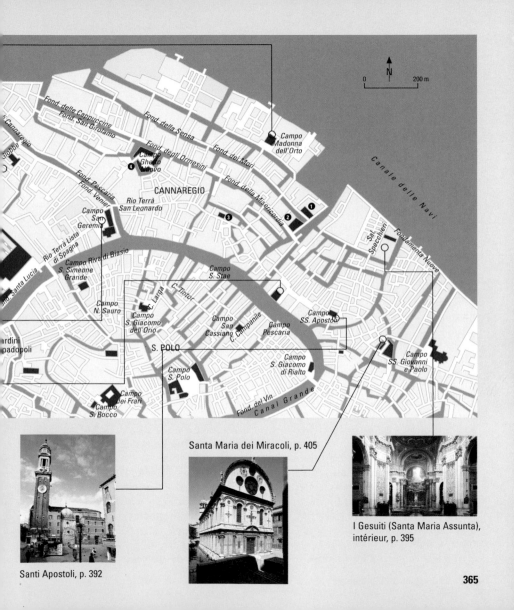

Fond. delle Cappuccine
Fond. San Girolamo
Fond. della Sensa
Campo
Madonna
dell'Orto
Fond. dei Mori
Canale delle Navi
d. Cannaregio
Siobbe
Fond. Pescaria
Fond. Venier
Campo
Ghetto
Nuovo
❹
Fond. degli Ormesini
Fond. della Misericordia
CANNAREGIO
Rio Terrà
San Leonardo
❸
❷ ❶
Campo
San
Geremia
Rio Terrà Lista
di Spagna
Fondamenta Nuove
Sal.
Specchieri
nd. Santa Lucia
Campo Riva di Biasio
S. Simeone
Grande
Campo
N. Sauro
C. Larga
C. Tintor
Campo
S. Stae
Campo
S. Giacomo
dell'Orio
Campo
San
Cassiano
C. Campanile
Campo
Pescaria
Campo
SS. Apostoli
ardini
padopoli
S. POLO
Campo
S. Polo
Campo
dei Frari
Campo
S. Rocco
Campo
S. Giacomo
di Rialto
Campo
SS. Giovanni
e Paolo
Fond. del Vin
Canal Grande
0   200 m
N

Santa Maria dei Miracoli, p. 405

I Gesuiti (Santa Maria Assunta),
intérieur, p. 395

Santi Apostoli, p. 392

San Giobbe

San Giobbe est l'une des rares églises anciennes de Cannaregio. Elle fut construite dans la seconde moitié du XVᵉ siècle grâce aux dons du doge Cristoforo Moro (1462-1471), qui la dédia à saint Bernard de Sienne : ce dernier avait en effet séjourné dans le monastère franciscain voisin pendant une courte période. Le projet gothique originel d'Antonio Gambello s'infléchit par la suite vers un style Renaissance sous l'impulsion de Pietro Lombardo. Beaucoup de visiteurs sont en fait déçus par la sobriété extrême de l'intérieur de l'édifice. D'autres s'enthousiasment sans réserves sur la pureté et la simplicité de ses formes. Même si l'élément essentiel de sa décoration – le retable de San Giobbe – se trouve à l'Accademia depuis le XIXᵉ siècle, l'édifice abrite encore un certain nombre d'œuvres d'art dignes d'intérêt. Ainsi, juste à droite du chœur, la Cappella Contarini possède un autel décoré d'une *Nativité* réalisée vers 1540 par Girolamo Savoldo, un peintre originaire de Brescia.

Le plafond de la Cappella Martini

La voûte de la deuxième chapelle accolée au flanc gauche du sanctuaire offre l'un des plafonds les plus extraordinaires du début de la Renaissance : il s'orne de terres cuites vernissées issues de l'atelier de Luca Della Robbia, un des maîtres florentins de cette technique. Les *tondi* (tableaux ronds) portent les quatre Évangélistes et le Christ entouré d'anges. Les Martini, une famille de tisserands spécialisés dans le travail de la soie originaire de Lucques, firent appel à l'un de leurs compatriotes toscans, peut-être Antonio Rossellino, pour édifier leur chapelle. Rossellino est aussi le sculpteur présumé du saint Jean-Baptiste des retables de marbre.

Le choix d'un architecte et d'artistes venus de Toscane ainsi que la décision de doter le sanctuaire de décorations inconnues à Venise ne relèvent pas uniquement de la nostalgie, ils témoignent aussi d'une certaine suprématie de l'art toscan sur l'art vénitien. De fait, au xvᵉ siècle, San Giobbe était l'un des édifices les plus modernes de Venise. Son intérieur intègre les formes pures de la Renaissance, qui caractérisaient depuis longtemps déjà les bâtiments de Florence. Avec ces terres cuites, la famille Martini introduisit dans la construction d'une chapelle un élément nouveau, même s'il n'a été ni repris ni développé par la suite. Face aux somptueuses mosaïques que les Vénitiens appréciaient dans nombre d'autres édifices, un tel plafond ne pouvait entrer en concurrence.

Le Palazzo Labia

Fournisseurs des armées, les Labia, d'origine catalane, avaient amassé une fortune immense. En 1646, ils furent accueillis au sein du patriarcat vénitien en échange de leur soutien financier dans la guerre menée à Candie par Venise contre les Turcs. En 1685, sur un concept emprunté à Longhena, ils se firent ériger par l'architecte vénitien Andrea Cominelli un imposant palais à trois façades (Grand Canal, canal de Cannaregio, campo San Geremia), qui fut encore agrandi et modifié de 1720 à 1750, sans doute par Tremignon. Le faste que l'on discerne sur la façade extérieure est encore magnifié à l'intérieur. De 1745 à 1750, plusieurs salles furent décorées par divers artistes dont Tiepolo, le peintre le plus en vue de la ville. Ses fresques, qui ornent le hall principal, constituent le plus important ouvrage de l'art décoratif vénitien du XVIIIᵉ siècle. Le palais abrite aujourd'hui le siège de la radio-télévision nationale, la RAI. Les visites se font sur rendez-vous uniquement (téléphone : 00 39 041 781 277).

Giovanni Battista Tiepolo :
Le Génie, monté sur Pégase, met le Temps en fuite
Fresque, diamètre 600 cm

Cette peinture de Tiepolo constitue l'éclatant point d'orgue de la décoration à fresque du plafond de la salle de bal, à laquelle participa également le « quadratista » (peintre d'architectures) Girolamo Mengozzi Colonna. Ce dernier conçut les trompe-l'œil entourant les thèmes de la vie de Cléopâtre réalisés par Tiepolo : de fausses statues, des pilastres factices et d'autres formes architectoniques donnent l'illusion de la réalité. Au plafond, Tiepolo a déployé un ciel où *le Génie, monté sur Pégase, met le Temps en fuite*. Plus haut, *la Gloire et l'Éternité* lui font signe. Il s'agit évidemment d'une allégorie : celle d'une fête radieuse et nonchalante, mais aussi celle de la gloire de la famille Labia, une gloire dont la pérennité est évoquée par les éléments latéraux du plafond.

Giovanni Battista Tiepolo :
Le festin d'Antoine et Cléôpatre
1746-1747
Fresque, 650 x 300 cm

Giovanni Battista Tiepolo :
La suite de Cléopâtre, détail
1746-1747
Fresque

Les aspects essentiels de la fresque, comme le motif de la balustrade donnant sur un jardin, n'ont pas été conçus par Tiepolo : ils furent en fait inspirés de modèles picturaux de Paolo Véronèse créés quelque deux cents ans plus tôt. Tenue dès l'Antiquité pour être une grande séductrice, la reine d'Égypte apparaît ici parée d'un précieux vêtement de brocart rose et drapée dans un manteau de soie bleue – des atours indispensables à la conquête amoureuse du bel Antoine. Comme on le voit, dès le XVIe siècle, à Venise, le goût était aux décolletés plongeants, surtout chez les courtisanes. Cléôpatre n'était pas seulement célébrée pour sa beauté, elle était aussi renommée pour sa fortune et pour le luxe exotique dont elle entourait ses invités de marque. Évocation légendaire, la reine tient ici une perle dans une main, perle qu'elle s'apprête à dissoudre dans un verre de vinaigre avant d'avaler le breuvage. Tiepolo a épinglé sur sa toile ce moment précis, considéré comme l'expression du luxe à son paroxysme. Aux yeux des participants aux somptueux banquets qui se déroulaient juste en dessous d'elle, la fresque devait exalter une fois encore l'opulence des hôtes, les Labia, qui organisaient parfois des fêtes au caractère un peu trop ostentatoire.

Au palais Labia, les motifs architectoniques réels ou peints par Mengozzi Colonna se mêlent de manière raffinée. Au premier regard, il est parfois difficile de distinguer le vrai du faux. La réalité apparente des fresques de Tiepolo s'en trouve ainsi renforcée. Le jeu des trompe-l'œil est si bien mené que le spectateur ne peut distinguer la frontière entre la fiction et la vérité, dans la mesure où cette dernière s'estompe, jusqu'à se fondre dans le monde virtuel.

Le Campo del Ghetto Nuovo.

Le Ghetto : refuge ou prison pour les Juifs de Venise ?

L'ancien Ghetto de Venise est aujourd'hui un lacis de ruelles tranquilles aux maisons élevées mais étroites, souvent délabrées. Pourtant, il fut autrefois l'un des quartiers juifs les plus opulents et les plus animés d'Italie. Sur la place isolée et paisible retentissaient les cris des tailleurs vantant leur marchandise. L'odeur des boulangeries se répandait partout, jusqu'aux banques. De nos jours, le mot ghetto est associé au nazisme et à ses exactions et l'on a oublié que ce vocable désignait à l'origine le quartier juif de Venise et qu'il était alors, et durant des siècles, synonyme de sécurité et de protection – et non pas de terreur.

Dans l'Antiquité déjà, des communautés de Juifs vivaient à Rome. En revanche, Venise refusa longtemps de les accepter comme résidents et elle ne les accueillait donc qu'en tant que marchands, traités sur un pied d'égalité avec les commerçants locaux. Ils n'étaient pas Italiens, mais venaient d'Orient ou du nord de l'Europe. Curieusement, des discriminations existaient entre les Juifs eux-mêmes. Prêteurs très actifs, les Juifs italiens des îles de la lagune étaient tenus de rester sur la terre ferme, à Mestre : ceux qui venaient d'Allemagne et des pays nordiques étaient assignés au Fondaco dei Tedeschi ; seuls ceux qui étaient d'origine orientale avaient l'autorisation de se déplacer librement dans la ville.

En 1348-1349, la Grande Peste ravagea l'Europe. Dans de nombreux pays, les Juifs furent accusés d'empoisonner les sources et de transmettre la maladie. Beaucoup fuirent vers l'Italie, surtout ceux qui venaient des contrées du Nord de l'Europe, qui savaient trouver à Venise une atmosphère relativement plus tolérante. En 1382, les caisses de l'État se trouvèrent vidées par la guerre contre Gênes. Les Juifs furent alors autorisés à résider officiellement dans la cité par la signature d'une *condotta*. Déjà adoptée par d'autres villes italiennes, cette forme de contrat temporaire fixait le statut des Juifs avec leurs droits et devoirs, supprimait toute distinction d'origine et définissait les conditions financières de leur séjour. Ainsi, les taux d'intérêt des prêteurs devaient être

cantonnés entre dix et douze pour cent. En outre, le paiement d'une certaine somme les libérait de tout autre impôt. Le caractère temporaire du contrat laissait néanmoins aux autorités le loisir d'en modifier les termes et d'augmenter régulièrement cette taxe. La communauté juive exigea bientôt une zone d'habitat et un cimetière propre – deux garanties relativement sûres d'une pérennité de sa pré-

La Scuola Levantina, xviiᵉ siècle.

sence à Venise, qui ne lui furent cependant pas accordées. Elle apprit bientôt à ses dépens la réalité de la sympathie que lui portaient les Vénitiens : dès que la République eut renfloué ses caisses, elle signifia aux juifs, le 27 août 1394, l'expulsion au terme de la « condotta » en vigueur, soit le 20 février 1397. Seule exception au décret : les médecins, dont les connaissances dans l'art de guérir étaient supérieures à celles de leurs collègues chrétiens.

Entrée du Ghetto.

Il fallut attendre 1509 pour que les Juifs soient de nouveau autorisés à résider dans la cité : sous la poussée des troupes de la Ligue de Cambrai, les Juifs de la terre ferme se réfugièrent à Venise où ils apportèrent des capitaux bienvenus dans la ville en guerre. Malgré les tentatives de soulèvements populaires menés à leur encontre par des prêtres, ils furent finalement tolérés par des autorités opportunistes et pragmatiques, qui organisèrent néanmoins leur ségrégation dans une zone d'habitation réservée. Le Sénat leur offrit en 1516 un domaine dans le quartier des fonderies, le « Getto vecchio » (soit « l'ancienne fonderie ») et le « Getto nuovo » (« la nouvelle fonderie »), le verbe *gettare* signifiant « fondre ». Le getto ou ghetto restera le nom donné à un lieu de résidence assigné aux Juifs. L'autorisation de résider dans un quartier réservé concernait uniquement les Juifs italiens et les Ashkénazes. Restaient ceux qui étaient originaires d'Orient et les « conversos », convertis de force venus d'Espagne et du Portugal en raison des persécutions, mais aux traditions propres à choquer la foi des Ashkénazes. Un ghetto spécifique leur fut longtemps refusé.

Les Vénitiens voyaient moins dans ces zones assignées à des groupes ethniques un moyen de discrimination qu'une forme de privilège. Il est vrai que leurs propres marchands vivant en Orient étaient confinés dans des quartiers séparés que l'on fermait la nuit pour des raisons de sécurité. Ils pouvaient même y pratiquer leur religion et y appliquer leurs propres lois. Il en irait donc de même avec les juifs du ghetto. En 1589, les communautés ori-

Giovanni Grevembroch, Gli habiti de' Veneziani, Juif, *XVIIIᵉ siècle, Museo Correr, Venise.*

Giovanni Grevembroch, Gli habiti de' Veneziani, Juif levantin, *XVIIIᵉ siècle, Museo Correr, Venise.*

ginaires d'Orient et de la péninsule ibérique reçurent à leur tour l'autorisation de s'établir sur le site d'une autre fonderie plus ancienne que la précédente : ce fut le « Getto vecchio » (ancienne fonderie), par opposition au « Getto nuovo » (nouvelle fonderie), qui en réalité était le quartier juif le plus ancien.

Les relations entre Vénitiens et Juifs furent avant tout l'expression d'un pragmatisme économique, où le fanatisme religieux ne menaçait pas leur vie comme en Allemagne ou en

Espagne . Les seconds ne seront donc jamais menacés pour leur foi, mais la survie de leur communauté se paya au prix fort. En impôts et en redevances diverses d'abord. En obligation de financer les fêtes somptueuses données par la République en l'honneur des visiteurs de marque, ensuite. En termes de vexations, enfin : ainsi, lors du carnaval, des Juifs, peu vêtus et de préférence assez gros, furent « invités » à participer à une course à pied, et cette compétition fut annulée et recourue à plusieurs reprises sous le prétexte de prétendues

La « bimah » de la Scuola Levantina, attribuée à Andrea Brustolon (1662-1732).

Les conditions de logement dans le Ghetto n'étaient pas des meilleures. La densité démographique du quartier ne cessait de croître. Au début du XVIe siècle, la communauté du « Getto nuovo » comptait 600 âmes ; elle en totalisait 2 000 à la fin du siècle. Le manque d'espace força vite les Juifs à surélever progressivement leurs bâtiments, sujets parfois aux effondrements, n'ayant pas été conçus pour porter tant de poids. Ces inconvénients étaient toutefois compensés par la protection accordée par la République.

À Venise, les Juifs jouirent pendant longtemps d'une sécurité et d'un prestige inconnus dans le reste de l'Europe. Les rares débordements chrétiens à leur encontre étaient sévèrement réprimés. Les médecins juifs étaient particulièrement recherchés : il leur était permis d'étudier à la célèbre université de Padoue (en échange de droits de scolarité très élevés, il est vrai). Malgré l'intervention courante de la censure, le Ghetto

tricheries, pour le plus grand plaisir des spectateurs chrétiens. Selon certaines sources, des Vénitiens n'hésitèrent pas à lancer des pierres sur les Juifs.

La Scuola Grande Tedesca, XVIe-XVIIIe siècles.

Le Palazzo Treves, qui date du XVIIIᵉ siècle.

devint au XVIᵉ siècle un important centre d'édition judaïque. Les écoles de musique et de danse du quartier étaient fréquentées par de nombreux chrétiens et les musiciens juifs souvent mandés dans les plus nobles maisons. Des savants des deux communautés étudiaient côte à côte les textes des auteurs antiques et des écrivains arabes. Particulièrement instruits et opulents, les Juifs espagnols restaient en contact étroit avec les familles vénitiennes. En 1633, ils reçurent l'autorisation de s'installer dans le « Getto nuovissimo », où ils se bâtirent des maisons plus cossues et même des palais (ainsi celui de la famille Treves).

Le déclin économique de Venise marqua aussi la décadence des ghettos. Au XVIIIe siècle, les Juifs les plus aisés quittèrent la cité, où ne restèrent bientôt que les membres les plus pauvres de la communauté. Les « getti » se délabrèrent et la vie culturelle se confina désormais aux synagogues, de moins en moins fréquentées. En 1797, Napoléon fit brûler les portes du quartier pour supprimer toute discrimination, mais il fallut attendre 1848, pour qu'ils se voient enfin accorder les mêmes droits qu'aux autres habitants par un édit de Victor-Emmanuel II. Ils étaient citoyens italiens de confession judaïque, lorsqu'exil et déportation furent les maîtres mots du National-Socialisme. Les Juifs qui ne pouvaient fuir étaient surtout ceux groupés dans le Ghetto vénitien. Ce qui avait été pendant 300 ans un abri sûr se transforma alors en prison aux conditions inhumaines. Certains revinrent après la guerre, mais aujourd'hui la communauté juive de Venise est des plus réduites. Elle se concentre dans un petit quartier – certains diront « minuscule », par comparaison à l'étendue des anciens « getti » – autour de la synagogue. On y trouve bien une boucherie et une boulangerie typiques, mais pas grand-chose d'autre qui puisse évoquer les particularismes juifs. L'oppressante étroitesse du lieu n'est plus adoucie par l'exubérance de l'animation populaire d'autrefois.

Arbit Blatas, Monument aux victimes de l'Holocauste *(détail),* 1980, Campo del Ghetto Nuovo, Venise.

Madonna dell'Orto

Commencée par Fra Tiberio de Parme vers le milieu du XIVe siècle, cette église fut à l'origine dédiée à saint Christophe. Elle fut reconsacrée en 1377 après la découverte d'une statue considérée comme miraculeuse de la Vierge dans un jardin voisin et porta désormais le nom de la Madone du Jardin (*orto* en italien). Le sanctuaire appartenait au couvent des Humiliés, ordre dissous dès 1571. Remaniée et augmentée

d'un campanile surmonté d'une coupole à bulbe couverte d'écailles au XVᵉ siècle, la Madonna dell'Orto reste néanmoins l'une des plus belles églises gothiques de Venise, dont elle domine l'un des quartiers les plus tranquilles. Le couronnement du frontispice est percé de niches abritant chacune l'un des douze Apôtres. La réalisation de ces statues est considérée comme émanant d'un sculpteur d'origine toscane.

L'élégant portique et la rosace sont l'œuvre des ateliers de la famille Buon. Le premier ne fut terminé que seize ans après la mort de Bartolomeo Buon. Son style marque la transition entre les formes gothiques (par exemple, l'arc en accolade surmontant la porte) et les formes à l'antique de la Renaissance (par exemple, les colonnes). Il est donc très difficile de définir l'origine précise des éléments de ce portique : certains doivent provenir des ateliers Buon, d'autres de celui de Bartolomeo, qui travailla pour son propre compte après la mort de son père, d'autres encore de la façade primitive.

La statue de saint Christophe

Cette belle statue de saint Christophe a été attribuée à Bartolomeo, mais cette hypothèse paraît invraisemblable pour peu que l'on compare cette sculpture avec les autres œuvres du Vénitien qui décorent la Porta della Carta au palais des Doges. Autrefois, on pensait que ce *Saint Christophe* avait été réalisé par le Lombard Matteo Raverti : une hypothèse tout aussi peu plausible.

L'intérieur

Ce qui frappe avant tout, c'est la clarté. Une clarté inconnue dans les sanctuaires gothiques du reste de l'Europe. Les colonnes de marbre grec sont inhabituellement minces parce qu'elles ne doivent soutenir que des structures légères : des murs de brique et le toit de bois, si commun à Venise, qui remplacent les lourdes voûtes maçonnées. L'édifice a été restauré, après les terribles inondations de l'année 1966, notamment grâce au Comité britannique de sauvegarde de Venise. Aujourd'hui, la Madonna dell'Orto a retrouvé son éclat d'antan. Elle abrite toujours des œuvres de Giovanni Bellini, de Cima da Conegliano et surtout de Tintoret, dont elle accueille la dernière demeure dans la chapelle à droite du chœur.

Giovanni Bellini :
***Vierge à l'Enfant*, vers 1475**
Bois, 75 x 50 cm

Lors des travaux de rénovation du sanctuaire, un voleur faillit réussir à dérober une somptueuse Madone peinte par Giovanni Bellini (vers 1430-1516). Miraculeusement, la toile ne quitta pas le sanctuaire, de sorte qu'elle est encore visible aujourd'hui à sa place originelle, sur un autel de la Cappella Valier, la dernière chapelle du côté gauche. Même si le fond doré qu'emploie Bellini rappelle la manière gothique, la Madone et son enfant possèdent une vie, une chaleur que l'on ne retrouve qu'à partir de la Renaissance.

Tintoret :
La présentation de Marie au Temple,
détail, 1552
Huile sur toile, 429 x 480 cm

À l'origine, la toile était divisée en deux panneaux qui ornaient l'extérieur de chacun des deux battants, fermant l'orgue. Elle est la première des œuvres que Tintoret réalisa pour cette église au cours des années 1550. On ne sait quand les deux volets furent réunis au-dessus de l'entrée de la chapelle de San Mauro. Âgée de trois ans seulement, la petite Marie, en robe grise, jupe lilas et voile blanc, escalade seule les hautes marches de l'escalier du Temple, entourée d'un halo de lumière se détachant sur un ciel bleu. Agglutinée dans l'ombre, une foule la regarde avec étonnement. L'observateur est tout de suite frappé par le miracle en train de se produire : Marie monte avec assurance les marches élevées et scintillantes du Temple. Un vieil homme sort de la pénombre en compagnie de deux lévites. Le caractère sacré de la Vierge est mis en relief par ce jeu de clairs-obscurs et amplifié encore par le contraste flagrant entre Marie et une fillette qui apparaît avec sa mère, au bas de la scène.

La Galleria Giorgio Franchetti à la Ca' d'Oro

Musicien et collectionneur, le Turinois Giorgio Franchetti fit l'acquisition d'une Ca' d'Oro délabrée et défigurée en 1894. À sa mort en 1916, il légua à l'Italie un édifice restauré dans son état originel, ainsi que les collections qu'il renfermait (voir p. 47). Un musée public y fut ouvert en 1927. L'ensemble des objets de haute qualité qui y sont présentés n'a cessé de s'agrandir et le talent d'amateur de Franchetti a été reconnu. Il comprend des peintures et des sculptures, des fresques et des faïences ainsi que des tapisseries murales et des meubles.

Titien : *Allégorie de la Justice,* 1508-1509
Fresque (déposée), 213 x 346 cm

Outre les fresques peintes par Pordenone pour le cloître de Santo Stefano, le musée de la Ca' d'Oro abrite des fragments de la célèbre fresque réalisée par Titien pour le Fondaco dei Tedeschi (voir p. 51) et qui fut redécouverte en 1961 lors de travaux de rénovation. Ce sont précisément les décorations créées pour ce bâtiment autrefois réservé aux marchands allemands qui ont assis les réputations de Giorgione et de Titien surtout, totalement inconnu jusque-là. Les autorités de Venise ne s'attendaient certes pas à la vague d'enthousiasme soulevée par la réalisation du jeune peintre : elles avaient demandé un travail rapide et simple pour un édifice par ailleurs peu remarquable, qui ne se démarquait aucunement des autres bâtiments « commerciaux » du Canal Grande. Seuls quelques fragments de cette fresque sont parvenus jusqu'à nous, comme cette allégorie que l'on a parfois aussi intitulée Judith, mais ils suffisent à révéler l'extraordinaire contraste entre la plastique puissante qui anime les personnages de Titien et ceux qui étaient représentés par les autres artistes vénitiens de l'époque. Les fresques n'apparaissent toutefois dans leur totalité que sur quelques estampes du XVIIIe siècle.

Copie d'après Jan Van Eyck :
Crucifixion, xvᵉ siècle
Bois, 45 x 80 cm

Les historiens d'art ne considèrent désormais plus cette toile comme un original, mais seulement comme une copie de très bonne facture exécutée par un artiste de l'entourage immédiat de Jan Van Eyck (vers 1390-1441). Ce géant de la peinture flamande du xvᵉ siècle était à l'époque particulièrement apprécié en Italie. Ainsi, en 1456, il fut (avec son frère Hubert) l'un des seuls peintres transalpins cités – de manière dithyrambique – dans le *Traité des Hommes Illustres* écrit par l'érudit génois Bartholomaeus Facius (Bartolomeo Facio). Selon toute vraisemblance, la toile de la Crucifixion se trouvait déjà dans la péninsule au xvᵉ ou au xvıᵉ siècle : les collections italiennes de l'époque regorgeaient en effet d'objets d'art en provenance des Pays-Bas. L'Italie était fascinée par ces paysages aussi amples que vivants, par le détail extrême apporté à la facture et par la clarté intense des couleurs. C'étaient surtout les diplomates et les marchands vénitiens en poste dans les Flandres qui ramenaient ce type de peinture dans leur patrie.

Michele di Taddeo Bono, dit Giambono :
Vierge à l'Enfant, **début du** xve **siècle**
Tempera sur bois

Auteur également d'un retable en cinq éléments que l'on peut admirer à l'Accademia, Giambono (dont l'existence est attestée vers 1390 et qui mourut en 1462) est l'un des peintres du gothique vénitien dont la manière, dite souple, est encore empreinte des tendances picturales de la fin du xive siècle. On peut à peine concevoir qu'il est le contemporain des artistes naturalistes gravitant autour de Jan Van Eyck, en particulier de celui qui a peint la *Crucifixion* précédente. La perspective centrale et un rendu plus plastique des personnages étaient deux des techniques alors en plein développement à Florence. À première vue, elles sont absentes de la toile de Giambono. Toutefois, la manière dont le pied du petit Jésus est rendu visible sous le manteau de sa mère prouve que l'artiste était lui aussi intéressé par l'importance de la plastique. Il reste que Giambono a fait un usage parcimonieux de ces techniques graphiques que l'on devine quand même dans le modelé du côté gauche du manteau. En fait, il restitue la souplesse et l'animation des formes par des contrastes entre des couleurs d'intensités différentes. Le charme de ses toiles réside essentiellement dans la délicatesse, dans la douceur des tons, ainsi qu'en témoignent le rendu de l'habit de la Vierge, la carnation des personnages et la chevelure du Christ enfant.

Andrea Mantegna :
Saint Sébastien, 1504-1506
Huile sur toile, 210 x 91 cm

Avec le *Portrait Brignole* d'Antoine van Dyck, le *Saint Sébastien* de Mantegna est sans doute l'œuvre la plus connue de la collection Franchetti, à la Ca' d'Oro. D'Andrea Mantegna (1431-1506), on connaît trois toiles consacrées au même sujet : un petit tableau peint très tôt (qui est à Vienne), un grand retable conservé à Paris et cette huile, dont on suppose qu'elle se trouvait encore dans l'atelier de l'artiste à sa mort.

Mantegna a peint avec un réalisme extraordinaire ce personnage au caractère sculptural, quasi marmoréen, ce qu'on retrouve constamment dans sa peinture. Tourné vers le ciel, le visage du martyr n'est que douleur. Les flèches qui percent son corps et un collier de corail sont représentés en avant de l'encadrement, dont le linteau supérieur cache pourtant en partie la chevelure du saint. L'effet est saisissant : saint Sébastien paraît sortir de la niche où il se trouve et descendre vers le spectateur. Les cordes liant les bras derrière le dos s'enfoncent profondément dans la peau. La minutie avec laquelle Mantegna a représenté la chair, là où elle est meurtrie ou percée par les flèches, ainsi que le sang sourdant des blessures, est proprement stupéfiante. Le spectateur a l'impression de ressentir dans son propre corps la souffrance éprouvée par le martyr. Le coin droit du tableau porte quelques mots en latin, sur une banderole entourant une bougie : « Dieu seul est éternel, tout le reste s'évanouit en fumée ».

Antoine van Dyck :
***Portrait Brignole,* 1621-1625**
Huile sur toile, 205 x 125 cm

Antoine van Dyck (1599-1641) a toujours été un fervent admirateur de l'art vénitien. Titien fut son éternel point de référence pictural.

De 1621 à 1625, il séjourna dans la péninsule italienne, entre autres à Gênes. C'est alors qu'il réalisa le portrait d'un homme imposant portant l'habit noir en soie typique de l'époque. Van Dyck réussit de manière magistrale à reproduire les jeux de lumière, les reflets nés de cette étoffe ajustée et sombre. Le personnage représenté appartient vraisemblablement à la famille Brignole, originaire de Gênes.

C'est à ses descendants que Giorgio Franchetti a acheté cette toile.

Francesco Guardi :
La Piazzetta,
vers 1755 ou entre 1770 et 1780
Huile sur toile, 45 x 72 cm

La date exacte de la réalisation de la Piazzetta de Venise est des plus incertaines. Il en est de même pour son pendant pictural, une vue de la Piazzetta, face à la Libreria, qui se trouve également conservée à la Ca' d'Oro. Certains auteurs prétendent que la toile a été peinte dans les années 1750. D'autres, non moins convaincants, invoquent la décennie 1770. D'un côté, cette œuvre est une véritable *veduta*, au paysage urbain réel dépourvu d'assemblages de formes fantaisistes. D'un autre côté, l'artiste se permet quelques libertés au profit de sa composition. Ainsi, il renforce tous les tons rouges des bâtiments. Leur contraste avec la masse lumineuse des nuages engendre l'impression d'une ambiance de soirée estivale, qui est encore soulignée par les ombres démesurément allongées des édifices.

ère. L'édifice originel (du IXᵉ siècle ?) a été fortement agrandi et remanié depuis. Ainsi, une coupole trahit la présence de la Cappella Cornaro (chapelle Corner) de style Renaissance, seul élément visible de la reconstruction partielle du XVIᵉ siècle. Le clocher de briques est l'une des rares tours baroques de Venise et il compte au rang des campaniles les plus élevés de la ville. Il a été érigé au XVIIᵉ siècle et habillé par Andrea Tirali, l'un des plus grands architectes vénitiens de la fin du XVIIᵉ siècle et du début du XVIIIᵉ. L'église abritait à l'origine le tombeau de Catherine Cornaro, décédée en 1510.

Le plafond

En 1575, l'église a été totalement reconstruite peut-être d'après des plans d'Alessandro Vittoria. De nouveaux remaniements sont entrepris au cours du XVIIIᵉ siècle. En 1748, le plafond fut décoré à fresque par Fabio Canal et Carlo Gaspari. Le panneau central porte *La communion des Apôtres* et *L'exaltation de l'Eucharistie*.

Santi Apostoli

Ce sanctuaire est l'un des premiers fondés à Venise pour desservir les populations réfugiées sur l'île dès le VIᵉ siècle de notre

I Gesuiti
(Santa Maria Assunta)

L'église Santa Maria Assunta s'élève sur le flanc nord de la ville. Nombre de Vénitiens la connaissent mieux sous le nom de « I Gesuiti », en référence à l'ordre qui la fit bâtir, celui des Jésuites. La position excentrée de l'édifice résulte des démêlés qui ont opposé pendant longtemps la Compagnie de Jésus et la République. À la fin du XVIᵉ siècle, une papauté puissante prit ombrage de l'indépendance de Venise qui tenait à décider elle-même de l'attribution des hauts postes du clergé dans son État. Soutenu par les Jésuites, le pape Paul V Borghèse finit par excommunier en 1606 la ville toute entière. Les Vénitiens ripostèrent en expulsant les Jésuites et en interdisant aux habitants de faire éduquer leurs enfants dans leurs célèbres écoles, sous peine de mort. Les Jésuites ne revinrent qu'en 1657. Entre 1715 et 1730, la Compagnie de Jésus fit appel à Domenico Rossi pour ériger une superbe église baroque de type romain en croix latine sur le site de l'ancien oratoire des Crociferi (les Porte-Croix). La façade est de Giambattista Fattoretto. Les formes architectoniques de l'édifice ne laissent aucun doute quant à son obédience totale à la papauté. On y retrouve à la fois l'exaltation de l'ordre et celui de la famille Manin, qui contribua financièrement à l'édification, et il abrite notamment un monument funéraire de Sansovino et des œuvres de Palma le Jeune.

L'intérieur

Avec ses voûtes en berceau et ses voûtains pointus, l'intérieur à l'imposante nef unique évoque les sanctuaires romains de l'ordre, comme par exemple l'église du Gesù. Son opulence résulte de la luxueuse décoration à base de stucs et de dorures imaginée par Domenico Rossi et complétée en 1729. Les murs semblent tendus d'étoffes précieuses alors qu'il s'agit de marbre. À gauche du chœur, *L'Assomption* de Tintoret ; à droite, *La prédication de saint François-Xavier* de Pietro Liberi.

**Titien : *Le martyre de saint Laurent,*
avec détail, vers 1548-1559**
Huile sur toile, 493 x 277 cm

C'est probablement peu avant son voyage à Rome que Titien commença de peindre ce retable destiné à la chapelle funéraire de la famille Massolo, dont il reçut la commande en 1546. Représentant le saint patron de Lorenzo Massolo, le commanditaire, la toile n'était pas encore terminée à la mort de celui-ci, en 1557. Elle sera probablement terminée en 1558, mais mentionnée seulement en 1559, dans la chapelle funéraire, alors la deuxième chapelle latérale du flanc droit de l'église. Saint Laurent était le diacre favori du pape saint Sixte II. Il fut mis à mort trois jours après le meurtre de ce dernier, meurtre perpétré sur l'ordre de l'empereur Valérien (253-260). Sixte II lui avait enjoint de distribuer le trésor de l'Église aux pauvres, dans l'espoir de le protéger des autorités romaines. Selon la légende, saint Laurent fut brûlé à petit feu sur un gril. Titien expose ce thème du martyre d'une manière fascinante. Il évoque la Rome impériale antique à l'aide de quelques éléments seulement : le palais de l'arrière-plan et la statue d'une idole païenne érigée sur un socle richement décoré, à gauche. Notons cependant que ces quelques détails rappellent bien plus la Rome contemporaine de Titien que celle de l'Antiquité, en particulier la statue. Pour mettre en évidence le feu du gril, l'artiste a choisi une scène de nuit. Le contraste entre l'obscurité générale et

la clarté vacillante des torches ou celle du brasier imprègnent le spectacle d'une atmosphère véritablement macabre. La main tendue vers le ciel est enveloppée d'une lueur surnaturelle, bien différente des flamboiements terrestres, émanant d'un rayon déchirant les nuages et qui symbolise la délivrance. Cette toile de Titien, la chaire de vérité et le baldaquin de Giuseppe Pozzo constituent trois chefs-d'œuvre à ne pas manquer.

Marco Polo, découvreur d'un nouveau monde

Au XIIIᵉ siècle, les marchands vénitiens traitant avec les pays lointains, quittaient souvent leur famille pour des mois, voire des années, sans donner signe de vie. Les grandes flottes de commerce qui, deux fois par an, reliait Venise à ses comptoirs disséminés dans les parties alors connues du globe, constituaient l'unique moyen de transport du courrier. Si les marchands joignaient des caravanes pour parcourir les régions d'Orient, il se passait parfois de très longues périodes avant qu'ils ne reviennent à Venise ou même ne donnent de leurs nouvelles. Lorsqu'un soir de l'an 1269, on frappa à la porte du palais de la famille Polo, personne ne s'attendait à voir réapparaître deux des fils, Niccolò et Matteo Polo, qui avaient disparu depuis neuf ans en Orient. L'épouse de Niccolò était décédée peu de temps après son départ. Son jeune fils Marco

(1254-1324) était devenu un adolescent. L'anecdote que rapporta plus tard Marco est fort vraisemblable : les prenant pour des mendiants, on avait d'abord interdit l'entrée aux deux hommes vêtus de loques qui se dressaient devant la porte. Les voyageurs revenaient d'un long périple aventureux. Après avoir traversé la mer Noire pour s'en retourner dans leur pays, toutes sortes de péripéties les avaient conduits jusqu'à Kubilaï, le puissant empereur mongol qui régnait sur la

Portulan de l'Adriatique, *Museo Storico Navale. N'indiquant que la position des côtes et des ports, ces cartes marines furent utilisées par les navigateurs jusqu'à l'aube des Temps modernes.*

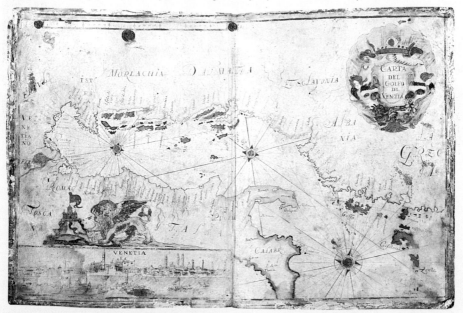

Le départ des Polo de Venise, *Livre des Merveilles du Monde*, Bibliothèque nationale de France, Paris, n° 2810, avant janvier 1413, folio 4 (recto).

Chine. Ils étaient restés à la cour du khan qui leur avait finalement confié la mission d'aller demander au pape de lui envoyer cent hommes d'église. Le khan voulait comparer la foi chrétienne avec les religions pratiquées dans son empire. Si les religieux s'en montraient dignes, ils pourraient évangéliser l'immense empire mongol. C'est ainsi que les frères Polo reprirent le chemin de l'Italie, non seulement chargés d'une mission à l'importance historique capitale, mais aussi d'étoffes précieuses, de joyaux et autres riches présents.

Les deux voyageurs avaient projeté de retourner directement en Chine après avoir porté la requête de Kubilaï au pape. Ils étaient certains que le souverain pontife accéderait avec empressement à la demande du khan. Mais les événements en décidèrent autrement. Le pape était mort et l'on n'avait toujours pas désigné un successeur au bout d'un an. Lassés d'attendre, Niccolò et Matteo décidèrent de repartir en emmenant Marco avec eux. Pour l'adolescent, ce voyage était autant une aventure qu'une partie de l'apprentissage auquel étaient soumis les jeunes Vénitiens issus des grandes familles marchandes. Peu d'entre eux cependant avaient la chance d'aller jusqu'en Chine et le fait d'être présenté à Kubilaï était encore plus exceptionnel. Marco Polo allait garder un souvenir impérissable de ce périple et de sa visite à la cour mongole.

Les trois voyageurs, accompagnés de quelques serviteurs, partirent avec la Muda annuelle (la flotte de commerce vénitienne) jusqu'à Akko (Saint-Jean d'Acre), l'une des places fortes des croisés et important comptoir vénitien. Là, ils attendirent en vain la nouvelle d'une élection papale, puis résignés, poursuivirent leur route vers Latakia où ils apprirent finalement qu'un nouveau pape avait été désigné. Grégoire X leur envoya deux moines au lieu des cent demandés, ainsi que des présents pour Kubilaï. Via Erzurum en Arménie (l'actuelle Turquie), Tabris, Saveh et Kirman en Perse, la petite caravane des Polo atteignit Ormuz où elle espérait trouver un bon navire susceptible de les mener en Chine. Mais épouvantés par l'aspect des esquifs construits sans clous et attachés par endroits avec de simples cordes, accablés par la chaleur torride, les Vénitiens se résignèrent à rejoindre Kubilaï par voie de terre. À cette date, les moines, habitués à la paisible vie de monastère et nullement préparés aux fatigues d'un tel périple, avaient quitté le petit groupe depuis longtemps. Même si Ormuz était bien loin de Venise, les Polo avaient jusqu'ici voyagé dans des contrées que parcouraient également d'autres marchands européens. Mais à présent, s'ouvrait devant eux une région inconnue qui n'avait pas vu d'Européens depuis des siècles. Ils traversèrent le désert de Lut,

l'Afghanistan actuel, puis enfin la chaîne du Pamir. Selon toute vraisemblance, les Polo devaient avoir une vague idée de ces régions, déjà décrites par les géographes de l'Antiquité, puisque l'empire d'Alexandre le Grand s'était étendu jusqu'ici. Mais au-delà de la barrière du Pamir, s'ouvrait un monde totalement incon-

Cette gravure est souvent prise pour la représentation de l'arrivée des Polo en Chine. En fait, elle montre des marchands en train de débarquer leurs marchandises dans le port d'Ormuz, Livre des Merveilles du Monde, *Bibliothèque nationale de France, Paris, n° 2810, avant janvier 1413, folio 14 (verso).*

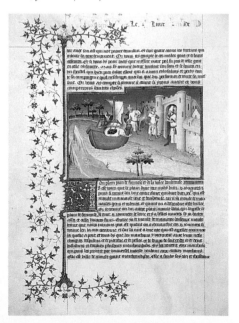

Le roi porte ses bijoux à même la peau, et non sur ses vêtements. Livre des Merveilles du Monde, *Bibliothèque nationale de France, Paris, n°2810, avant janvier 1413, folio 78.*

Des voyageurs arrivent à Madagascar. L'artiste s'imagine les éléphants comme des animaux ongulés de petite taille. Livre des Merveilles du Monde, *Bibliothèque nationale de France, Paris, n° 2810, avant janvier 1413, folio 88.*

nu dans lequel s'enfonçait l'ancienne route de la Soie, oubliée en Occident depuis l'effondrement de l'Empire romain.

Jusque-là, les voyageurs n'avaient rencontré que des peuples aux civilisations différentes certes, mais d'un niveau plus ou moins égal à la leur. Or, ils allaient maintenant découvrir un pays dont ils ne pouvaient imaginer ni

la richesse, ni le prodigieux épanouissement culturel. Après avoir longé les déserts de Takla-Makan et de Gobi, les Polo arrivèrent à Qanbaliq, la nouvelle capitale du pays fabuleux de Cathay (ainsi nommèrent-ils la Chine). Les Mongols, maîtres du pays depuis deux générations, avaient transféré le siège de la puissance impériale de Quinsay (l'actuel

Hangtchéou) à Yanjing dans le Nord. Cette ville qu'ils baptisèrent Qanbaliq, est aujourd'hui Pékin. Kubilaï reçut royalement les Polo, sans leur tenir rigueur de l'absence des prêtres autrefois réclamés. Tandis que son père et son oncle vaquaient à leurs affaires, Marco, alors âgé d'une vingtaine d'années, entama –s'il faut en croire ses propres écrits – une brillante carrière à la cour mongole.

En qualité d'émissaire du khan, il parcourut la Chine entière et une grande partie de l'Asie du Sud-Est. Ce qu'il décrivit plus tard à ses contemporains ne pouvait que leur paraître invraisemblable. Comment croire à des animaux étranges telle une créature au corps de serpent, dotée de deux pattes de tigre de chaque côté de la tête ? Comment croire à l'existence d'une ville (Quinsay) de cinq millions d'habitants, aux avenues pavées larges de quarante mètres et aux marchés immenses ? Comment croire enfin à la fortune fabuleuse du khan ?

Marco Polo rallia Venise en 1295, après un long voyage en mer qui l'avait également emmené en Inde. Ses récits ne rencontrèrent que l'incrédulité. Tant qu'il les raconta oralement, on les qualifia d'histoires romanesques de marin. Mais après qu'il eut écrit ses mémoires, alors qu'il se trouvait en captivité à Gênes, ses compatriotes lui adjugèrent le sobriquet de « messire Million » et son nom devint synonyme de hâbleur. Son manuscrit fut pourtant beaucoup lu, mais il faisait davantage figure de livre de contes que de chronique sérieuse. Néanmoins, d'aucuns crurent à ce que Marco Polo affirmait avoir vécu. Quelque cent cinquante ans plus tard, la lecture de son livre persuadera un jeune Génois que la route de la mer ne menait pas seulement en Arabie, mais aussi vers l'Inde. Cet homme s'appelait Christophe Colomb.

Différents types d'hommes, l'un avec la tête à la place du tronc, l'autre unijambiste et un sauvage nu. Marco Polo ne les vit jamais; il ne rapporte ici que les dires d'autres voyageurs. Livre des Merveilles du Monde, *Bibliothèque nationale de France, Paris, n° 2810, avant janvier 1413, folio 29 (verso).*

Santa Maria dei Miracoli

Selon la tradition, en 1407, un certain Angelo Amadi aurait exposé dans sa cour un tabernacle contenant une Vierge placée entre deux saints. Un tel objet était destiné à inciter au recueillement. Placé dans une ruelle étroite ou dans un passage obscur, il empêchait ainsi les agressions – du moins l'espérait-on. Tenu pour miraculeux, ce tabernacle attira toujours plus de croyants. Collectés à partir de 1477, dons et aumônes permirent dès 1481 d'entamer la construction d'une petite église en l'honneur de la Vierge, dont le tabernacle se trouvait alors au couvent des Clarisses voisin (édifice aujourd'hui disparu). En huit ans, Pietro Lombardo et son célèbre atelier de tailleurs de pierre – auquel appartenaient aussi ses fils Tullio et Antonio – ciselèrent un véritable écrin de marqueterie fait de lamelles de marbres polychromes. Faber von Ulm, un voyageur allemand qui visita le sanctuaire peu de temps après sa consécration le 31 décembre 1489, avoua que nul prince dans son pays n'aurait pu financer la construction d'une pareille merveille. Les dimensions réduites de cette église et son contexte urbain en soulignent la perfection. Décorée, comme le reste de l'église, d'éléments délicatement taillés dans la pierre, la façade est incrustée de panneaux de toutes formes (arcs, croix, disques, etc.) et de toutes matières (serpentine verte, porphyre rouge et autres marbres polychromes). Son style et les détails ornementaux évoquent l'Antiquité, mais se tournent résolument aussi vers les formes plus modernes de la Renaissance. Toutefois, réalisé à une telle échelle, l'assemblage d'incrustations marmoréennes n'est pas sans rappeler des décorations similaires exécutées à Venise au XIIIᵉ siècle déjà. Ici, la famille Lombardo a donc créé une variante vénitienne de l'architecture typique de la première Renaissance, moins austère certes, mais aussi moins architectoniquement réussie que dans l'Italie centrale.

Niccolò di Pietro : *La miraculeuse Vierge à l'Enfant*, début du XVᵉ siècle.

constamment le foyer de l'attention des fidèles. Éléments constitutifs d'un édifice aux yeux d'un spectateur, les motifs architectoniques, tels les pilastres, entablements et corniches, jouent un rôle bien moins important que sur la façade extérieure. Les œuvres d'art mobiles sont très peu nombreuses : parmi elles, deux statues en bronze du XVIe siècle attribuées à Alessandro Leopardi et représentant respectivement saint Pierre et saint Antoine abbé. Rien ne peut donc détourner le fidèle de l'image miraculeuse. Par ses marbres et ses ors, la nef évoque l'idée d'un écrin, et non plus celle d'une stricte structure de pierre. Il n'est pas étonnant que Santa Maria dei Miracoli soit l'église vénitienne la plus recherchée pour la célébration d'un mariage.

L'intérieur

La clôture de l'autel (détail)

Les murs intérieurs de l'église sont entièrement couverts de marbres où se mêlent des tons rose clair, gris-argent et blancs qui produisent une lumière diffuse. Un plafond de bois finement sculpté, disposé à la manière d'une voûte en berceau, est divisé en compartiments sur lesquels Vincenzo Dalle Destre, Lattanzio da Rimini, Pier Maria Pennachi et son frère Girolamo ont représenté prophètes et patriarches. Seule l'abside surélevée renfermant l'autel est recouverte d'un dôme suspendu. La chapelle où se trouve l'image miraculeuse est illuminée par de nombreuses fenêtres : plus claire que la nef principale, elle est

Les plus petits éléments décoratifs ont été réalisés avec un soin extrême du détail. Éléments antiques et motifs en relief, délicats et pleins de fantaisie, brodent la balustrade de l'autel. Une véritable dentelle ajourée en orne les petits piédestaux ; le fin treillis aux formes des plus tarabiscotées porte en son milieu un disque de pierre verte. Minutieusement travaillée, cette pièce centrale surprend, car la dureté de la pierre est telle qu'on l'aurait crue impossible à ciseler. Ce petit chef-d'œuvre qui ne se voulait que décoratif est une pièce admirable.

réalisa là son œuvre ultime.
L'intérieur est articulé en
croix grecque surmontée
d'une coupole. Ce sanc-
tuaire est surtout reconnu
pour ses effets architectoniques et pour l'harmonie
de ses proportions. Le gris
sombre rehaussant les éléments porteurs de l'édifice est caractéristique de
Codussi et de ses succes-
seurs.

**Sebastiano Luciani,
dit Sebastiano del Piombo :
*Saint Jean Chrysostome
avec d'autres saints*, 1509-1511**
Huile sur toile, 200 x 165 cm

Le retable du maître-autel
est l'un des rares exemples
de l'œuvre d'un Sebastiano
del Piombo (vers 1485-
1547) encore fortement
influencé par les styles de
Titien et de Giorgione. Peu
de temps après avoir réali-
sé cette toile, l'artiste quitta sa ville natale de Venise pour faire sa carrière à Rome.
Ici, ses personnages (on reconnaît les
saintes Catherine, Madeleine et Lucie, les
saints Jean l'Évangéliste, Jean-Baptiste et
Théodore) paraissent plongés dans la rêve-
rie et leur disposition semble un peu dis-
parate.

San Giovanni Crisostomo

Cette petite église se dresse à proximité du
quartier animé du Rialto, dans une rue
commerçante. Fondée au xɪᵉ siècle, elle fut
reconstruite de 1497 à 1504 par l'architecte bergamasque Mauro Codussi, qui

Giovanni Bellini :
Saint Christophe, saint Jérôme
et saint Louis, 1513
Bois, 300 x 185 cm

La première chapelle latérale à droite abrite l'un des derniers retables peints par Giovanni Bellini. En le comparant avec la toile plus ancienne de Sebastiano del Piombo (voir p. 409), il apparaît clairement que Bellini, même âgé de presque 83 ans, était encore capable de se distinguer parmi ses collègues plus jeunes. Son point de référence n'est pas Sebastiano : il s'oriente plutôt, comme ce dernier d'ailleurs, vers Giorgione. Bellini transcende ici l'aspect surnaturel des personnages. Le rendu de ces derniers est toutefois plus plastique et plus clair grâce à des effets de lumière, et cela vaut surtout pour les vêtements lourds et sombres. L'ermite Jérôme se tient derrière une balustrade qui le sépare des autres saints, regroupés sous une voûte. Plongé dans son étude, il est assis sur une colline, seul au milieu d'un vaste paysage montagneux et morne. Alors que le décor ne contribue que peu ou prou à l'atmosphère du retable de Sebastiano del Piombo, il devient pour Bellini un élément essentiel de la scène : c'est lui qui suscite l'impression de solitude et de tranquillité dans laquelle baignent, non seulement les saints, mais aussi le spectateur.

L'enfant Jésus sur l'épaule de saint Christophe,
détail du tableau précédent

Ce détail révèle combien Bellini saisit picturalement l'étroite relation existant entre un enfant et un adulte. Il évoque l'une des légendes les plus attrayantes qui entourent saint Christophe : celle-ci le montre écrasé, malgré sa grande taille et sa force, par le poids de l'enfant qu'il porte, le Christ qui tient en ses mains le poids du monde entier. Pourtant, légèrement rejeté vers l'arrière et cherchant un point d'appui, le regard craintivement tourné de côté, il n'apparaît ici que comme un enfant timide et peu assuré, tendrement couvé des yeux par saint Christophe. Bellini a ainsi transformé une simple image d'un homme et d'un bambin en un subtil portrait mental, dont la force allégorique n'est visible que par l'observateur attentif..

Une question d'honneur : la fête des douze Marie

Fondée au VIIᵉ siècle par saint Magne, évêque d'Oderzo (Frioul), l'église Santa Maria Formosa est l'une des plus anciennes de Venise. Elle abrite autels et chapelles de nombreuses « scuole » et corporations, telles la Scuola dei Bombardieri (fabricants de bombardes) et la Scuola dei Casseleri (artisans écriniers qui fabriquaient des coffres nuptiaux pour les jeunes mariés). Chaque année, le doge leur rendait visite en grande pompe. Il tenait en

particulier à remercier les *casseleri* d'avoir, au Xᵉ siècle, sauvé l'honneur de Venise attaquée par surprise par des pirates. Jadis, à la date du 31 janvier – ou, selon d'autres sources, le 2 février, jour de la Chandeleur –, les fiancés de Venise se rendaient à Olivolo (l'actuel Castello), où un évêque bénissait leur union. Ils emportaient avec eux leur coffre nuptial, l'*arcella* – et c'est ici que les *casseleri* entrent en scène.

Vue de l'intérieur de Santa Maria Formosa.

Un jour, ainsi va la légende, des pirates venus d'Istrie et de Trieste réussirent à se mêler à la foule des spectateurs de la cérémonie. Par une attaque éclair, ils s'emparèrent des jeunes filles et de leurs coffres. Alors que la plupart des Vénitiens restaient figés par la peur ou par la surprise, les *casseleri* se lancèrent à la poursuite des ravisseurs. Ceux-ci furent forcés de se retirer, abandonnant leurs proies et leur butin. Cet exploit ayant eu lieu un jour consacré à la Vierge (la Chandeleur correspond à la Purification de la Vierge), les Vénitiens très reconnaissants firent dès lors le vœu de doter chaque année, et à cette date, douze jeunes filles pauvres, mais parmi les plus belles. Elles recevaient à cette occasion tout ce qui était nécessaire à un futur mariage, y compris une cassette pleine d'argent. Cette histoire n'est qu'une légende, mais elle si chargée de symboles évocateurs qu'elle a incité les Vénitiens à perpétuer pendant plusieurs siècles cette fête somptueuse.

La visite du doge aux *casseleri* n'était que l'épisode final de festivités grandioses s'échelonnant sur plusieurs jours.La constitution du trousseau des douze jeunes beautés, les douze Marie, donnait lieu à force compétitions et à force réjouissances qui gagnaient la cité toute entière. À la fin du Xe siècle, le doge Pietro Orsolo aurait même dépensé le tiers de sa fortune pour l'habillement des heureuses élues. Qu'elle fût noble ou pauvre, chaque famille d'une rue ou d'un quartier mettait un point d'honneur à contribuer à l'équipement de l'une ou l'autre des douze jeunes fillès. Le nombre des candidats était tel qu'il fallait les départager par un tirage au sort.

Les fortunes privées n'étaient pas les seules à être mises à contribution. Par une loi édictée en 1303, l'État pouvait puiser dans l'énorme trésor de Saint-Marc pour enrichir encore l'apparence des Marie. Venise tout entière se déplaçait pour pouvoir admirer les douze beautés. Ces dernières étaient menées en procession dans tous les quartiers de la ville pendant une journée entière. La fête débutait très tôt le matin par un service religieux

Vénitiennes élégantes, *détail d'une mosaïque du XIIIe siècle, Saint-Marc, Venise.*

célébré dans l'église épiscopale de Castello. Ensuite, les douze Marie, l'évêque et une foule de prêtres et de moines s'embarquaient sur des barques qui les emmenaient par la lagune vers Saint-Marc, où les attendait le doge.

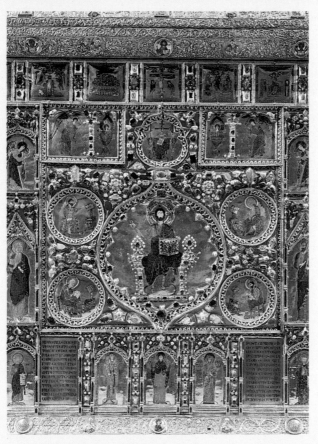

Perles et joyaux de la Pala d'Oro, Saint-Marc, Venise. Ils sont sans doute similaires à ceux qui étaient prélevés dans le trésor de Saint-Marc pour en parer les douze Marie.

défilé naval. Empruntant le Grand Canal, ce dernier gagnait le Rialto. À la hauteur du Fondaco dei Tedeschi, il s'enfonçait dans un canal étroit qui l'amenait à l'église de Santa Maria Formosa, siège de la corporation des « casseleri » pour y suivre un nouvel office religieux. Les jours suivants, les douze jeunes filles richement vêtues poursuivaient leur défilé dans toute la ville. Les festivités en leur honneur se multipliaient, non seulement dans les palais les plus opulents, mais aussi dans les quartiers les plus pauvres. La visite des Marie portait chance. De nombreuses querelles enflammaient ruelles et quartiers qui se disputaient le passage et l'accueil de ces jeunes élues. Un poème dédié au doge Pietro Gradenigo (1249-1311) exalte l'aspect somptueux des jeunes filles et décrit la foule joyeuse et colorée, venue de Venise et de la terre ferme. L'écrivain ne néglige pas de mentionner les ruses inimaginables dont faisaient usage les Vénitiennes pour détour-

Après une autre messe, le chef suprême de l'État montait sur son navire richement décoré, avec lequel il prenait la tête d'un véritable ner vers elles le regard des hommes rivés sur les douze Marie. Due à sa seule beauté, la métamorphose d'une pauvre parmi les pauvres en une personne admirée et richement dotée constitue un aspect romantique qui devait fortement contribuer à la popularité de cet événement. Quelle jeune fille non fortunée n'aurait pas alors rêvé de devenir ainsi, pour quelques jours, l'objet de la liesse de toute une population ?

Pourtant, au cours des temps, la fête s'est transformée. Son contenu religieux s'est graduellement dissipé au profit du seul aspect festif et de l'exhibition des douze jeunes filles vulnérables en leur pauvreté. Après tout, pour une belle sans ressources, le meilleur moyen de se les revenus nécessaires à sa survie, n'était pas de participer à ce concours de beauté avant la lettre, où les chances d'être retenue étaient faibles, mais bien de se prostituer. En ce qui concerne les Marie, on ne sait si elles avaient recours à ce dernier expédient. On sait en revanche, par une loi de 1349, que le gouvernement fut forcé d'interdire toute allusion désobligeante, toute insulte à l'encontre de ces beautés. Finalement, il se résolut à faire défiler douze poupées richement habillées, que ce soit pour éviter les scandales ou pour restreindre les montants fabuleux dépensés pour les jeunes filles et pour les festivités. Mais ces Marie de bois ne soulevèrent pas un grand enthousiasme. Venise était ruinée par la guerre de Chioggia, c'est pourquoi la fête fut définitivement arrêtée en 1379. En revanche, jusqu'à la fin de la République, le doge perpétua sa visite à l'église Santa Maria Formosa en un pâle souvenir des réjouissances d'antan.

L'impératrice Irène, dans toute sa majesté et sa splendeur. *Pala d'Oro (détail), Saint-Marc, Venise.*

Le quartier de Castello et le Lido

Le quartier de Castello

Castello s'appelait encore Olivolo à la fin du Moyen Âge, en référence à une ancienne oliveraie, à moins que ce ne soit pour évoquer sa forme en olive. Le nom actuel rappelle l'existence d'une forteresse, depuis longtemps démantelée, sur l'île San Pietro. Le *sestiere* s'étire vers l'est, à partir des environs immédiats de la place Saint-Marc, où il est fortement urbanisé. Le centre du district garde l'empreinte de l'Arsenal et de ses maisons ouvrières : le Castello est ici un quartier de petites gens. La pointe orientale comprend des jardins publics créés par Napoléon, on peut y trouver des appartements assez bon marché de la fin du XIXe et du début du XXe siècle. Jadis, l'Arsenal séparait le centre politique, marchand et financier (Saint-Marc et le Rialto) du centre religieux de Venise (l'île San Pietro, où se trouve le siège épiscopal de la cité). Il isolait le pouvoir temporel (place Saint-Marc) du pouvoir spirituel (San Pietro), mettant ainsi en évidence l'absence de pouvoir réel de la hiérachie romaine du clergé.

Autres sites intéressants :
1 Palazzo Querini Stampalia
2 San Giovanni in Bragora
3 San Giorgio dei Greci
4 Jardins de la Biennale
5 La Pietà
6 San Pietro di Castello

San Zanipolo
(Santi Giovanni e Paolo),
vue intérieure, p. 471

Andrea Verrocchio,
*Statue équestre
de Bartolomeo Colleoni*,
1481-1494, p. 480

Santa Maria Formosa, p. 446

Scuola di San Giorgio degli Schiavoni,
Vittore Carpaccio, *Saint Augustin dans
son cabinet de travail*, 1501-1503, p. 439

San Zaccaria, p. 421

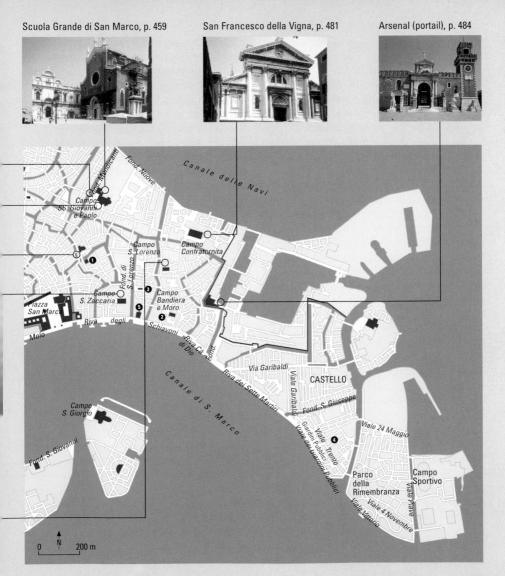

Scuola Grande di San Marco, p. 459

San Francesco della Vigna, p. 481

Arsenal (portail), p. 484

Canale delle Navi

Fond. Nuove

Ospe. Mendicanti

Campo SS. Giovanni e Paolo

Campo S. Lorenzo

Campo Confraternita

❶

Fond. di S. Lorenzo

Campo S. Zaccaria

❸

Campo Bandiera e Moro

❺

❷

Plazza San Marco

Riva degli

Molo

Schiavoni

Riva Ca' di Dio

Fond. d'Arsenale

Riva dei Sette Martiri

Via Garibaldi

CASTELLO

Fond. S. Giuseppe

Viale Garibaldi

Campo S. Giorgio

Fond. S. Giovanni

Canale di S. Marco

Viale Trento

Giardini Pubblici

Viale dei Giardini Pubblici

❹

Viale 24 Maggio

Parco della Rimembranza

Viale Vittorio

Viale 4 Novembre

Viale Piave

Campo Sportivo

0   200 m   N

San Zaccaria

À proximité de la place Saint-Marc se dresse l'église San Zaccaria, rattachée au couvent de femmes homonyme – le plus influent de la ville – jusqu'en 1810, date de la dissolution de la plupart de ces institutions à Venise. Auparavant, seules les filles des familles les plus huppées y étaient acceptées. Les liens avec le gouvernement étaient alors étroits : la mère supérieure était, si possible, choisie parmi les sœurs ou les proches parentes du doge. Depuis sa fondation en 829 jusqu'à la fin de la République en 1797, ce riche couvent de bénédictines reçut la visite annuelle du doge et de la Signoria. D'abord fixée au 13 septembre – date anniversaire de la consécration de l'église –, la cérémonie se déroula ensuite le dimanche de Pâques. Elle rappelait la cession au doge Sebastiano Ziani d'une partie du jardin du couvent (« le Brolo ») pour agrandir la place Saint-Marc et, au cours de la visite, les nonnes offraient une coiffe *(corno ducale)* au maître de la ville, une tradition qui remontait à l'abbesse Agostina Morosini. Cette coiffe ne porta pas bonheur au doge Pietro Tradonico : le 13 septembre 864, il fut en effet assassiné pour raisons politiques presque au sortir du couvent. Ce tragique événement n'empêcha pas son successeur, Orso Partecipazio, d'institutionnaliser la cérémonie et d'instaurer la tradition d'un banquet commémoratif. Il s'agissait presque, en fait, d'une sorte de réunion de famille, puisque les pensionnaires du couvent étaient toutes plus ou moins parentes des familles nobles qui régissaient la ville. Plus tard, à une époque moins sévère, les nonnes se firent les amphitryons de l'aristocratie vénitienne, tenant alors salon en leur *Parlatorio*. Accueillant les personnes des deux sexes, ce dernier abrita conversations raffinées, fêtes somptueuses et mascarades.

Une partie de ses décorations du XVIIIᵉ siècle est aujourd'hui visible au musée de la Ca' Rezzonico (voir p. 69). Le sanctuaire originel (IXᵉ siècle) fut remanié à plusieurs reprises. Au milieu du XVᵉ siècle, l'opulence du couvent permit une nouvelle restauration et la construction d'un nouvel édifice sur un terrain adjacent. Les deux sanctuaires se superposèrent en partie, la nef de gauche du plus ancien devenant la nef de droite du plus récent. Les travaux débutèrent en 1458 et furent confiés à Antonio Gambello. À sa mort en 1481, seul le premier étage était terminé. L'ouvrage reprit sous la direction de Mauro Codussi, l'architecte bergamasque alors en vogue à Venise. Gambello avait entamé l'édification d'un frontispice d'inspiration gothique, aux formes étriquées et aplaties. Codussi garnit les étages supérieurs d'un nombre réduit de fenêtres en ogive et les coiffa d'une puissante arche sommitale, appui des arcs-boutants. La transition entre les deux structures était assurée par une rangée de petites niches aveugles. Ainsi, sur ce frontispice, apparaît clairement le passage d'un style Haute Renaissance gothisant à un style purement renaissant.

**Giovanni Bellini : *Vierge et saints*, dit
Pala di San Zaccaria (avec détail), 1505**
Bois garni de toile, 500 x 235 cm

D'une élégance rare engendrée par la juxtaposition du gothique et du style Renaissance, l'intérieur de l'église renferme de nombreux trésors artistiques, dont cette conversation sacrée, retable créé en 1505 par un Bellini alors âgé de 77 ans. Assise sur un trône élevé dans une chapelle à voûte cintrée, la Vierge tenant le Christ nu est flanquée, à gauche, de saint Pierre (livre fermé et clefs) et de sainte Catherine (palme), et à droite de sainte Lucie (petit vase) et de saint Jérôme (livre ouvert). Le relief des corps se révèle ici fouillé et vigoureux, ce qui montre l'habileté avec laquelle cette œuvre tardive – créée par le peintre le plus en vue de la Venise du xve siècle – appréhende les exigences du siècle naissant. Les volumes sont bien exprimés grâce aux somptueux vêtements où se mêlent roses, rouges et bruns. Aux pieds de la Vierge, Bellini a signé son retable sur un « cartellino » (de l'italien *carta*, papier), aujourd'hui presque effacé

par le temps, à côté duquel est assis un ange musicien jouant de la viole. Le tableau est toujours dans son encadrement originel : un véritable miracle, si l'on sait qu'une partie de la toile fut découpée en 1797, lorsque Napoléon conquit Venise. Le tableau fut alors transféré au Louvre, où il demeura jusqu'au moment de sa restitution, en 1817.

La Cappella di San Tarasio

Andrea del Castagno :
Les Évangélistes saint Luc et saint Jean, **1442**
Fresques, hauteur 176 cm

San Zaccaria résulte de la superposition partielle de deux édifices voisins. Le chœur et l'abside du plus ancien (de style gothique) forment la Cappella di San Tarasio. Dans les années 1440, le dôme et la voûte de l'abside furent décorés à fresque par des artistes florentins, dont le plus connu était Andrea del Castagno (vers 1421-1457). On y trouvait pêle-mêle des scènes de l'Ancien et du Nouveau Testament, et notamment les quatre Évangélistes et des évocations de la Vierge. On ne sait trop pourquoi le travail fut confié à des peintres étrangers à Venise : les artistes vénitiens étaient-ils trop lents dans l'application des enduits – ce qui rendait les fresques vulnérables à l'atmosphère saline de la Cité des Doges ? Il est plus vraisemblable que les riches nonnes préféraient tout simplement des œuvres plus modernes, dans le style toscan.

Andrea del Castagno :
Dieu le Père, 1442
Fresque, hauteur 176 cm

Entouré de nuages, de chérubins et du triangle symbolisant l'Esprit-Saint, le Père Éternel trône sur la voûte de l'abside. Le rétrécissement des parois vers la clef sommitale impose le rétrécissement simultané des figures. Le peintre florentin a réussi ce tour de force avec brio, comme en témoigne le détail des mains. Les jeux d'ombres et de lumières qui se succèdent sur les vêtements et le modelé des plis accentuent de façon extraordinaire la plasticité du personnage. Au milieu du xvᵉ siècle, aucun artiste vénitien n'avait pu encore reproduire une telle réalité. Les fresques de San Zaccaria marquèrent le point de départ d'une nouvelle orientation picturale. Les artistes vénitiens ne furent pas longs à profiter de ces innovations. Andrea Mantegna en particulier (ce peintre padouan était entré par mariage dans la famille des Bellini) a été à l'évidence fortement influencé par les fresques de Castagno. Mantegna s'efforçait également d'obte-

nir une plasticité modelée par les ombres et la lumière. Ce n'est pas pour rien qu'il fut ensuite choisi pour concevoir la mosaïque de *La mort de Marie* dans la Cappella dei Mascoli (basilique Saint-Marc), dont le projet a parfois été attribué à Castagno lui-même.

Antonio Vivaldi : un violoniste pauvre et un orchestre de jeunes filles à la conquête du grand monde

Les gais accents de la musique de Vivaldi évoquent pour beaucoup les pastels délicats du rococo vénitien. Rares sont ceux qui rattachent le compositeur à l'Ospedale della Pietà, l'un des plus grands hospices pour enfants abandonnés de Venise. Le 4 mars 1678, un sévère tremblement de terre ébranla la Cité des Doges, provoquant de gros dégâts dans le quartier de San Giovanni in Bragora et dans ses environs. Ce même jour, Camilla Calicchio, l'épouse du barbier Giovanni Battista Vivaldi, mettait au monde le premier enfant du couple. Celui-ci était si faible que la sage-femme prit sur elle de le faire baptiser d'urgence. Antonio Lucio conserva toute sa vie une santé fragile, si fragile qu'il fut déchargé des tâches inhérentes à sa fonction lorsqu'il fut ordonné prêtre. Antonio eut plusieurs frères et sœurs, dont on ne sait pas grand-chose, sinon que deux d'entre eux se transformèrent en bandits de grand chemin. On peut en déduire que la famille Vivaldi ne roulait pas sur l'or.

Antonio Vivaldi, *1723, lithographie anonyme.*

Giovanni Battista donna très tôt une solide éducation musicale à son aîné, de plus en plus attiré par le métier de violoniste. Mais Antonio était destiné à la prêtrise, non pas tant à cause de sa constitution fragile, que parce que sa mère en avait fait le vœu à sa naissance. Ce but, presque impossible à atteindre pour une famille sans ressources et sans relations, fut finalement atteint grâce au seul talent musical d'Antonio. Ordonné prêtre en mars 1703, le jeune prodige était, en septembre de la même année, nommé maître de violon à l'Ospedale della Pietà, un orphelinat où les jeunes filles recevaient une éducation musicale. Le poste semblait taillé sur mesures pour Vivaldi, qui abandonna aussitôt les charges imposées par la prêtrise.

De nos jours, une telle fonction, et dans un orphelinat de surcroît, ne paraîtrait pas financièrement alléchante : le salaire annuel proposé au musicien n'était que de 40 ducats, puis il passa à 100 ducats. Il ne faut toutefois pas en sous-estimer les avantages artistiques. Au XVIIIᵉ siècle, quatre « ospedali » (la Pietà, I Mendicanti, Gli Incurabili et l'Ospedaletto) étaient devenus des sortes de conservatoires. Les églises qui en dépendaient se muèrent en salles de concert où se produisaient virtuoses, orchestres et chœurs de jeunes filles. Parties intégrantes de la vie musicale de Venise, ces institutions s'affrontaient entre elles et n'hésitaient pas à rivaliser avec la Cappella di San Marco, au grand bonheur des mélomanes. De fait, la musique chorale vénitienne était célèbre dans l'Europe entière depuis le XVIᵉ siècle. La Cappella, au XVIIᵉ siècle, et les « ospedali » ensuite la portèrent à un niveau inégalé.

L'Ospedale de la Pietà était renommé pour la qualité de son chœur de jeunes filles. Lorsque Vivaldi y prit ses fonctions, l'orphelinat décida de créer un orchestre. Le degré de complexité des compositions qui nous sont par-

venues témoigne de la virtuosité exceptionnelle de ces jeunes musiciennes. Vivaldi lui-même écrivit la plupart de ses œuvres pour elles, de la musique sacrée aux concertos. Que ce soit dans le chant ou dans l'instrumenta-

L'église Santa Maria della Pietà sert toujours aujourd'hui de salle de concert.

427

Vixgines, Orfanelle dictæ, in Hospitalibus Venetiarum ad Musicalia inservientes.

Vincenzo Coronelli, Jeune élève d'un orphelinat vénitien. *Estampe, 1707, Museo Correr, Venise.*

et pouvaient également enseigner la musique à leurs condisciples. Puisque leur nom de famille était le plus souvent inconnu, elles étaient désignées par leur prénom auquel était associé l'instrument joué ou le registre vocal pratiqué.

Au XVIIIe siècle, tout voyageur qui se respectait se devait d'assister à un concert donné par l'un ou l'autre de ces orphelinats. Ce fut, par exemple, le cas de Jean-Jacques Rousseau qui séjourna à Venise de 1743 à 1744. L'État y invitait ses hôtes de marque : après tout, la musique était l'une des caractéristiques de Venise ! Certains spectateurs n'étaient mélomanes que de nom et ne venaient que pour les charmes de ces demoiselles vêtues d'habits austères, à la chevelure tout au plus piquée de fleurs et qui, pour la plupart, n'avaient pas vingt ans. Les orphelines cloîtrées étaient habillées de rouge, tandis que les virtuoses, les choristes et les autres cantatrices étaient en blanc, peut-être pour donner l'illusion d'anges jouant de manière divine des partitions célestes. Selon certains, la vie derrière les murs des instituts n'était pas très monacale. Rumeur fondée ou malveillance ? Qu'importe, puisque seule comptait la musique. Il est vrai que les concerts de ces demoiselles rapportaient des sommes considérables aux Ospedali.

En ce XVIIIe siècle, si les mélomanes venaient des quatre coins de l'Europe jusqu'à Venise, ce n'était pas seulement pour les innombrables opéras nouveaux qui s'y jouaient à chaque carnaval. Les développements les

tion, l'émulation était forte parmi les jeunes filles. Elles étaient notamment séparées en deux groupes : celles qui étaient dépourvues de talent musical ou les moins douées étaient cloîtrées comme des nonnes, les autres jouissaient de plus de liberté. Les meilleures étaient parfois même autorisées à se produire en ville

plus récents de la musique instrumentale ou l'occasion d'acquérir un instrument de valeur avaient des attraits certains, mais peut-être pas aussi émoustillants que la possibilité de rédiger un carnet de notes et de souvenirs personnels. Virtuose du violon, Antonio Vivaldi jouissait d'une grande popularité à l'étranger, surtout depuis la parution en 1711 de son ensemble de douze concertos intitulé *L'Estro armonico*. Ce raz-de-marée de sonorités nou-velles attira les visiteurs les plus distingués à la Pietà, où ils se bousculaient pour assister à un concert dirigé par le maître en personne. Adulé comme un prince, la situation de Vivaldi à la Pietà, qu'il négligeait de plus en plus au profit de la composition, était pourtant incertaine. Il fut même renvoyé de son poste pour une courte durée.

Partition du concerto RV 237 de Vivaldi, 1717, dédié au maître de chapelle de la Cour de Dresde, Johann Georg Pisendel.

Avec le temps, l'opéra devint une meilleure source de revenus pour le pauvre *Prete rosso* (Prêtre roux). Il quitta brièvement Venise pour Mantoue, où il fut maître de chapelle de la Cour. Finalement, toutes ces entreprises ne lui souriaient guère, même s'il était désormais l'un des compositeurs les mieux payés. Il revenait invariablement à son refuge de la Pietà.

À partir des années 1730, son œuvre se fit moins abondante alors que la Cité des Doges était toujours plus avide de nouveauté musicale. L'Ospedale réagit en diminuant son salaire en proportion : l'orchestre se devait en effet de rapporter de l'argent à l'institution.

Alors que souverains et aristocrates de l'Europe entière tenaient toujours la musique de Vivaldi en haute estime, Venise s'en détourna. Une fois encore, Antonio quitta sa ville natale pour tenter sa chance auprès de l'un de ses éminents protecteurs. Âgé de 62 ans, il s'établit donc à Vienne où il comptait proposer ses services à l'empereur Charles VI. Malheureusement, celui-ci décéda peu avant l'arrivée du compositeur. Moins d'un an plus tard, le 28 juillet 1741, Vivaldi mourut, indigent et oublié, dans la capitale autrichienne. Il fut enterré, comme les prêtres les plus pauvres, dans le cimetière de l'hospice de la ville, que l'on ferma au XIXe siècle. La modeste tombe du grand compositeur n'a jamais été retrouvée.

Francesco Guardi, Un concert d'orphelines, *1782. Huile sur toile, 67,7 x 90,5 cm, Alte Pinakothek, Munich.*

San Giorgio dei Greci

Cette église, au campanile incliné par l'affaissement de ses fondations, accueillait la communauté grecque de Venise – d'où son nom. La Grèce était alors située dans la zone d'influence de la Cité des Doges. Après la chute de Constantinople en 1453, repoussés par l'expansionnisme ottoman, de nombreux Grecs se réfugièrent dans leur métropole. En 1470, le Conseil des Dix réduisit leurs lieux de culte à une seule chapelle en l'église San Biagio. Au début du XVIe siècle, la papauté se rapprocha de l'Église d'Orient et, en 1514, le pape Léon X autorisa la construction à Venise d'un édifice où serait célébré le culte grec orthodoxe. Commencé en 1539, il fut consacré en 1561 et couronné d'un dôme en 1571. À ce moment, les relations entre Rome et les Grecs s'étaient fortement détériorées. Heureusement, Venise poursuivait une politique religieuse des plus tolérantes : elle ignora tout simplement les interdits du Pape. À côté de son église, la communauté grecque édifia un collège, une « scuola » et des habitations privées et elle disposa de son propre cimetière.

Vivaldi y enseigna (voir p. 426). En 1741, l'architecte Giorgio Massari entama la construction d'un nouvel édifice, consacré en 1760, qui devait offrir une acoustique idéale.

La Pietà (Santa Maria della Visitazione)

Connu des Vénitiens sous le nom plus court de « Pietà », ce sanctuaire appartenait au plus célèbre des orphelinats vénitiens, dont il jouxtait les bâtiments. Fondée en 1346 sous le nom d'*Ospizio degli Esposti* (hospice des « exposés », c'est-à-dire des enfants abandonnés), l'institution était sous la protection du pape et du doge. Chaque année, au dimanche des Rameaux, ce dernier visitait avec une suite nombreuse ce qui est devenu l'Ospedale della Pietà. Il y écoutait les chœurs des orphelines, dont l'enseignement était particulièrement axé sur la musique. Au XVIIIᵉ siècle, le compositeur et violoniste Antonio

San Giovanni in Bragora

Cima da Conegliano :
Le baptême du Christ, 1493-1494
Bois, 210 x 350 cm

L'église est si ancienne que nul ne connaît la signification du mot « Bragora ». Peut-être vient-il du grec *agora* (place), du vénitien *brago* (boue) et *gora* (canal), ou encore de *bragolare* (pêcher). Il ferait alors allusion à un marché aux poissons, sur le site duquel fut construite l'église avant 1090. L'extérieur du sanctuaire doit son style gothique, mâtiné de Renaissance, à un remaniement entamé en 1475.

Cette église abrite plusieurs autels richement décorés, dont le plus intéressant est le maître-autel avec le *Baptême du Christ* de Cima da Conegliano (vers 1459-1517). Son thème se réfère à saint Jean-Baptiste, à qui le sanctuaire est dédié. Les montagnes et le château à l'arrière-plan ne sont pas sans rappeler les environs de Conegliano, la patrie du peintre.

La Scuola di San Giorgio degli Schiavoni

La côte orientale de l'Adriatique apparte-nait à la zone d'influence vénitienne : très tôt, la Cité des Doges avait voulu sécuriser cette région en la débarrassant, par la force ou par des traités, des redoutables pirates qui y sévissaient. Dès le début du xve siècle, des Dalmates (*Schiavoni*, pour esclavons ou slaves) se fixèrent dans la lagune. Ils s'y firent marchands, artisans ou marins. Beaucoup finirent comme rameurs sur les galères, suite aux défections de plus en plus nombreuses des Vénitiens et de l'expansion concomitante de la marine. Les galé-riens en effet n'étaient pas des esclaves – comme ce fut le cas dans l'Antiquité – mais des hommes bien payés et des citoyens à part entière. Les Dalmates étaient dès lors très demandés en raison de leur force, mais surtout pour leurs qualités de navi-gateurs.

Les Dalmates de Venise obtinrent l'autorisation de constituer une Scuola, dont les règles (« mariegole ») furent ratifiées par le Conseil des Dix le 19 mai 1451. Ils se choisirent pour patrons saint Georges, saint Tryphon et saint Jérôme. L'édifice était à la mesure de leurs moyens financiers, c'est-à-dire modeste. Il fut construit au milieu du xve siècle, sur les ruines d'un monastère de l'ordre de Saint-Jean de Jérusalem, par un architecte de l'Arse-nal, Giovanni de Zan, ache-vé d'une façade par ou dans le style de Jacopo Sansovi-no en 1551.

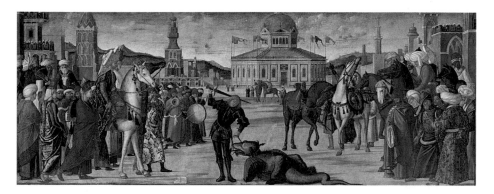

**Vittore Carpaccio : *Le triomphe de saint Georges*,
1502-1507**
Huile sur toile, 141 x 360 cm

À l'intérieur, la salle des Dalmates est couverte d'un beau plafond à solives apparentes. Les membres de la Scuola ont voulu la décorer en commandant une dizaine de toiles à Vittore Carpaccio (vers 1455-1525). Ses réalisations illustrent surtout la vie des trois saints protecteurs des Dalmates et celle du Christ. Longtemps tenu pour l'un de ces peintres « primitifs » qui œuvrèrent du XIIIᵉ au XVᵉ siècle, Carpaccio a été redécouvert et réhabilité par le XIXᵉ siècle romantique, avide de scènes évocatrices, hautes en couleurs et très fouillées. Il s'est fortement inspiré de la *Légende dorée* de Jacques de Voragine (archevêque de Gênes mort en 1298). Celle-ci raconte en effet qu'un dragon vivant dans un lac proche de la ville de Silcha, en Lybie, exigeait un tribut régulier de chair fraîche : bétail, mais aussi êtres humains. La fille du roi elle-même allait être sacrifiée lorsque, grâce au signe de la Croix, un preux chevalier prénommé Georges put triomphalement vaincre l'animal, qu'il transperça de sa lance. À l'aide d'une laisse improvisée (la ceinture de la victime libérée), il ramena à Silcha le dragon blessé et la princesse. En remerciement, le roi et la reine se firent baptiser. *Le triomphe de saint Georges* est l'une des trois toiles où Carpaccio met en présence Georges et le dragon. Scène centrale, elle dépeint le retour du chevalier et de sa victime dans la ville. L'épée levée évoque la mort prochaine de la bête. À gauche, le couple royal se tient auprès de la princesse libérée dont, juste derrière, un orchestre célèbre à sa façon la libération. Personnages exotiques et architectures empreintes de fantaisie sont typiques de l'art pictural de Carpaccio. Des esquisses révèlent le degré de précision qu'il atteignait dans la préparation de ses compositions, même si la réalisation finale est ici attribuée avec certitude à l'un de ses élèves.

Vittore Carpaccio :
Le Christ au Mont des Oliviers, 1501-1503
Huile sur toile, 141 x 107 cm

Contrairement à la *Légende dorée*, le thème du Jardin des Oliviers ne prête ni à la fantaisie, ni à une ornementation riche ; il impose le dépouillement. Carpaccio interprète le concept de « mont » littéralement : le Christ en prière est agenouillé sur une colline rocheuse, au pied de laquelle ses disciples se sont endormis, terrassés par le sommeil après une longue veille. De la manière dont le peintre les décrit, il semble que les Apôtres n'ont guère fait d'efforts pour rester éveillés : commodément allongés, ils ont oublié l'extrême péril qui guette leur maître.

Cette scène nocturne révèle la maîtrise avec laquelle Carpaccio joue avec les contrastes de lumière, une lumière qui se fait irréelle et divine lorsqu'elle enveloppe le Christ, le rocher pointu situé derrière lui et les extrémités de l'olivier.

Vittore Carpaccio :
Saint Augustin dans son cabinet de travail, 1501-1503
Huile sur toile, 141 x 210 cm

Saint Augustin ne fait pas partie des saints patrons de la Scuola. Carpaccio a ici fixé le moment où ce dernier, assis à sa table de travail, rédige une missive

destinée à saint Jérôme. Il lui demande son aide pour une étude sur les bienheureux au Paradis. Décédé à cet instant précis, saint Jérôme lui communique sa réponse par l'intermédiaire d'un songe : un mortel est dans l'impossibilité de porter un quelconque jugement sur le Paradis.

Ainsi la scène évoque-t-elle, quoique d'une manière détournée, la mort de saint Jérôme et constitue-t-elle de cette façon la fin du cycle pictural qui lui est consacré. L'histoire de la lettre de saint Augustin et du songe était bien connue aux XVe et XVIe siècles. Carpaccio dépeint avec une minutie fascinante un cabinet de travail de la fin du Moyen Âge. Les nombreux livres superbement reliés évoquent l'érudition extrême d'Augustin. Plus étonnante est la petite collection d'objets d'art sur le mur gauche. La pénombre générale de la pièce est percée par la chiche lumière dorée émanant de grands chandeliers situés de part et d'autre de la scène. La table de travail est digne de celle d'un chercheur actuel : elle est surchargée de livres et d'un fouillis d'objets les plus divers. *La vocation de Matthieu* et *L'histoire des saints Jérome et Tryphon* sont deux autres chefs-d'œuvre du maître présents.

Le carnaval de Venise

En 1979, de jeunes Vénitiens férus de théâtre et de culture eurent l'idée de faire revivre dans toute sa splendeur un carnaval bridé et éteint depuis un malheureux décret de Napoléon : l'Empereur redoutait la force subversive des masques. De nos jours, au cours de la semaine qui précède le mercredi des Cendres, la

Pietro Longhi, Masques au Ridotto *vers 1757, Biblioteca Querini Stampalia, Venise. Dans les* Ridotti *(maisons de jeux et de plaisirs), les nobles conservaient leur incognito grâce aux masques.*

place Saint-Marc et les ruelles avoisinantes grouillent d'indéfinissables créatures multicolores. Le carnaval de Venise actuel est à nul autre pareil : dans un cadre romantique à souhait, aux tons adoucis par un pâle soleil hivernal, se croisent en silence d'énigmatiques et fugaces silhouettes sorties des brumes du passé et de fantastiques apparitions aux formes les plus étranges et les plus colorées. Pas de musique tonitruante, pas de char, pas d'exubérance déplacée, pas de peau dénudée. Mais le carnaval de la rue est avant tout celui des touristes, les Vénitiens se retrouvant plutôt dans des fêtes privées.

Il en allait tout autrement au XVIIIe siècle. Venise était alors une fête perpétuelle. Les masques étaient présents toute l'année durant : ils offraient la possibilité de s'encanailler incognito. Ils proliféraient entre le 26 décembre et le mercredi des Cendres. Leurs jeux anonymes dominaient alors la vie quotidienne de la société vénitienne tout entière. Certains masques, dont la « bauta », n'étaient pas considérés comme des déguisements : ils étaient portés presque en permanence. Cette « bauta » se composait d'un capuchon de soie noire et d'une capeline de dentelle qui cachaient cheveux, oreilles et cou. Elle était complétée par une grande cape (le « tabarro »), par un tricorne noir et par un masque blanc qui couvrait presque entièrement le visage. Tout un cha-

Gabriel Bella, La réception des ambassadeurs au Collegio, *avant 1792, huile sur toile, Biblioteca Querini Stampalia, Venise.*

cun, homme ou femme, pauvre ou riche, pouvait porter cette tenue qui était même imposée lors de certaines cérémonies, telles le couronnement du doge ou l'accueil d'une haute personnalité étrangère. En règle générale, la « bauta » était de mise le soir, après les Vêpres. Elle était interdite à l'église pour certaines fêtes religieuses et entre le 16 et le 26 décembre.

La mode vénitienne des masques offrait des avantages et des libertés proprement inconcevables aux yeux des étrangers. Alors que partout en Europe les distinctions de classe étaient reflétées par l'habillement, elles étaient, à Venise, gommées par les masques. Hommes et femmes se métamorphosaient en créatures à l'apparence asexuée. Le pauvre jouait au riche et le riche se faisait passer pour pauvre. Le plus honnête des bourgeois fréquentait incognito les salles de jeux les plus mal famées. Portant le pantalon, épouses et demoiselles se déplaçaient librement. L'amour, si important dans la culture de l'époque, se déclinait sur tous les tons : les rendez-vous galants se faisaient au vu et au su de tous, les

Gabriel Bella, La promenade des masques le jour de la Saint-Étienne, *avant 1792, huile sur toile, Biblioteca Querini Stampalia, Venise.*

tabous étaient abolis et les interdits… interdits. Les différences de goût et de richesse s'exprimaient au seul niveau de la « bauta » – (par une dentelle de Burano plus ou moins fine) et du « tabarro » (par une soie plus ou moins noble). Pas uniquement réservée au Carnaval, la « moretta » était très appréciée des dames, dont elle cachait les sentiments. Ce masque de velours troué de deux grands yeux absents était tenu sur le visage au moyen d'un bouton fixé à l'arrière et fermement serré entre les dents. Le silence en résultant permettait tous les flirts et toutes les possibilités offertes par le langage gestuel. Petite cape multicolore, la populaire « zenale » (ou « zendale ») pouvait aussi se porter sur la tête. Le « domino » était un ample manteau à capuche pareil à la robe d'hiver que les ecclésiastiques portent sur le surplis : un accoutrement idéal pour le quiproquo ! Si les masques étaient d'un usage courant tout au long de l'année, les costumes traditionnels se faisaient somptueux et évoluaient vers les formes les plus insolites au cours du seul carnaval. C'est en 1268 que les déguisements furent mentionnés pour la première fois. Pendant la République, le carnaval n'était pas la fête silencieuse que Venise connaît aujourd'hui : la ville était transformée en un pandémonium joyeux et débridé. Des hommes vêtus de papier ou de fourrure déambulaient en braillant des chansons obscènes ; d'autres habillés en femmes accostaient les passants. Des groupes de pseudo-nourrissons traînaient dans les rues, critiquant dans un langage enfantin la politique et les derniers scandales. Les « mattacini » ne parlaient guère : ils se contentaient de porter un tablier contenant des œufs remplis d'eau de rose ou d'autres parfums, des œufs qu'ils lançaient galamment aux jolies femmes. Ils ne dédaignaient pas d'envoyer d'autres œufs, pourris ceux-là, à la tête d'un participant peu sympathique. Ensuite venaient les innombrables masques empruntés à la Commedia dell'Arte, les déguisements caricaturant une corporation, une nationalité ou un quelconque groupe social distinctif : un raide Anglais côtoyait une caquetante dame de Burano, un syphilitique et un docteur de la peste. Certains jours, comme le premier du carnaval (le 26 décembre), les masques se rencontraient sur la Piazza San Marco. Avant 1647, ils se regroupaient sur le Campo Santo Stefano. Les riches se gardaient bien de porter leurs plus beaux vêtements et leurs plus précieux bijoux, une loi interdisant de faire étalage de luxe à ces dates. Il ne s'agissait alors que de flâner, de voir et d'être vu. Le soir s'ouvraient les théâtres et les maisons de jeux fermés depuis le 16 décembre. Une nouvelle saison de divertissements commençait. L'un des moments forts du carnaval était la fête du « Giovedi Grasso » qui se tenait le « jeudi gras » sur la Piazzetta. En souvenir de la victoire de Venise sur le patriarche d'Aquilée, la

Giovanni Grevembroch, Gli habiti de' Veneziani, *XVIIIᵉ siècle, Museo Correr, Venise.*

Gabriel Bella, Le jeudi gras sur la Piazzetta, *avant 1792, huile sur toile, Biblioteca Querini Stampalia*

corporation des forgerons égorgeait des taureaux, incarnations de ces patriarches, auparavant condamnés symboliquement par le doge. Leur chair était partagée entre la Signoria, les pauvres et les condamnés à mort. Chaque année, le campanile se parait de nouvelles structures de soie. Un audacieux travailleur de l'Arsenal descendait le long d'une corde tendue depuis le sommet de cette tour jusqu'au balcon du palais ducal pour offrir un bouquet de fleurs au doge : c'était le *svolo dell'angelo* (le vol de l'ange). Les Niccolotti et les Castellani, habitants des quartiers rivaux de San Niccolò et de Castello, cherchaient à se surpasser en habilité, notamment dans les *Forze di Ercole* (les Forces d'Hercule), d'impressionnantes pyramides humaines. À la fin de la journée, ces deux communautés participaient ensemble à une danse mauresque, combat rythmé entre Chrétiens et Maures, qui se clôturait invariablement par un feu d'artifice. Les barrières sociales étaient supprimées, pauvres et riches faisaient la fête tous ensemble dans la ville. En autorisant que tout soit (momentanément) permis, le Sénat désamorçait ainsi mécontentements et insatisfactions : le carnaval et les autres fêtes émaillant le cours de l'année agissaient comme autant de soupapes de sécurité.

Santa Maria Formosa

Le quartier de Santa Maria Formosa fut l'un des premiers lieux de peuplement de Venise. Selon la légende, en l'an 639, la Vierge apparut à saint Magne, évêque d'Oderzo (Frioul), non pas sous la forme d'une jeune fille mais sous l'aspect d'une femme mûre bien en chair (*formosa* en ita-

lien). La Madone lui ordonna de construire une église sur l'île. En 1492, l'architecte Mauro Codussi utilisa les fondations d'un édifice du xɪᵉ siècle pour élever une nouvelle construction, dont la structure imitait la partie centrale, à coupole, de la basilique Saint-Marc. Le plan à trois nefs est donc celui d'une croix latine superposée à la croix grecque des fondations. Les formes pures qui définissent la composition de

intérieure du bâtiment se devinent également de l'extérieur par les absides lisses et cylindriques du chevet.

La façade

Deux des façades de l'église ont été réalisées aux frais de la famille Cappello. Il était alors courant, pour des riches Vénitiens, de financer l'aménagement au sein d'un édifice religieux, d'un emplacement dédié à l'un ou l'autre de leurs parents. À quelques exceptions près, la République ne permettait pas l'érection de statues commémoratives.
Même dans les palais familiaux, une espèce de code non écrit interdisait toute glorification ostentatoire de membres de la parentèle. C'est pour ces raisons que se multiplièrent ces « façades familiales » transformées en monuments funéraires. Comparés à d'autres, les Cappello sont restés relativement modestes. En 1542, ils firent bâtir leur frontispice face au canal en l'honneur de Vincenzo Cappello (mort en 1541), qui avait vaincu les Turcs. Ils com-

mandèrent un sarcophage sur lequel se trouve la statue du grand homme. En 1604, ils financèrent la façade sur le Campo, ornée des bustes d'autres Cappello. Commencé en 1611, le campanile baroque fut achevé en 1688. Sa porte est ornée d'un masque à l'expression outrancière.

Le Palazzo Querini Stampalia

Après 1522 et pendant près de 350 ans, cet édifice de style Renaissance a été, sans discontinuer, la résidence de la famille Querini Stampalia après son retour des îles grecques. Il se dresse sur une petite place, derrière Santa Maria Formosa. Il fut en partie dévasté par les révolutionnaires de 1849. En décembre 1869, le comte Giovanni Querini Stampalia, qui était un homme de science, légua bâtiment, mobilier, peintures et livres à la ville de Venise. Il laissait une somme importante pour gérer une fondation, en demandant que soient ouverts et entretenus une bibliothèque et un musée exposant ses collections. Toutes les pièces du palais devaient en outre conserver leur aspect originel. En expansion permanente, la bibliothèque contient aujourd'hui plus de 150 000 livres : elle est réservée avant tout aux chercheurs.

L'entrée

Au début des années 1960, l'entrée et le rez-de-chaussée du palais ont été réaménagés et restructurés par l'architecte vénitien Carlo Scarpa (1906-1978), l'un des promoteurs de l'architecture italienne d'après-guerre, qui refit également les jardins. Avec ses matériaux favoris (béton, bronze, briques et marbres), il créa les contrastes les plus surprenants : il anima les espaces par des oppositions nouvelles entre le rectiligne et le courbe, entre le froid d'un béton gris ou d'un marbre poli et la chaleur de l'airain ou du rouge soyeux de tuiles découvertes. Le sous-sol du palais a lui aussi été réorganisé par Scarpa : des échappées et des espaces intérieurs invitent à « revisiter » le bâtiment. Le visiteur est ainsi amené, de manière imperceptible, vers les salles d'exposition. Autrefois, le rio di Santa Formosa, qui sépare l'édifice de la petite place et en épouse les contours, envahissait et inondait régulièrement le sous-sol du palais. Les réaménagements en ont évidemment tenu compte.

Pietro Longhi : *Le mariage,* avant 1755
Huile sur toile, 62 x 50 cm

La collection Querini Stampalia comprend plus de 700 œuvres se rapportant à toutes les époques de la peinture vénitienne. Elle possède entre autres une vaste collection de toiles de Gabriel Bella (1730-1799) mettant en scène la vie quotidienne dans la Venise du XVIIIᵉ siècle, ainsi qu'une série de tableaux de Pietro Longhi (1702-1775). Observateur attentif de son temps et ami de Goldoni, ce dernier délaissa la fresque pour se consacrer avec ironie et distance à la peinture de genre. *Le mariage* appartient à une suite « consacrée » aux sept sacrements. Ici, l'artiste a représenté le moment précis où le prêtre bénit l'union d'un couple. La jeunesse du prêtre, des servants et des futurs mariés contraste cruellement avec l'âge avancé du personnage arrivant de la gauche et de celui qui somnole, appuyé sur une colonne à l'arrière-plan. Cette dernière est le seul élément architectural qui permette de préciser l'intérieur de l'église, par ailleurs diffus : la scène se concentre essentiellement sur le sacrement du mariage. Seule la mariée est mise en relief par le rouge-saumon de ses vêtements, qui contraste avec les tons brun clair et crème du décor. Le rose de sa robe paraît s'être diffusé sur ses tendres joues. Les caractéristiques des personnages secondaires ont incité certains à voir dans cette scène un mariage entrepris secrètement contre la volonté des familles concernées.

Jacopo Palma il Vecchio :
Paola Priuli et Francesco Querini, **1528**
Huiles sur toile, 80 x 72 cm et 85 x 79,5 cm

Ces deux toiles nous montrent les portraits de Francesco di Zuanne di Niccolò Querini Stampalia et de son épouse Paola Priuli di Zan Francesco. C'est vraisemblablement à l'occasion de leur mariage, le 28 avril 1528, que fut entamée la construction ou la reconstruction du palais. Les deux peintures ont été réalisées, ou du moins commencées, pendant la période de leurs fiançailles. Le portrait de Paola Priuli n'est pas tout à fait terminé, ainsi qu'en témoignent manifestement l'aspect des manches et des mains : le peintre Jacopo Palma l'An-cien, de son vrai nom Jacopo Negretti (vers 1480-1528), est décédé le 30 juillet 1528, soit trois mois après le mariage de ses commanditaires. Les portraits de Paola et de Francesco se trouvent devant une niche arrondie, à côté d'un pilastre surmonté d'un simple chapiteau. Curieusement, Paola est figurée en plan plus rapproché que son mari. Peut-être la toile était-elle destinée à être pendue plus haut, à moins qu'elle n'ait été réalisée alors que le portrait de Francesco avait déjà été livré. Sans ce premier modèle, Palma aurait inconsciemment choisi un angle de vue légèrement différent. Quoi qu'il en soit, cette différence n'importe plus guère aujourd'hui.

Sebastiano Bombelli :
Portrait en pied de Gerolamo Querini
en procurateur de Saint-Marc, **vers 1669**
Huile sur toile, 236 x 161 cm

Sebastiano Bombelli :
Portrait en pied de Paolo Querini
en procurateur de Saint-Marc, **vers 1684**
Huile sur toile, 213 x 152 cm

Bombelli (1635-1719) était tenu pour l'un des meilleurs portraitistes de son temps. Il travailla à Venise avant de peindre pour les grandes familles princières d'Italie. Ce célèbre portrait de Gerolamo Querini est une représentation picturale typique du baroque. Revêtu de l'habit de sa fonction, le jeune vénitien inspire le respect.

Les Querini appartiennent à l'une des familles les plus anciennes de Venise. Une des branches dut se réfugier dans l'île grecque de Stampalia de 1310 à 1522, d'où le nom de Querini Stampalia. Leur influence, jusqu'à la fin de la République, est attestée par les nombreux portraits de ses membres dans de hautes fonctions.

Giovanni Battista Tiepolo :
Portrait d'un procurateur et amiral
de la famille Dolfin, **1749-1750**
Huile sur toile, 235 x 158 cm

Au siècle dernier, cette œuvre était tenue pour le portrait d'un procurateur de la famille Querini. Pourtant, elle n'apparaît nulle part dans les anciens inventaires du palais. Elle n'est mentionnée que vers 1850, mais comme provenant du palais Dolfin. Le personnage est donc probablement un membre éminent des Dolfin. À la fin des années 1720, Tiepolo avait réalisé pour cette famille dix grandes toiles reprenant des scènes extraites de l'histoire de Rome. La comparaison avec les tableaux de Bombelli suffit pour reconnaître la supériorité manifeste de Tiepolo : le rouge plus profond, l'arrière-plan architectural fouillé et le regard de dédain que semble porter le personnage sur le spectateur suggèrent le respect. Ces caractéristiques font du sévère procurateur une personnalité puissante. L'étrange gant blanc offre peut-être

un indice capital quant à son identité : Daniel IV Dolfin avait été sérieusement blessé à la main gauche au cours d'un combat héroïque livré près de Metellino.

La chambre à coucher

Son intéressante collection d'œuvres d'art n'est pas le seul attrait du palais Querini Stampalia. De nombreuses salles et chambres ont préservé l'atmosphère d'une typique demeure aristocratique de la Veni-se du XVIIIᵉ siècle. Ainsi, cette chambre à coucher abrite-t-elle de superbes meubles laqués de la fin de l'époque rococo, ainsi que de quelques tableaux et d'une tapisse-rie particulièrement précieuse qui décrit les divertissements de plein air auxquels participaient les nobles pendant la saison d'été.

Gabriel Bella :
La procession de la Fête-Dieu
sur la place Saint-Marc, avant 1792 (?)
Huile sur toile, 95 x 147,5 cm

La galerie possède un autre trésor mettant en scène la vie quotidienne de Venise au XVIIIᵉ siècle : il s'agit d'une série de 67 toiles réalisées par Gabriel Bella. D'une manière naïve ou plus achevée mais dont la représentation des architectures est toujours plus aboutie que celle des personnages, il représente les fêtes, les jeux et les processions qui ponctuaient l'existence des Vénitiens, en particulier celle des nobles et des membres du gouvernement. Cette toile dépeint la procession de la Fête-Dieu. On y reconnaît l'allée couverte en bois, installée pour protéger les nombreux spectateurs des ardeurs du soleil. Longhi s'était fait peintre de genre en croquant le plus souvent les aristocrates et les salons huppés du XVIIIᵉ siècle ; Guardi et Canaletto étaient des védutistes spécialisés dans la représentation des structures architecturales urbaines ; Bella se consacra essentiellement à décrire la vie même de la cité. Son œuvre, d'une qualité artistique relative, constitue une des meilleures sources de connaissance des us et des coutumes de Venise.

Pietro Longhi :
La chasse dans la lagune, vers 1760
Huile sur toile, 57 x 74 cm

Cette scène de chasse au canard dans la lagune appartient au cycle des toiles où Pietro Longhi s'attachait à rendre l'atmosphère du plein air. Le rendu des personnages n'est pas dédaigné pour autant, ainsi qu'en témoignent l'individualité et la physionomie des rameurs à l'arrière de la barque. Ici, Longhi réussit à capturer l'ambiance d'une journée brumeuse : l'eau de la lagune apparaît polie comme un miroir et la lumière du soleil transforme le brouillard en une masse humide et dorée. Le vide inhabituel de la scène devait constituer un défaut de composition aux yeux des contemporains de l'artiste. En réalité, il renforce davantage l'impression de solitude imprégnant ce jour d'automne pourtant ensoleillé.

Giovanni Bellini : *La présentation au Temple,*
vers 1460
Bois, 82 x 106 cm

Cette *Présentation au Temple* est assurément l'un des chefs-d'œuvre de Giovanni Bellini. La toile est la conséquence d'une querelle entre le peintre et son beau-frère Andrea Mantegna, qui avait créé sa propre version de l'événement (ce tableau est aujourd'hui à Berlin). Selon la coutume juive, la Vierge Marie amène son enfant nouveau-né au temple pour le présenter au grand prêtre. Outre les personnages habituels (Marie, le prêtre Siméon, la prophétesse Anne) auxquels se sont joints saint Joseph et une servante, deux jeunes hommes apparaissent à droite. Chez Mantegna déjà, on observe de tels jouvenceaux qui n'appartiennent pas à la galerie des caractères traditionnellement représentés dans une telle scène.

La Scuola Grande di San Marco

Couronnée de trois frontons allongés au sommet arrondi, décorée à profusion de reliefs et de coûteuses incrustations de marbres polychromes, la façade est l'expression de l'importance et de la richesse de la Scuola di San Marco, l'une des six *Scuole Grandi* (confréries majeures) de Venise, avec Santa Maria della Carità, San Giovanni Evangelista, Santa Maria di Valverde, San Rocco et San Teodoro. En conjonction avec l'église dominicaine Santi Giovanni e Paolo et la statue équestre de Bartolomeo Colleoni, la façade confère un charme tout particulier à cette petite place ouverte sur le Rio dei Mendicanti. On peut parfois voir circuler, sur ce petit canal, une embarcation munie d'une lampe bleue : il s'agit d'une ambulance vénitienne. En 1815 en effet, les Autrichiens ont détruit le grand escalier et transformé la Scuola en hôpital, ce qu'elle est demeurée jusqu'à nos jours.

Le premier siège de cette institution de bienfaisance fondée en 1260 se trouvait dans le voisinage de l'église Santa Croce. En 1437, après des négociations avec les Dominicains, la Scuola fut transférée sur le Campo Santi Giovanni e Paolo. Les éminents architectes Bartolomeo Buon et Antonio Rizzon participèrent à la construction de ses nouveaux locaux. Les travaux de décoration intérieure se poursuivirent jusque dans les années 1470.

Peu de temps après, le 30 mars 1485, le bâtiment fut ravagé par un incendie. Dans les jours suivant le désastre, le Consiglio dei Pregadi décida d'allouer pendant deux années une somme mensuelle de cent ducats à la reconstruction de l'édifice. Dans le même temps, la Scuola contractait un emprunt de deux mille ducats. Les travaux furent alors confiés à Pietro Lombardo et à son fils, qui venaient de réaliser l'élégant portail de la Scuola di San Giovanni en 1481. Les coûts des travaux devenant prohibitifs, la confrérie décida d'en remettre le parachèvement à un autre architecte en vue, Mauro Codussi. Ce dernier réalisa les trois frontons arrondis. En 1495, dix ans après l'incendie, la façade était terminée.

La vieille confrérie de San Marco avait pour protecteur le saint patron de la ville. Regroupant un certain nombre de citoyens éminents et influents de Venise, elle s'était, au cours du Moyen Âge et de la Renaissance, auréolée d'un prestige sans égal. Son opulence ne se remarquait pas seulement dans la décoration quelque peu outrancière de la façade mais aussi dans la multiplicité des trésors artistiques que le nouveau bâtiment renfermait en son sein. La décoration interne se poursuivit de la fin du xve siècle jusqu'au début du xviie siècle. Aujourd'hui, la plupart de ses peintures ont été regroupées dans les Gallerie dell'Accademia, comme certaines œuvres de l'atelier de Bellini et le célèbre cycle de la légende de saint Marc, réalisé par Tintoret.

Tullio Lombardo :
La guérison de saint Anien, 1487-1489

Les reliefs de marbre décorant les baies aveugles du soubassement de la Scuola sont l'œuvre de Tullio Lombardo, le plus talentueux des fils du grand Pietro Lombardo. Ils illustrent divers épisodes de la légende de saint Marc, comme la guérison du cordonnier Anien à Alexandrie. Le visage pitoyable, assis sur le sol, le pauvre homme tend sa main blessée par une alêne à saint Marc. Ces personnages de pierre sont figés dans une espèce de fenêtre sculptée dans la façade, donnant l'illusion d'une peinture similaire à celles qui ornent souvent les palais vénitiens. Cette similitude ne devait pas échapper aux contemporains de Tullio Lombardo (vers 1455-1532). Il est d'ailleurs plus que vraisemblable que l'artiste ait dû mettre ici son travail en balance avec des décorations peintes. De fait, il aura facilement pu revendiquer la longévité de ses reliefs comparée à l'éphémère de la peinture. Quoi qu'il en soit, Tullio semble avoir tenté de travailler la pierre comme une œuvre purement picturale, en assurant un rendu élaboré des personnages par des reliefs de profondeurs différentes et sur plusieurs plans. Les personnages jaillissent en saillie sur un fond peu travaillé et presque plat. L'effet de perspective est ainsi assuré.

Tullio Lombardo :
Le baptême de saint Anien,
1487-1489

Convaincu par sa guérison miraculeuse, le cordonnier Anien (Anianus) se laissa baptiser par saint Marc. L'ancien artisan se fit missionnaire et devint même le premier évêque d'Alexandrie. De même que le lion placé sur le côté de l'entrée, les deux reliefs illustrant la légende de saint Marc sont conçus pour être admirés de loin. C'est en effet à distance que les rendus plastiques du sculpteur sont le mieux mis en valeur.

Tullio Lombardo impressionnait déjà ses contemporains par sa faculté d'exprimer une sensibilité extrême par des jeux de physionomie ou par le langage des corps. On louait, entre autres, sa connaissance de la sculpture antique dont les œuvres lui servaient de modèle. Son style fortement antiquisant incita d'ailleurs les historiens d'art à supposer que le jeune Vénitien s'était rendu en personne à Rome pour y étudier l'art ancien : un tel savoir n'était pas concevable autrement. On sait en fait que Tullio possédait une tête sculptée de l'Antiquité, qu'il étudiait sous toutes les facettes et qu'il prenait souvent pour modèle. Quoi qu'il en soit, il avait tellement enthousiasmé ses contemporains, qu'il figure en bonne place dans le traité *De sculptura* rédigé vers 1504 par l'érudit padouan Pomponius Gauricus.

Quand la peste noire ravageait la Cité des Doges

De toutes les épidémies qui ont désolé l'humanité, la peste est celle qui reste la plus terrifiante. Pourtant, après avoir régulièrement endeuillé les peuples de l'Antiquité, elle avait largement épargné l'Europe médiévale. Sa principale zone de diffusion se limitait – et se limite encore aujourd'hui – aux steppes de l'Asie centrale. Au printemps 1347, des Tatars assiégèrent sans succès la ville de Caffa, un comptoir commercial de Crimée alors aux mains des Génois. Obligés de lever le camp et décimés par la peste, ils catapultèrent par dépit des cadavres infectés par-dessus la muraille de la ville. Avec la reprise du trafic maritime, les bateaux de Caffa se firent les véhicules du germe. Une galère vénitienne débarqua bientôt dans la Cité des Doges un équipage mal en point… et des rats noirs contaminés. De mois en mois, l'épidémie poursuivit sa progression mortelle en Europe, n'épargnant même pas l'Islande.

De 1348 à 1352, plus de 25 millions de personnes périrent – le tiers de la population européenne. À Venise, elle emporta plus de la moitié des habitants, dont les deux tiers du Grand Conseil. Aucune mesure ne semblait capable d'enrayer la diffusion de cette maladie inconnue qui se transmettait rapidement d'un être humain à l'autre. Finalement, au début du XVe siècle, les autorités de Venise mirent en place une mesure simple, à l'efficacité tou-

Tintoretto, Saint Roch, *1583-1587, Scuola Grande di San Rocco, Venise. Saint Roch était particulièrement révéré pendant les épidémies de peste.*

tefois relative. Tout navire en provenance d'une zone contaminée était mis en quarantaine avant de pouvoir débarquer. Restaient les rats… que l'on ne pouvait évidemment contrôler. Entretenant des rapports fructueux avec l'Orient, Venise paya un tribut régulier à la maladie – tous les 20 à 50 ans entre 1348 et 1630. Ce bilan doit toutefois être nuancé : le mot « peste » désignait alors toutes sortes de contagions différentes. La peste véritable se présente en fait sous deux formes. La peste pulmonaire, très grave, se traduit par une pneumonie qui se transmet directement d'un être humain à l'autre. Les principaux symptômes en sont des expectorations sanglantes, la suffocation et le bleuissement de la peau. La mort intervient en quelques jours. La peste bubonique, elle, résulte de l'envahissement du système lymphatique par un bacille injecté par la piqûre d'une puce. Elle se manifeste par le gonflement suppuré des ganglions, les bubons, dont la taille dépasse parfois 10 cm. Lorsque ces derniers crèvent – ou lorsqu'ils sont intentionnellement ouverts – la guérison reste possible. En revanche, si le bacille pénètre dans les voies sanguines, la maladie évolue vers sa forme pulmonaire, à moins qu'apparaissent sur la peau des taches noirâtres qui s'ulcèrent. L'issue fatale est alors inéluctable. Cette coloration cutanée et ce trépas inévitable sont à l'origine de l'expression « Mort Noire ». Il existe encore d'autres variétés de pestes, moins dan-

Giovanni Grevembroch, Gli habiti de' Veneziani, Le médecin de la peste, *XVIIIᵉ siècle, Museo Correr, Venise.*

gereuses. Ceux qui survivent à ce fléau acquièrent une immunité de longue durée. Cette diversité de formes rendait particulièrement difficile le diagnostic porté par un médecin du Moyen Âge. Tel fut le cas en l'an 1575, lorsque se déclarèrent les premiers cas d'une épidémie à Venise. Les médecins de la ville et les services de santé se révélèrent incapables d'iden-

Hans Makkart, La Peste dans Florence *(2ᵉ partie), 1868, huile sur toile, 103 x 204,5 cm, collection Georg Schäfer, Schweinfurt. Cette lugubre version des réactions des hommes face à la peste ne concerne pourtant pas Florence ; il s'agit en fait d'une évocation des sept péchés capitaux ou de l'une des « plaies » par lesquelles le Seigneur punissait les humains.*

tifier avec certitude la maladie. Aussi long-temps que subsista le doute, son évolution fut tenue secrète pour ne pas nuire au commerce de la République. Et pourtant, cette poussée de peste bubonique fut l'une des plus sévères de l'histoire de la cité. Elle fut aussi l'une des mieux documentées : apparemment, de nombreux malades y survécurent et témoignèrent de leur expérience. L'épidémie dis-

parut en 1577 aussi vite qu'elle avait commencé. Désormais, avant même que les médecins ne donnent un diagnostic , les « Proveditori alla Sanità » (services de santé) entreprirent l'isolement des malades. Des hôpitaux furent spécialement créés pour accueillir les victimes. Le plus souvent, ces dernières étaient brûlées dans leur maison après la visite d'un médecin ou d'un aide-soignant venu constater leur décès. Le médecin enfilait alors un costume protecteur, dérisoire défense contre la Mort Noire, dont le grotesque même (et peut-être le pouvoir d'effroi) en a fait l'un des accoutrements favoris du carnaval. Imaginez un long manteau recouvrant la totalité du corps, un masque prolongé d'un long bec d'ibis pour cacher le visage et un chapeau aux larges bords. Bourré d'herbes médicinales aux vertus antiseptiques, ce long nez était supposé constituer une barrière efficace contre la maladie et contre les miasmes émanant des malades. Il en allait tout autrement des « infirmiers ». L'État recrutait de force des prostituées pour assister le personnel des hôpitaux. Des condamnés à mort, auxquels on promettait la libération en cas de survie, étaient chargés de collecter les cadavres, de brûler leurs possessions et d'assurer l'isolement des malades survivants. Les Vénitiens nommaient ces étranges assistants des « picegamorti ». En outre, la ville recrutait sur la terre ferme des pauvres intrépides qui venaient en masse, attirés par les salaires très élevés et sans doute aussi par la possibilité de détrousser les morts. Volontaires ou contraints, ces auxiliaires étaient soumis à un régime dont les maîtres mots étaient corruption, vice et sadisme.

À côté d'eux œuvraient dans l'abnégation la plus totale quelques volontaires particulièrement charitables.

La ville disposait de deux hôpitaux : un ancien où étaient amenés morts et mourants, et un nouveau où étaient conduits les cas suspects et les malades chez qui la peste ne s'était pas encore totalement développée. Avec le temps et avec la multiplication des épidémies, ces deux institutions se révélèrent insuffisantes. Venise réquisitionna alors des bateaux. Bourrés de vivres, desservis uniquement par des médecins et par des prêtres, ces navires accueillaient les riches pestiférés. Certains les ont décrits comme des « îles de joie flottant sur une mer de malades et de morts », d'où le soir résonnaient chants et prières. Y accostaient les parents des malades, pour une simple visite ou pour assurer leur ravitaillement. De temps à autre, une personne rétablie y célébrait sa guérison par une fête. Des épisodes de démence collective et la recherche effrénée de responsables – les « empoisonneurs de peste » – apportèrent aussi leurs lots de victimes à l'autel de l'épidémie. N'accueillant que les morts et les mourants, l'ancien hôpital était une véritable succursale de l'Enfer, soumise à l'accumulation des immondices, à la puanteur, à l'arbitraire des auxiliaires, aux vagues de suicides et aux crises d'hystérie. Un peu mieux loti, le nouvel hôpital fut alors comparé au Purgatoire, où tout espoir de guérison n'était pas perdu.

La situation se dégradait malheureusement avec le temps. Ainsi, de juillet 1575 à février 1576, quelque 3 500 pestiférés perdirent la vie ; ils furent 46 000 l'année suivante, soit près d'un quart de la population de Venise. Ceux qui le pouvaient quittaient la ville. Restaient dans la cité les pauvres, les malades et un gouvernement dont les membres ne méritaient plus guère le titre de « Seigneurs de la Lagune ». La religion était le seul espoir.

C'est ainsi qu'en juillet 1576, à l'apogée de l'épidémie, la Signoria fit le vœu d'ériger une église dès que la ville serait débarrassée de ce fléau. En février 1577, le nombre de nouveaux malades avait déjà fortement diminué. En juillet de la même année, la peste avait enfin abandonné la Cité des Doges. Le Sénat confia alors à Andrea Palladio la construction d'un sanctuaire sur la Giudecca, l'église dite « Il Redentore ». Depuis le 21 juillet 1577, cet édifice est devenu le site d'un pèlerinage annuel qui se perpétue encore aujourd'hui. Une autre église votive doit sa construction à la peste, Santa Maria della Salute, qui a été érigée à la suite de la dernière grande épidémie qui frappa Venise au cours des années 1630-1631, lorsque près du tiers de la population succomba. Chaque 21 novembre, de nombreux Vénitiens visitent encore la Salute et les actions de grâce se poursuivent pendant une semaine entière. Par la suite, la ville fut épargnée par les épidémies.

Il Redentore, l'église votive érigée après la peste qui frappa Venise de 1575 à 1577.

San Zanipolo (Santi Giovanni e Paolo)

Deux ordres mendiants rivaux ont abordé Venise pratiquement au même moment : celui des Franciscains, fondé en 1210, et celui des Dominicains, créé en 1215. Du doge Jacopo Tiepolo (1229-1249), ils reçurent des terrains éloignés du centre du pouvoir qu'était la place Saint-Marc. Les deux domaines étaient en outre éloignés l'un de l'autre – une précaution qui ne fut pas inutile si l'on considère les querelles théologiques qui opposèrent les deux communautés au cours des siècles. Placés à l'écart des riches protecteurs potentiels, les frères étaient réduits à accepter les maigres dons de la population locale. Les édifices respectifs des deux ordres furent érigés à la même époque. C'est ainsi qu'en 1234, les Dominicains entamèrent la construction d'une église gothique triomphale au plan en croix latine à trois nefs et cinq absides, qui fut consacrée en 1430. Cette appellation de « Zanipolo » est la contraction en dialecte vénitien des prénoms Giovanni et Paolo : l'édifice était en effet dédié à ces deux martyrs romains du IIIe siècle.

Le portail

En 1458, un don particulièrement généreux permit aux Dominicains d'agrémenter leur église d'un grandiose portail. Le problème fut d'intégrer la nouvelle structure à l'ancien frontispice gothique en briques roses. Antonio Gambello se chargea de la dessiner. L'architecte pensa à un revêtement de pierres plates, comme ce fut le cas lors de remaniements ultérieurs. Ses six colonnes grecques en marbre proviennent d'une église disparue de Torcello. Ce portail qui ouvre sur une place que les Vénitiens ont baptisée « Campo des Merveilles » associe de manière intéressante les formes gothiques, comme les arcs en ogive, et les éléments plus modernes de la Renaissance, comme cet entablement garni de rinceaux.

Le chœur vu de l'extérieur

Le chœur de l'église San Zanipolo est l'un des exemples les plus élégants et les plus élaborés du style gothique vénitien dans l'architecture religieuse. L'un des plus typiques aussi. Une telle structure est rarissime à Venise, où elle apparaît également dans l'église franciscaine des Frari. Cette coïncidence prouve que la rivalité entre les deux ordres s'exprimait jusque dans la configuration de leurs sanctuaires respec-

tifs. L'élargissement géographique de leur influence a permis d'introduire d'autres tendances stylistiques. Ainsi, les Dominicains écartèrent les architectes vénitiens au profit d'un maître venu d'Émilie-Romagne.

L'intérieur

On sait que les Dominicains eurent toujours à cœur de lutter contre les valeurs vénitiennes. Ainsi, ils refusèrent de coiffer leur sanctuaire d'une charpente découverte, si commune à Venise, pour privilégier les voûtes sur croisées d'ogives, technique également utilisée par les Franciscains. De larges arcs arrondis apparaissent bien, mais non les voûtes emmurées communes sur la terre ferme, mais trop lourdes pour les terrains marécageux cédés aux Dominicains. Ceux-ci adoptèrent une solution typiquement vénitienne : des voûtes faites d'un entrelacs de roseaux recouvert d'une couche de crépi. Vue d'en bas, cette structure ne semble guère différente d'un plafond de pierre. De grands tirants de bois stabilisent la construction. De cette manière, les arcs peuvent être très largement écartés les uns des autres, accentuant ainsi l'effet d'espace. L'ensemble ne sera plus remanié après l'enlèvement des stalles du chœur en 1682. Le volume de l'église est ainsi particulièrement mis en valeur. À l'instar de nombreux autres sanctuaires, San Zanipolo accueille encore aujourd'hui une foule de fidèles lors de certaines occasions.

Les tombeaux des doges à San Zanipolo

Les églises des ordres mendiants constituaient des lieux de sépulture fort appréciés. L'intercession des moines mendiants
devait – croyait-on – augurer d'un meilleur
verdict lors du Jugement dernier. Le caractère vertueux et la pauvreté volontaire de
ces religieux rejaillissaient sur le défunt.
Avant son décès, sa tombe avait été
construite à grands frais dans l'église et de
nombreuses messes pour le repos de son
âme avaient déjà été réservées. Représentants de l'Inquisition, les Dominicains
entretenaient de très bons rapports avec
l'État. Dans de nombreuses villes, ils s'atti-
rèrent les faveurs des autorités – bien plus
que leurs éternels rivaux franciscains, plus
aimés de la population. À Venise, leurs
relations avec les dirigeants de la ville
étaient particulièrement étroites, puisque
toutes les affaires de l'Église étaient entre
les mains du gouvernement. En prenant
bien soin d'entretenir les meilleurs
contacts possibles avec l'État, l'ordre mendiant des Dominicains se rapprocha graduellement du pouvoir. San Zanipolo
devint ainsi un lieu de sépulture pour
vingt-cinq doges.

Tombeau du doge
Andrea Vendramin († 1478), p. 476

Tombeau du doge
Pietro Mocenigo († 1476), p.

Tombeau du doge
Tomaso Mocenigo († 1423), p. 475

La localisation des tombeaux
1 Tombeau du doge Alvise Mocenigo († 1577)
2 Tombeau du doge Pietro Mocenigo († 1476)
3 Tombeau des doges Bertuccio († 1658)
   et Silvestro († 1700) Valier
4 Tombeau du doge Michele Morosini († 1382)
5 Tombeau du doge Leonardo Loredan († 1521)

6   Tombeau du doge Andrea Vendramin († 1478)
7   Tombeau du doge Marco Corner († 1368)
8   Tombeau du doge Sebastiano Venier († 1578)
9   Tombeau du doge Pasquale Malipiero († 1462)
10 Tombeau du doge Tomaso Mocenigo († 1423)
11 Tombeau du doge Giovanni Mocenigo († 1485)

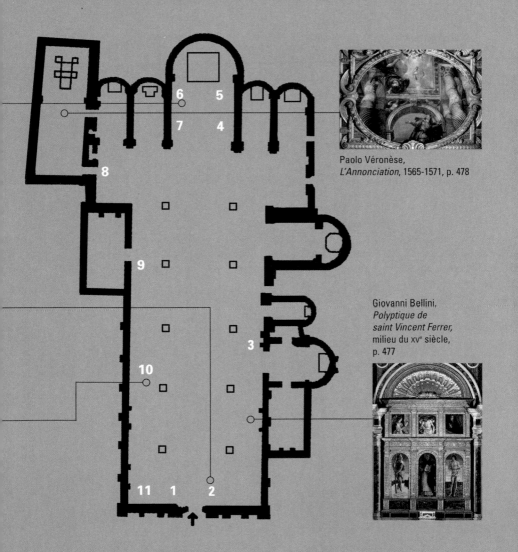

6   5

7   4

8

9

3

10

11   1   2

Paolo Véronèse,
L'Annonciation, 1565-1571, p. 478

Giovanni Bellini,
*Polyptique de
saint Vincent Ferrer*,
milieu du xvᵉ siècle,
p. 477

Pietro Lombardo :
Tombeau du doge
Pietro Mocenigo, après 1476

Toute allusion au caractère éphémère de la vie sur terre est bannie du monument funéraire du doge Pietro Mocenigo. L'atelier de Pietro Lombardo l'a en effet représenté sous la forme d'un fier chevalier en armure, dressé sur son cercueil. La statue est flanquée de deux enfants, dont l'un (à gauche) porte un bouclier aux armes de la famille. Le sarcophage est orné de deux reliefs évocateurs des succès politiques du doge. Sur la gauche sont illustrées la prise de Smyrne par Mocenigo et la cession de Famagouste à la fameuse Catherine Cornaro – et donc à la république de Venise, alors gouvernée par Pietro Mocenigo. Les niches latérales abritent de nombreux guerriers : héros antiques rappelant les hauts faits militaires

de Pietro ou saints en armures ? Nul ne le sait vraiment. Un bas-relief comportant la tombe vide du Christ entourée des trois saintes femmes couronne le monument.

Plus haut encore s'élève la statue du Sauveur. Le thème central du mausolée exprime la foi dans la Résurrection et dans une vie après la mort.

**Pietro di Nicolò Lamberti
et Giovanni di Martino
da Fiesole : *Tombeau du doge
Tomaso Mocenigo*, 1423**

C'est en 1423 que fut réalisé le tombeau d'un autre doge issu de la famille des Mocenigo. Il n'est pas l'œuvre de sculpteurs vénitiens, mais bien d'artistes toscans. Le monument a en effet été signé par deux Florentins fortement inspirés par Donatello. Cette influence est particulièrement manifeste dans le traitement des personnages. Un soldat, dans le coin du sarcophage, est clairement inspiré du célèbre saint Georges créé par Donatello pour l'église d'Orsanmichele à Florence. Le baldaquin coiffant le monument et le sarcophage aux figures vertueuses sont toutefois bien vénitiens.

De plus, le mausolée n'offre pas ces formes purement renaissantes que l'on attendrait par exemple de la statuaire florentine. Ce style composite, intermédiaire entre le gothique et la Renaissance, restera courant à Venise jusqu'à la fin du xvᵉ siècle.

Tullio Lombardo :
Tombeau du doge Andrea Vendramin,
vers 1495

Érigé vers 1495, ce tombeau n'était pas, à l'origine, destiné à l'église San Zanipolo. Situé autrefois dans le sanctuaire des Servites, il n'y fut transféré qu'en 1812. À l'instar des monuments funéraires des Mocenigo, il a été réalisé par l'atelier des Lombardo et partiellement par Tullio, le sculpteur le plus talentueux de la famille. Ses qualités artistiques sont évidentes lorsqu'on le compare au tombeau de Pietro Mocenigo : les reliefs sont plus finement ciselés, les personnages plus délicats et en même temps plus animés. Dans cette œuvre tardive des Lombardo, le défunt est représenté en gisant. L'architecture globale du tombeau est celle d'un arc de triomphe antique. Les trois jeunes personnages regroupés autour du cercueil expriment toute leur tristesse. Ce sentiment est omniprésent dans les représentations qui ornent le monument : depuis les vertus dont les symboles figurent sur le sarcophage, jusqu'aux prières pour la rémission des péchés terrestres, représentés dans les reliefs des arcs en plein cintre, là où le défunt s'agenouille devant la Vierge.

Giovanni Bellini :
Polyptique de saint Vincent Ferrer, vers 1465

Giovanni Bellini n'a vrai-semblablement pas réalisé la totalité de cette œuvre, dont certaines parties (trois scènes de la prédelle) sont souvent attribuées à Lauro Padovano. La construction de l'autel fut commandée par la confrérie de saint Vincent Ferrer. Celui-ci était un dominicain espagnol de la fin du xive siècle, qui s'efforça de mettre fin aux querelles religieuses qui opposaient les partisans des différents papes élus simultanément. Il est sur-tout connu pour ses prédi-cations du Carême. De nombreuses personnes tou-chées par ses exhortations à la pénitence le suivirent au cours de voyages qui les menèrent au travers de l'Es-pagne et de la France. S'il parvint à convertir des fidèles par milliers, Vincent

y gagna aussi de nombreuses inimitiés. En 1419, peu après sa mort qui advint en Bretagne, il fut choisi pour saint patron d'une nouvelle confrérie. Les membres de cette dernière se consacrèrent dès lors à de strictes actions de pénitence et mirent tout

en œuvre pour faire canoniser leur men-tor, ce qui fut fait dès 1458. Ses adeptes vénitiens se sentirent tenus, pour leur part, d'installer dans une église un autel orné d'une représentation de ce nouveau saint.

Paolo Véronèse : *L'Annonciation*, 1565-1571
Huile sur toile, 340 x 435 cm

Dès l'origine, la Cappella del Rosario a abrité un ensemble intéressant d'art vénitien du XVIᵉ siècle. En 1575, cette chapelle était devenue le siège de la Scuola del Rosario, fondée en l'honneur de la victoire navale de Lépante, qui avait eu lieu quatre ans plus tôt, le 7 octobre 1571, jour où les chrétiens célébraient la Vierge du Rosaire. En raison des énormes avantages politiques que représentait ce succès pour Venise, il

fut décidé que la chapelle serait richement décorée. Ainsi, le plafond fut recouvert d'une profusion de sculptures et de dorures et les murs disparurent derrière de nombreuses toiles, dont une *Crucifixion* de Tintoret et des œuvres de son fils Domenico, de Palma le Jeune et de Francesco Bassano. Au cours de l'été 1867, une *Madone* de Giovanni Bellini et *Le martyre de saint Pierre* de Titien – la toile la plus précieuse de l'église – y furent placés pour permettre la rénovation de la chapelle gauche du chœur. La nuit du 16 août, l'impensable se produisit :

un incendie éclata, qui détruisit non seulement les trésors de la chapelle, mais aussi le chef-d'œuvre de Titien (on en voit aujourd'hui une copie). Au cours des travaux de restauration (entamés en 1913 et toujours en cours), on y transféra la peinture de Paolo Véronèse qui décorait le plafond de l'église détruite de l'Umiltà. Voilà pourquoi la chapelle du Rosaire est à nouveau parée d'œuvres du XVIᵉ siècle : avec son plafond rénové, son architecture restaurée et son autel réalisé par Alessandro Vittoria et Girolamo Campagna, elle est redevenue un superbe exemple de « cappella » de la Renaissance.

Le siège des Doges, XVIIᵉ siècle

C'est sur ce somptueux siège garni de riches brocarts que s'installait le doge lorsqu'il assistait à un office religieux dans l'église Santi Giovanni e Paolo. Ce sanctuaire était également le point d'arrivée de nombreuses processions solennelles dirigées par le chef de l'État. San Zanipolo jouait notamment un rôle

particulièrement important après le décès de l'un des maîtres de la Cité : un long cortège y amenait alors en grande pompe l'auguste dépouille vers sa dernière demeure.

Andrea Verrocchio :
Statue équestre de Bartolomeo Colleoni,
1481-1494

Bergamasque d'origine, le condottiere Bartolomeo Colleoni devint capitaine général de l'armée vénitienne. Dans son testament, il légua la totalité de ses nombreux biens à la République. Il y mit toutefois une condi-tion, justifiée par ses prouesses guerrières et par de bons et loyaux services rendus à la République de Venise : que l'on érige une statue à sa mémoire sur la place Saint-Marc. Malheu-reusement, il était stricte-ment interdit d'y ériger un quelconque monument commémoratif – encore moins à la gloire d'un étran-ger, soldat de fortune de surcroît. Désireux de s'ap-proprier l'une des plus grandes fortunes de l'époque, le Sénat profita de l'existence d'une autre place San Marco, en face de la Scuola Grande di San Marco, pour y placer la sta-tue du Colleone. Comman-de fut donc passée au Flo-rentin Andrea Verrocchio d'une statue équestre en bronze. Selon Marino Sanu-do le Jeune, un chroniqueur du XVIe siècle, l'avancement des travaux était suivi avec admiration par tout Venise. L'artiste avait déjà entamé la délicate tâche du moulage lorsqu'il décéda subitement. C'est le Vénitien Alessandro Leopardi qui assura le coulage de la statue et son installation. Il a également réalisé, et fièrement signé, le piédestal. C'est pourquoi il ne fait aucun doute que la statue est bien l'œuvre de Verrocchio.

San Francesco della Vigna

Le nom de ce sanctuaire – Saint-François-de-la-Vigne – semble évoquer les vignobles dont aurait été planté le terrain au Moyen Âge. En 1253, l'opulente famille patricienne des Ziani offrit ce terrain aux franciscains, qui y firent bâtir leur deuxième église vénitienne. Mais celle-ci est toujours restée dans l'ombre de la prestigieuse église des Frari, même après sa reconstruction entamée en 1534 par Jacopo Sansovino. La clarté et l'harmonie des proportions ont fait de ce nouvel édifice en croix latine à nef unique un exemple typique de la haute Renaissance vénitienne, au style tout empreint de sobriété. L'imposante façade illustrée ici a été commencée en 1562. Les franciscains et leurs donateurs ne s'adressèrent plus cette fois à Sansovino, alors presque octogénaire, mais firent appel à Andrea Palladio, tenu alors pour le meilleur architecte de la ville. Celui-ci avait déjà fait la preuve de son immense talent à San Giorgio Maggiore. À la fois majestueuse et massive, la façade de San Francesco della Vigna peut paraître pourtant plus inexpressive et plus dépourvue de caractère que d'autres chefs-d'œuvre de Palladio. Son architecture plus austère et moins fouillée résulte probablement de la déplorable situation géographique du sanctuaire, qui se dresse en effet au milieu d'un quartier fortement urbanisé et n'est donc pas visible avec suffisamment de recul. Palladio a cru répondre à ce problème de perspective par une simplification austère des éléments architectoniques et un jeu de formes géométriques. C'est ainsi que le frontispice imitant l'entrée d'un temple antique n'est pas sans rappeler celui de San Giorgio Maggiore, mais en plus petit et en moins impressionnant.

L'Arsenal

Tout au long du Moyen Âge, le plus grand chantier naval de Venise produisit navires marchands et navires de guerre. En 1570, en moins de deux mois, on y fabriqua une centaine de galères destinées à combattre les Turcs. Une telle productivité semble inconcevable dans les autres installations de l'Europe préindustrielle. Cette rapidité est due à l'extrême rationalisation des étapes de construction en une sorte de travail à la chaîne. Les *arsenalotti* (ouvriers de l'Arsenal) œuvraient en équipes qui se succédaient en suivant le processus de fabrication : les unes édifiaient la coque, d'autres en assuraient le calfatage ; certaines étaient chargées du gréement et d'autres de l'armement ou de l'approvisionnement. Occupant jusqu'à 16 000 ouvriers répartis sur une superficie de plus de 25 hectares, l'arsenal était alors la plus grande entreprise du monde chrétien – et peut-être bien du monde entier. Au XIIIᵉ siècle déjà, Dante avait décrit l'arsenal dans sa *Divine Comédie*, au chant XXI de *L'Enfer* : il en dépeignait l'activité trépidante, le bruit, la saleté, l'odeur et la chaleur qui, à ses yeux, en faisaient un véritable enfer sur terre. Le chroniqueur Philippe de Commynes, quant à lui, la considérait comme « la plus belle chose qui soit au monde ».

bâtiments du site sont bien plus anciens : ils ont été érigés entre le XVIᵉ et le XVIIIᵉ siècle. Le plus impressionnant reste la « Tana », un édifice d'une extrême longueur destiné au stockage et à la fabrication des cordages et des voiles.

Les tours de guet de l'entrée de l'Arsenal

Par peur des attaques, mais plus encore des espions susceptibles de percer les secrets de la construction navale et de l'armurerie vénitiennes, l'arsenal fut très tôt entouré d'un haut mur de pierre. L'entrée du canal reliant les darses à la lagune fut gardée par deux tours à partir de 1574. Il est possible de franchir le goulet en prenant un vaporetto. Le paysage architectural qui se présente alors au visiteur évoque une zone industrielle du XIXᵉ siècle. Pourtant, la plupart des

Le portail

En 1460, l'arsenal fut doté d'un portail dont la majesté reflète l'importance qu'avait le chantier naval pour la cité. Antonio Gambello l'a conçu, avec ses colonnes, comme une sorte d'arc de triomphe à l'antique sur le modèle d'un

monument commémoratif du Ier siècle érigé à Pola, en Istrie, alors dans la sphère d'influence vénitienne. De fait, le portail de l'Arsenal est la première construction de Venise nettement influencée par l'Antiquité, cette tendance étant d'ailleurs l'une des principales revendications de la Renaissance. Avec le temps, le portail s'est vu compléter par des statues qui commémorent les victoires navales et donc la force militaire de la Cité des Doges. Le Lion ailé – celui de saint Marc – au-dessus de l'entrée souligne l'appartenance du bâtiment à l'État et les deux lions grecs assis de part et d'autre de l'entrée ont été ramenés d'Athènes après la reconquête de la Morée par Francesco Morosini en 1687.

San Pietro di Castello

Aujourd'hui encore, on remarque que le quartier de Castello était bien éloigné du centre du pouvoir vénitien. Les bâtiments autour de San Pietro ont été érigés sans aucun faste. On n'y croise aucun palais, mais de simples habitations dans un environnement par ailleurs inhabituellement verdoyant. C'est là que se trouvait depuis 1091 l'évêque de la République, puis à partir de 1451 le patriarche de Venise. Depuis longtemps déjà l'église romaine avait été obligée d'accepter d'abandonner toutes ses prérogatives au doge. D'ailleurs quel contraste entre la somptueuse basilique Saint-Marc et ce sanctuaire austère et si sobrement décoré, érigé de 1594 à 1596 par un architecte peu connu, Francesco Smeraldi, probablement sur des plans d'Andrea Palladio.

Les jardins de la Biennale

Depuis 1895, Venise accueille tous les deux ans une exposition d'art contemporain. Dès 1907, des pavillons érigés dans les vastes Giardini Pubblici (« jardins publics ») abritèrent l'événement. Véritable parc, ce cadre de verdure avait été créé en 1810 sur l'ordre de Napoléon. Pour cela, il avait fallu abattre plusieurs églises, des couvents et même un hôpital destiné aux marins pauvres. Là, à l'extrémité orientale de la principale île de la Cité des Doges, vivaient depuis toujours dentellières, pêcheurs et gens de mer. Ils furent tous expulsés du quartier. Le parc est resté un corps étranger à Venise. Les touristes ne s'y intéressent que tous les deux ans, lorsque s'ouvrent ses portails sur la Biennale. Les pavillons des différentes nations n'ont pas été bâtis en même temps : ils constituent à eux seuls une espèce de résumé de l'évolution de l'architecture moderne. Les plus intéressants sont celui des Pays-Bas (1954, de Gerrit-Thomas Rietveld) et celui, en bois, de la Finlande (1956, d'Alvar Aalto). Carlo Scarpa, l'architecte vénitien le plus célèbre de notre siècle, a réalisé le pavillon du Venezuela (1954-1956). Le pavillon allemand a été construit à la fin des années 1930 : il est un bon exemple de l'architecture nazie. Le pavillon autrichien est dû à Josef Hoffman (1934).

Les pavillons nationaux de la Biennale

1 Espagne
2 Belgique
3 Pays-Bas
4 Italie
5 Finlande
6 Hongrie
7 Brésil
8 Autriche
9 Pologne
10 Égypte
11 ex-Yougoslavie
12 Roumanie
13 Grèce
14 Israël
15 États-Unis
16 Pays nordiques
17 Danemark
18 Tchéquie
19 France
20 Grande-Bretagne
21 Canada
22 Allemagne
23 Japon
24 Russie
25 Venezuela
26 Suisse
27 Ruines du pavillon des Livres, érigé en 1950 par Carlo Scarpa.

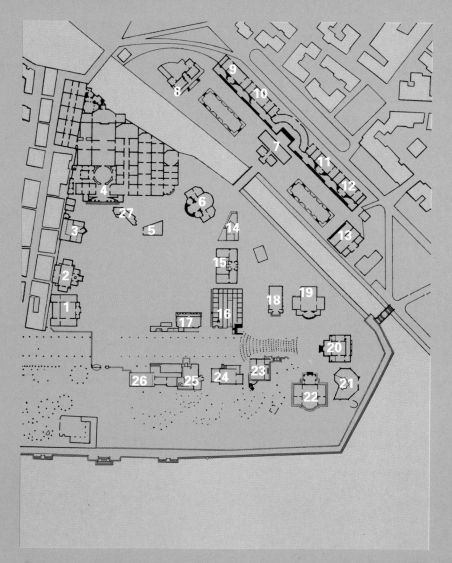

Le Lido

Séparant la lagune de la
mer, la plage sablonneuse
du Lido est longue de 12 km
et large de 4,5 km. Dès
1860, elle fut l'une des premières stations balnéaires
huppées d'Italie. Des fastes
de la Belle Époque, elle n'a
conservé que quelques
hôtels prestigieux qui se
dressent sur la promenade
depuis le début du siècle,
comme le « Grand Hôtel des
Bains » (cité dans *Mort à
Venise* de Thomas Mann et
évoqué dans le film homo-
nyme de Luchino Visconti)
et le « Grand Hôtel Excel-
sior ». Alors qu'il symboli-
sait à l'origine les fastes de
la vie balnéaire, le Lido
n'est plus que le synonyme
de plage : les Italiens utili-
sent d'ailleurs plus souvent
le vocable *lido* que *spiaggia*
(plage). Point de ralliement
incontestable de la Jet-Set
internationale, le Casino s'y
transporte l'été quittant le
palais Vendramin-Caler-
gi. Le palais du Cinéma
accueille depuis 1936 le
célèbre festival du Cinéma :
la Mostra de Venise.

San Michele in Isola

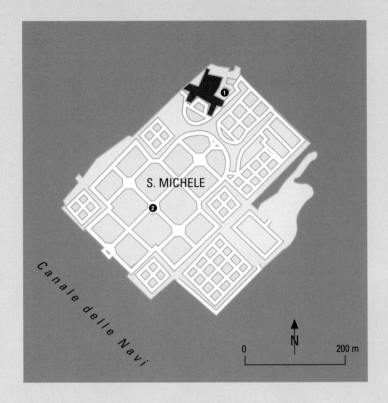

S. MICHELE

Canale delle Navi

0   N   200 m

1 San Michele in Isola
2 Le cimetière
de San Michele

San Michele in Isola

Venant de Venise, le voyageur qui se rend à Torcello, à Burano ou à Murano passe au large d'une petite île dominée par un édifice blanc, visible de loin : San Michele in Isola. Pourvue de sobres façades en pierre calcaire d'Istrie, cette église fut le premier bâtiment Renaissance de Venise. Destiné aux frères camaldules, l'édifice fut commencé en 1469. Il serait la première œuvre du Bergamasque Mauro Codussi. Datant de 1530, la Cappella Emiliana est construite sur une structure hexagonale; sa richesse ornementale contraste fortement avec l'austérité extérieure de l'église. Au xve siècle, le monastère accueillit Fra Mauro, cartographe auteur d'un extraordinaire planisphère.

Le cimetière de San Michele

Enterrer les défunts dans la ville même ou autour des églises n'était pas toujours possible dans une ville comme Venise. Les tombes y étaient à fleur de terre, à cause de l'eau, omniprésente dans le sous-sol. Nombre de visiteurs de la Cité des Doges se plaignaient de l'insoutenable odeur émanant des cimetières urbains. Pire encore : les églises vénitiennes possédaient souvent des fontaines dont les eaux étaient polluées par les grandes marées qui entraînaient les corps en décomposition. San Michele était à l'origine un monastère qui fut fermé, comme tant d'autres institutions similaires, par Napoléon. En 1807, l'empereur promulgua un décret proclamant l'instauration d'un cimetière général destiné à accueillir tous les morts de Venise. Le site choisi était la petite île San Cristoforo della Pace, adjacente à San Michele. En 1836, le canal séparant les deux îles fut comblé pour accroître la superficie du cimetière. À la manière typiquement italienne, le cimetière se divise entre des sépultures murales, des tombes et une sorte de parc où s'élèvent des mausolées richement ornés, à l'apparence ancienne, mais construits avec des moyens et des matériaux modernes. L'« île des Morts » est la dernière demeure de princesses russes, de reines grecques et de personnages célèbres, tels Igor Stravinski, Serge de Diaghilev ou Ezra Pound. Un carré y est réservé aux non-catholiques.

re inspirés de l'Antiquité, comme ils le seront par la suite au cours de la Renaissance. À l'instar d'autres éléments architectoniques du sanctuaire, ils sont décorés de figures géométriques ou végétales. Les structures porteuses de l'architecture contrastent, par les couleurs et les matériaux de construction utilisés, avec le reste du bâtiment. Les murs en sont inhabituellement minces, allégeant ainsi à l'extrême l'aspect de l'église. Cette caractéristique se retrouve dans tous les autres ouvrages de Codussi, son concepteur. Elle est ici particulièrement justifiée à cause d'un sous-sol humide et instable.

L'intérieur et le chœur

Aux yeux du visiteur d'aujourd'hui, l'intérieur de l'église apparaît morne et sombre. L'impression d'abandon est renforcée par les dégâts provoqués par l'eau sur le *pontile*, la galerie du chœur des moines. Malgré l'absence évidente de toute rénovation, on reconnaît encore dans l'architecture les délicats motifs de la haute Renaissance. Les chapiteaux des colonnes ne sont pas enco-

La Cappella Emiliana

Cette chapelle richement décorée constitue un très bon exemple de l'architecture vénitienne du début du XVIᵉ siècle bien qu'elle soit le seul édifice de l'époque à plan centré. Avec ses colonnes torsadées et ses portes en trompe-l'œil, ce petit sanctuaire hexagonal peut être vu comme un écrin, à l'instar de plusieurs autres constructions de l'époque dans la Venise de la

Renaissance. Ce style était particulièrement apprécié des architectes de Bergame. Ces derniers utilisaient certes des formes typiques de la Renaissance, mais y intégraient également des éléments caractéristiques d'un large éventail de styles différents. La Cappella fut érigée en 1530 par Guglielmo dei Grigi, dit Il Bergamasco, grâce à un legs de Margherita Vitturi. Trente ans plus tard, le bâtiment menaçait déjà de s'effondrer. Jacopo Sansovino le restaura et en renforça les fondations. En fait, la faiblesse de l'édifice résultait surtout de la nature d'un sol particulièrement instable, incapable de supporter le poids que représentait la coupole en pierre. Aujourd'hui encore, les dommages ne cessent de s'aggraver. Pourtant, Codussi semble avoir tout fait pour alléger le dôme : l'intérieur est tout à fait évidé. À notre époque, l'extérieur montre une coupole surélevée, faite de plomb mince appliqué sur une structure de bois.

Murano, Burano, Torcello

Murano

Située à 1,5 km de Venise, Murano est la plus grande des îles de la lagune. Peuplée en même temps que son illustre voisine par des réfugiés du continent, elle en partagea la destinée mais acquit une certaine autonomie dès le XIIIe siècle. Elle possédait alors son propre Grand Conseil, son propre chef d'État (choisi parmi les membres de l'élite vénitienne) et un nonce apostolique chargé des relations avec Venise. Elle battait même sa propre monnaie. Son aristocratie jouissait de privilèges identiques à ceux de la noblesse de la Cité des Doges. En 1291, les verriers de Venise furent forcés de quitter la ville pour Murano : les risques d'incendie étaient trop grands. L'activité verrière atteignit bientôt des proportions industrielles et assura la richesse de l'île, et donc de la lagune tout entière. Ses origines et ses traditions remontent vraisemblablement à l'époque romaine. Dès le milieu du XIVe siècle, le verre et les glaces de Murano étaient exportés à l'étranger. Aujourd'hui encore, il est possible d'admirer les verriers au travail. Ils continuent à produire des pièces inspirées des modèles traditionnels, mais certains ateliers se sont spécialisés dans la réalisation de véritables œuvres d'art aux formes sans cesse renouvelées et aux prix très élevés. Installé dans le Palazzo Giustinian, l'ancien siège épiscopal, le musée du Verre est unique en Italie.

Santi Maria e Donato, p. 506

Le Palazzo da Mula, p. 505

San Pietro Martire, p. 503

Autres sites intéressants :
1 Museo dell'Arte Vetraria (musée du Verre)
2 Palazzo Trevisan

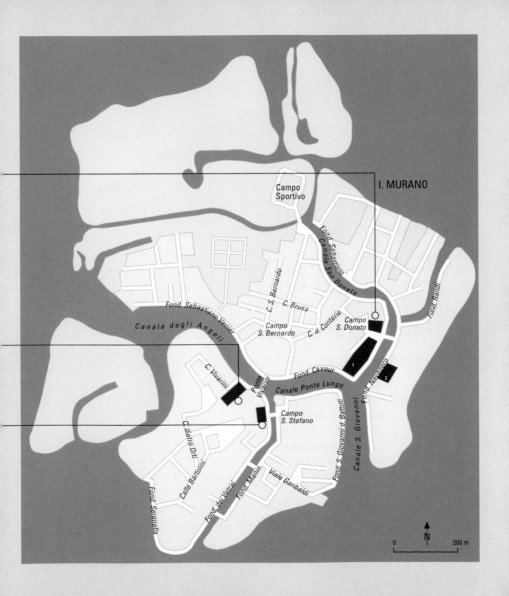

I. MURANO

Campo
Sportivo

Fond. Sebastiano

Canale San Donato

Fond. Sebastiano Venier

Canale degli Angeli

C. S. Bernardo

C. Brusa

Campo
S. Bernardo

C. d. Conterie

Campo
S. Donato

Fond. Randi

Fond. Cavour

C. Vivarini

Ponte Vivarini

Canale Ponte Lungo

Fond. Navagero

Campo
S. Stefano

1

2

C. dietro Orti

Calla Bartolini

Fond. dei Vetrai

Fond. Manin

Viale Garibaldi

Fond. S. Giovanni d. Battuti

Canale S. Giovanni

Fond. Serenella

0   200 m

N

San Pietro Martire

L'intérieur et le chœur

Aujourd'hui église paroissiale de l'île, San Pietro Martire fut fondée en 1348 comme église d'un couvent de dominicains aujourd'hui détruit. Fortement endommagé par un incendie, l'édifice fut presque entièrement reconstruit en 1511. Discrètement mise en valeur par quelques rares ornements de couleur blanche, la façade de brique est typique des églises dominicaines de Venise. En 1808, église et couvent furent fermés et dépouillés de tous leurs trésors par Napoléon.

L'intérieur de l'édifice étonne par sa clarté et par son volume. De grandes fenêtres illuminent le vaisseau central et les nefs latérales. Après la réouverture du sanctuaire en 1813, les œuvres dérobées par les Français furent remplacées par d'autres, venues d'églises abandonnées ou détruites. Toutefois, une impression de vide subsiste : il est clair que le trésor artistique originel n'a pu être reconstitué dans toute son ampleur. Ce qui impressionne le plus, ce sont, dans le chœur, les nombreux et somptueux lustres de cristal blanc suspendus à des chaînes de fer forgé ou fixés à des tirants de bois placés entre les colonnes de la nef centrale. Ces entretoises de bois ont pour but de contrebalancer la poussée des murs : de fait, les voûtes reposent sur des colonnes relativement éloignées les unes des autres.

La sacristie possède notamment des décorations murales de valeur comprenant des scènes de la vie de saint Jean-Baptiste sculptées par Pietro Morando. La nef latérale droite abrite, quant à elle, une œuvre de Tintoret qui représente le baptême du Christ.

Giovanni Bellini : *Pala Barbarigo,* **1488**
Huile sur toile, 200 x 320 cm

À l'origine, ce retable appartenait au doge Agostino Barbarigo (1486-1501) qui l'avait placé dans son palais. À la mort de ce notable, il fut légué à l'église Santa Maria degli Angeli. Il est aujourd'hui conservé à San Pietro Martire. On y voit le doge agenouillé, en prière, devant la Vierge. Sur son épaule est légèrement posée la main droite de saint Marc. Ce dernier paraît présenter Barbarigo à Marie et à l'Enfant Jésus. Le regard perdu au loin, la Madone rêve, à moins qu'elle n'écoute intérieurement quelque musique divine jouée par les deux anges présents à ses côtés. Pour sa part, le Christ contemple le vieux doge en lui adressant un signe de bénédiction, deux doigts levés. En face de ce dernier se dresse saint Augustin. Contrairement à la tradition, ce n'est pas lui qui assure la présentation du donateur à Marie, mais bien saint Marc. L'intercesseur traditionnel s'est effacé devant le protecteur du doge, qui est aussi le saint patron de la Sérénissime République. Ainsi, Barbarigo n'est pas représenté en tant que personne, mais en tant qu'incarnation du pouvoir à Venise – une incarnation rendue plus évidente encore par les habits officiels inhérents à sa fonction de doge. La composition de la scène est parfaitement équilibrée, bien que le centre de l'action et des couleurs soit

déporté vers la gauche, là où s'agenouille le doge, entouré d'un halo lumineux réunissant saint Marc d'un côté, la Vierge et l'Enfant de l'autre, et l'ange musicien à l'arrière-plan (les vêtements de Marc et Marie semblant se répondre). À droite, saint Augustin porte des vêtements plus clairs. Derrière lui s'ouvre un paysage montagneux dont la profondeur est accentuée par le contraste avec un horizon d'arbres touffus, situés à l'extrême gauche du tableau. Bellini a fièrement daté et signé ce retable.

Le Palazzo da Mula

Murano s'est peu à peu couverte de demeures entourées de jardins d'agrément, de potagers et de vignobles, si rares à Venise. La Cité des Doges étant plus proche de Murano que de la terre ferme, l'île fut le lieu de villégiature favori de Vénitiens aisés. Érigé au XVe siècle, ce palais fut la résidence d'été de l'un d'entre eux. Malgré des remaniements au XVIe siècle, il a conservé de hautes fenêtres gothiques en ogive.

Santi Maria e Donato

Sur le Campo de San Donato se dressait autrefois une série de palais du XIVe siècle, qui furent abattus en 1815. L'église voisine a heureusement été préservée. Elle est le plus bel édifice de l'île et aussi l'un des plus anciens de la lagune. Sa fondation remonte à la période des grandes vagues de réfugiés au VIIe siècle. Le sanctuaire était alors déjà dédié à la Vierge. En 1125, il fut également consacré à saint Donat lorsque le corps de ce dernier fut apporté de Céphalonie. Les travaux de reconstruction ont commencé peu après ceux de Saint-Marc. L'édifice constitue un bon exemple de style byzantino-vénitien, malgré des restaurations malheureuses entreprises au XIXe siècle (percement de la façade par de nombreuses fenêtres néo-byzantines). L'inhabituelle abside qui se mire sur les eaux d'un canal a été profondément remaniée. Elle se compose de deux étages superposés à base hexagonale dont le second est conçu comme une galerie. L'intérieur n'a conservé que de rares éléments d'origine (ou ajoutés lors des rénovations les plus anciennes) dont un somptueux pavement en mosaïque de marbre daté de 1140 et rappelant celui de San Marco. Il représente une scène allégorique où deux coqs transportent la dépouille d'un renard (symbole de la vigilance chrétienne victorieuse de la luxure et du paganisme). Le pavement a été restauré dans les années 1970 grâce à des fonds américains.

Burano

Avec ses petites maisons multicolores, Burano a gardé le charme d'un ancien village de pêcheurs. L'île attire en fin de semaine une foule de Vénitiens qui aiment venir s'y promener et y déguster des fritures de poissons. Les autres jours, elle se rendort. Burano fut autrefois « l'île de la Dentelle ». Née vers le milieu du XVIᵉ siècle avec l'invention du « punto in aria », la dentelle à l'aiguille constitua l'un des principaux produits d'exportation vénitiens, à l'instar du verre de Murano. Au XVIIIᵉ siècle, l'île fut ruinée par la concurrence des ateliers français qui avaient débauché des ouvrières vénitiennes. La dentellerie a été ravivée dans le courant du XXᵉ siècle, grâce à la création d'une école de broderie. Septuagénaire, sa première enseignante avait appris le métier par tradition familiale. Aujourd'hui, la véritable dentelle de Burano est un luxe : il faut plus de trois ans à une dizaine d'ouvrières pour réaliser une seule nappe.

Torcello

Santa Maria Assunta

Située dans le nord de la lagune, Torcello était déjà un important centre de civilisation avant que Venise ne devienne la reine de la Méditerranée. Pratiquement déserte aujourd'hui, elle conserve un ancien complexe religieux. La cathédrale Santa Maria Assunta abrite la première trace écrite de l'histoire de la lagune : à gauche du chœur est gravée la date de sa fondation, l'an 639, vers la fin du règne de l'empereur byzantin Héraclius. En 638, Torcello avait été choisie comme siège épiscopal.

Remanié à plusieurs reprises du IXe au XIe siècle, puis au XIVe siècle, l'édifice est le plus ancien bâtiment de la lagune. Juste à côté de l'église se dressent les vestiges d'un oratoire du XIe siècle, restauré au XVIIIe. Selon la légende, c'est à cet endroit que la dépouille de saint Marc aurait pour la première fois touché le sol vénitien. Le futur saint patron de Venise aurait d'ailleurs accompli un miracle en assurant une rapide traversée de la Méditerranée à ses sauveurs endormis.

L'intérieur

Simple et solennel, l'intérieur reflète la force d'une architecture qui a pu sans dommage traverser les siècles. L'extrême ancienneté de l'édifice est avérée par un plafond aux poutres apparentes, par les colonnes de marbre et par un pavement de mosaïque du XIe siècle. Le chœur et l'abside principale sont séparés de la nef par une iconostase du XIe siècle, qui est composée de panneaux de marbre qu'encadrent de fines colonnes. Sur les panneaux apparaissent de nombreux animaux en relief (lions, paons et autres oiseaux). Au-dessus des colonnes, une série de peintures réalisées par un maître vénitien du XVe siècle représentent la Vierge et les Apôtres. L'arrondi de l'abside abrite une plate-forme surélevée, entourée d'escaliers de marbre. Du côté droit, se dresse le siège de l'évêque, la « cathedra ». Les mosaïques reprennent le thème de la Sainte Vierge et des Apôtres. La conception du motif remonterait au VIIe siècle. La mosaïque, qui décore aujourd'hui le niveau supérieur de l'abside, date du XIIIe siècle ; les Apôtres ont été réalisés au XIIe siècle. C'est également

dans l'abside que se trouve l'inscription indiquant la date de fondation de l'édifice (l'an 639). Les mosaïques de l'absidiole de droite sont remarquables. Le Christ bénissant trône entre les archanges Michel et Gabriel. En dessous sont représentés des Pères de l'Église : Ambroise, Augustin, Grégoire et Martin. Cette œuvre fut réalisée à la fin du XIIe siècle ou au début du XIIIe par des artistes de l'école de Ravenne. Datant de la même période, un immense *Jugement dernier* en mosaïque et des scènes de l'histoire sainte ornent l'intérieur de la façade : le récit se lit de haut en bas, en six épisodes superposés.

Santa Fosca

Autrefois, la cathédrale de Torcello appartenait à un vaste complexe religieux. L'île s'est peuplée entre le ve et le vi^e siècle, à peu près au moment où Venise accueillait ses premiers habitants. Au xe siècle, Torcello prit une grande importance commerciale : île la plus riche de la lagune, elle comptait plus de 10 000 âmes. C'est à cette époque que furent érigés la plupart de ses grands édifices. Sous l'action de deux rivières (Sile et Dese), les alentours de l'île se transformèrent en marécages ; et, avec la montée de Venise, Torcello fut bientôt abandonnée, mais conserva inchangés de remarquables édifices du Moyen Âge. Juste à côté de la cathédrale se dresse l'église Santa Fosca, construite du xie au xiie siècle, probablement à l'emplacement d'un sanctuaire du viie siècle. Avec l'Oratorio di San Marco et le Baptistère, elle constitue l'arrière-plan de Santa Maria Assunta. Le chevet est décoré de doubles colonnes minces apposées contre de délicats ouvrages de maçonnerie et de quelques frises décoratives. Cette petite église en croix grecque est simple et bien proportionnée. Le chœur agrandi abrite la dernière demeure de Fosca, une martyre de Ravenne.

Le pont du Diable

Aujourd'hui encore, Torcello possède un antique pont dépourvu de parapet, qui enjambe un petit canal. Son aspect périlleux lui a valu le surnom de « pont du Diable ». Selon la légende, il aurait été construit en une seule nuit par le Malin.

Autrefois, de tels ouvrages n'étaient pas rares à Venise. Ils servaient au déroulement d'un jeu traditionnel qui mettait aux prises des représentants de différents quartiers, une espèce de pugilat populaire et ludique qui avait pour but de jeter un maximum de participants à l'eau. Avec le temps, les ponts sans parapet ont fini par disparaître du paysage vénitien.

Annexes

Glossaire

Les astérisques (*) placés après un mot renvoient à une autre entrée de ce dictionnaire.

Abside (du grec *apsis*, « arc, voûte »), niche en demi-cercle ou polygonale, surmontée d'une demi-coupole, pouvant abriter un autel. Prolongeant le vaisseau central ou le chœur de l'église réservé au clergé, elle est aussi appelée exèdre. On trouve souvent de petites absidioles jointes au déambulatoire, au transept ou aux bas-côtés (au croisillon ou aux collatéraux).

Absidiole (du grec *apsis*, « voûte »), chacune des petites chapelles qui s'ouvrent sur l'abside* ou sur le transept.

Accolade, (du latin *ad*, « à » et *collo*, « cou »), Arc* formé de deux courbes symétriques alternativement convexes et concaves, qui couronne les linteaux des portes et des fenêtres.

Albergo (italien pour « auberge, abri »), dans le contexte architectural des Scuole* vénitiennes, salle où se tiennent les réunions des notables en fonction.

Allégorie (du grec *allos* « autre » et *agoreuein*, « parler »), Représentation d'une idée, d'un concept abstrait par une figure pourvue d'attributs* symboliques (par exemple une personnification ou une situation scénique).

Annonciation, selon l'Évangile de saint Luc (1, 26-38), moment où l'ange Gabriel apporte le message à la Vierge et lui annonce qu'elle enfantera le Christ. La représentation de l'Annonciation est un des thèmes picturaux les plus fréquents dans l'art occidental du Moyen Âge et de la Renaissance.

Antiquité (du latin *antiquus*, « ancien »), période de l'histoire correspondant aux plus anciennes civilisations. L'Antiquité classique correspond à l'histoire des Grecs et des Romains jusqu'aux grandes invasions. En Occident, elle se termine en 476 après J.-C., lorsque le roi barbare Odoacre dépose le dernier empereur d'Occident, Romulus Augustulus. En Orient, sa fin est marquée par la dissolution de l'Académie platonicienne (529 après J.-C.) par l'empereur Justinien Ier (482-565).

Apothéose (du grec *apotheoun*, « déifier, transfigurer »), Déification d'un être humain, d'un héros ou d'un souverain après sa mort.

Apôtre (du grec *apostolos*, « envoyé »), Chacun des douze disciples choisis par Jésus-Christ pour prêcher l'Évangile. Le mot désigne aussi ceux qui ont été les premiers messagers de l'Évangile (saint Paul, saint Barnabé).

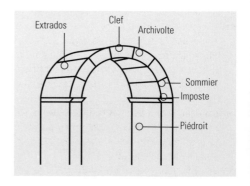

Arc (du latin. *arcus*, « arc »), construction courbe encadrant une baie, pour soulager la charge ou la transférer sur des piliers ou des colonnes. Le claveau central, situé en son point culminant, forme la clé. La flèche est la distance verticale séparant la clé de l'alignement de l'imposte (pierre saillant entre le mur, le pilier ou la colonne et l'arc). On nomme piédroit la retombée interne de l'arc et archivolte sa face.

Arcade (du latin *arcus*, « arc »), ensemble de piliers* ou colonnes* laissant entre eux une ouverture dont la partie supérieure est en forme d'arc.

Arc-boutant (de arc et buter, « s'appuyer contre »), Invention propre à l'architecture ogivale : construction en forme de demi-arc, élevée à l'extérieur d'un édifice pour soutenir les murailles contre la poussée des voûtes*.

Architrave (de l'italien *architrave* « maîtresse poutre »), poutre maîtresse reposant sur les supports des colonnes afin de soutenir le poids de la superstructure. Elle peut être divisée en trois bandes horizontales superposées.

Arête (du latin *arista*, « épi »), angle saillant formé par la rencontre de deux surfaces. Voûte* d'arêtes : compartiment voûté dont la structure paraît résulter de l'intersection à angle droit de deux berceaux* de même hauteur.

Atrium (latin pour « cour de maison »), vestibule découvert d'une église, bordé d'un péristyle sur trois ou quatre côtés, entourant très souvent une fontaine en son milieu.

Attique (du grec *attikos*, « attique »), partie de

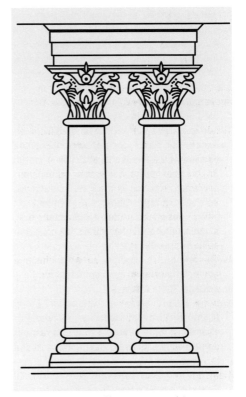

Deux colonnes couplées par une architrave

l'entablement* élevée au-dessus de la corniche* ou de la frise* pour cacher la naissance du toit. À l'époque baroque*, demi-étage avec une série de fenêtres.

Attribut (du latin *attributum*, « attribué »), objet identifiant une personne ou symbole la qualifiant, souvent en rapport avec un événement ayant tenu un rôle capital dans sa vie.

Augustin, religieux qui suit la règle de saint Augustin (354-430). L'ordre des Augustins a été fondé en 1256. Aux XIVe et XVe siècles, l'ordre s'est développé en diverses congrégations (associations religieuses).

Auréole (du latin aureola (corona), « couronne d'or »), halo ou cercle entourant la tête de Dieu, de la Vierge et des saints.

Baldaquin (de l'italien *baldacchino*, « soie de Bagdad »), tenture surmontant un trône ou un lit ; dais porté dans une procession ; architecture : dais d'apparat construit en bois ou en pierre au-dessus d'un trône, d'un siège épiscopal, d'un autel, d'un catafalque, d'une chaire ou d'une statue. Ce nom rappelle la précieuse étoffe de soie mêlée de fils d'or de Bagdad qui servit en Italie à confectionner les premiers baldaquins.

Balustrade (du latin *balaustium*, « calice de la fleur du grenadier »), rangée de petits piliers* (balustres) unis par une tablette. Par extension : toute clôture à jour et à hauteur d'appui établie le long d'une galerie ou d'une terrasse.

Baptistère (du grec *baptisterion*, « piscine »), Petit édifice qu'on bâtissait autrefois près d'une cathédrale pour y conférer le baptême.

Baroque (du portugais *baroco*, « perle irrégulière »), style artistique et littéraire qui s'est développé entre la fin du maniérisme (vers 1590), et la naissance du rococo (vers 1725). En art, il s'exprime par des effets de mouvements, des contrastes lumineux de perspectives et des trompe-l'œil. À l'origine les orfèvres portugais qualifiaient de *baroco*

une perle de forme irrégulière.

Base (du grec *basis*), tout membre d'architecture qui en soutient et en porte un autre – en particulier l'empattement inférieur de la colonne*, du pilastre*, du piédestal*.

Basilique (du grec *(stoa) basilikê,* « (portique) royal »), édifice orienté le plus souvent vers l'est, comprenant une nef principale (vaisseau central) et deux ou quatre nefs latérales plus petites. Une abside termine la nef principale. Un transept, séparant la nef du chœur, réservé au clergé, peut agrandir cet édifice. À l'origine, la basilique était chez les Grecs, un bâtiment civil et, chez les Romains, un palais de justice ou marché, avant d'accueillir les assemblées des premiers chrétiens. Ce nom désignait à Athènes le bâtiment où siégeait le magistrat suprême, l'archonte royal (ou basileus).

Bauta, vêtement autrefois porté pendant le car-

Balustrade

naval, composé d'un capuchon de soie noire et d'une cape de dentelle.

Berceau (du latin *bercium*), voûte* dont la forme résulte de la translation d'un arc selon une droite ou une courbe. Aussi: voûte en berceau.

Biennale (du latin *biennalis*, de *bis* « deux fois » et *annus* « année »), désigne depuis 1895 une exposition internationale d'art contemporain qui se tient tous les deux ans dans les « Giardini Pubblici » de Venise. À partir de 1932, celle-ci est conjuguée à un festival cinématographique.

Bucentaure (de l'italien *bucintoro*, de *bucio in t'oro,* « embarcation dorée »), galère d'apparat du doge de Venise, propulsée par 200 rameurs, et d'où le doge, chaque année, à l'Ascension, jetait un anneau d'or dans l'Adriatique, symbolisant ainsi son union avec la mer.

Buste (du latin *bustum*, « monument funéraire »), représentation plastique, posée sur un socle, qui reproduit le haut de la poitrine, les épaules et la tête d'une personne.

Cambrai, ligue de (1508-1510), alliance conclue entre le pape Jules II (1443-1513), l'empereur Maximilien Ier (1459-1519), Ferdinand II le Catholique, roi d'Aragon (1452-1516), et Louis XII, roi de France (1462-1515) contre Venise. Celle-ci fut vaincue mais parvint à dissocier la coalition (1510).

Campanile (de l'italien *campana*, « cloche »), clocher construit près d'une église.

Campo (italien pour « champ »), désigne une place , que ce soit le parvis d'une église ou à Venise un espace entre deux palais et qui offre souvent un accès à un canal.

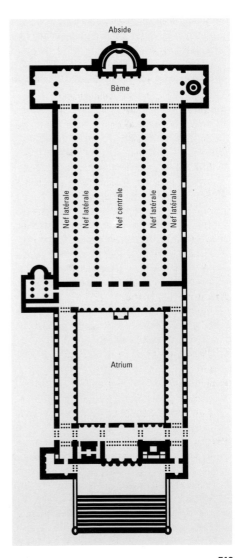

Cardinale, vertu adj. (du latin *cardinalis*, « point principal »), vertus considérées comme fondamentales. Quatre d'entre elles émanent de l'éthique de Platon (427-347 av. J.-C.) : *Temperantia* (Tempérance), *Fortitudo* (Courage), *Prudentia* (Prudence) et *Justitia* (Justice). Grégoire Iᵉʳ le Grand (540-604) en ajouta trois : *Fides* (Foi), *Caritas* (Charité) et *Spes* (Espoir).

Cathédrale (du grec *kathedra*, « siège épiscopal »), désignation de l'église majeure d'un diocèse catholique ou église épiscopale ; appelée Duomo en Italie (et Dom en Allemagne).

Centré, bâtiment à plan, bâtiment dont toutes les parties sont disposées de manière régulière autour d'un point médian. À la Renaissance*, ce type d'édifice est érigé à l'image de l'Antiquité*, par exemple, le Panthéon de Rome.

Chapelle (du latin pop. *cappella*, du bas latin *cappa*, « manteau »), petit édifice cultuel autonome dans une église ; petite église servant pour accueillir des baptêmes ou des sépultures. Nom tiré de la salle de prières du palais royal de Paris où était conservé depuis le VIIᵉ siècle le manteau de saint Martin de Tours (316/317-397 apr. J.-C.).

Chapiteau (du latin *capitellum*, « petite tête »), sommet d'une colonne ou d'un pilier, décoré de fleurs, de rinceaux de feuillage ou historié.

Chérubin (de l'hébreu *kéroûbîm*, « anges »), nom donné dans l'Ancien Testament à une catégorie d'anges – la deuxième dans la hiérarchie céleste, après les Séraphins et avant les Trônes. Les chérubins sont représentés soutenant le trône de Dieu, tirant son char ou bien lui servant de monture. Dans les visions d'Ézéchiel, les chérubins forment le char de Dieu et possèdent quatre visages (taureau, homme, lion, aigle). En général, les

Campanile

chérubins à l'apparence humaine possèdent une ou deux paires d'ailes, contrairement aux séraphins qui en ont trois. En iconographie, le chérubin est la tête ou le buste d'un enfant porté par deux ailes.

Chœur (du latin *chorus* et du grec *khoros*, « danse en rond »), partie surélevée et isolée à l'intérieur d'une église, réservée à la prière collective et aux chants liturgiques des chanoines. Depuis l'époque carolingienne, on appelle aussi chœur la partie de la nef commençant avec le transept (jonction entre les bras de la croix et la nef principale) et s'étendant souvent jusqu'à l'abside (niche murale couronnée d'une demi-coupole).

Cintre (du latin *cinctura*, « ceinture »), courbure intérieure d'un arc* ou d'une voûte*. Plein cintre : cintre de courbe circulaire, habituellement un demi-cercle.

Classicisme (du latin *classicus*), mouvement littéraire et artistique de 1750 à 1840 suivant le modèle classique de l'Antiquité.

Claveau (du latin *clavellus*, « petit clou »), chacune des pierres en forme de coin qui, s'appuyant les unes sur les autres, constituent un arc*, une voûte*, etc.

Colonne (de l'italien *colonna* ; du latin *columna*), support vertical de forme ronde qui se rétrécit à son sommet et est composé d'une base, d'un fût et d'un chapiteau. Aux formes de la colonne se rattachent la colonne monolithique, la colonne baguée, la colonne cannelée (avec des moulures verticales), la colonne torse cannelée (à fût tourné en vis) et la colonne toscane.

Condottiere (en italien, « chef des soldats mer-

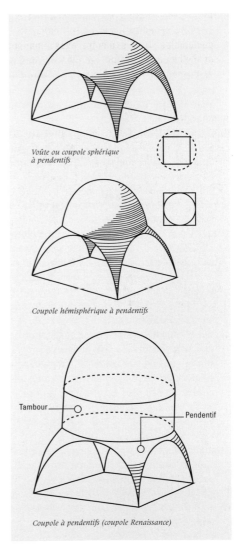

Voûte ou coupole sphérique à pendentifs

Coupole hémisphérique à pendentifs

Tambour

Pendentif

Coupole à pendentifs (coupole Renaissance)

cenaires »), chef de mercenaire en Italie au XIVe-XVe siècle. Pl. *condottieri*.

Congrégation, association chrétienne fondée au début du Moyen Âge pour permettre aux moines et ecclésiastiques de prier en commun ; des laïques y ont été acceptés par la suite (Confrérie). Elle vise à encourager la charité et la piété.

Consiglio dei Dieci (italien pour « Conseil des Dix »), pour l'organe de contrôle politique fondé en 1310, composé de dix membres élus parmi ceux du Maggior Consiglio, le parlement des nobles vénitiens.

Corniche, moulure saillante horizontale séparant l'entablement du toit.

Coupole (de l'italien *cupola*; du latin *cupula*, « petite cuve »), plafond ou toit couronnant un espace circulaire, carré ou polygonal au moyen d'une voûte de profil semi-circulaire régulier. La transition du plan de base carré à la forme circulaire de la coupole peut obéir à plusieurs méthodes :

1. pour la coupole suspendue, sa base forme un cercle qui contient le plan de base carré ;
2. pour la coupole sur pendentifs, une coupole suspendue est découpée horizontalement au-dessus des arcs et couronne un cercle au moyen d'un hémisphère ; les écoinçons triangulaires obtenus sont appelés pendentifs ;
3. pour la coupole de Bohême, une coupole suspendue couronne une surface qui est plus petite que le plan de base carré.

Courtisane (de l'italien *cortigiana*, de corte, « cour »), dame de la Cour ; maîtresse d'un prince ou d'un noble ; hétaïre.

Croix grecque, caractérise une église bâtie sur le plan d'une croix grecque, inscrite ou non dans un cercle, telle San Marco à Venise. Les voûtes sans cintre sont surmontées de coupoles, généralement en brique et établies sur un plan carré. D'origine byzantine, cette architecture a été reprise dans l'Orient chrétien.

Croisée du transept, espace où se rejoignent le transept et la nef d'une église.

Crypte (du latin *crypta* et du grec *kryptê*, « souterrain »), salle souterraine de culte ou de sépulture, située le plus souvent en dessous du chœur réservé aux chanoines.

Cycle (du latin *cyclus*, grec *kyklos*, « cercle »), en arts plastiques, série d'œuvres au sujet commun.

Dante Alighieri (1265-1321), le plus grand des écrivains italiens. En 1302, il est exilé de sa Florence natale à cause de ses activités politiques. Pendant son exil, il écrit un traité de philosophie (*Le Banquet*), des essais sur la linguistique (*De vulgari Eloquentia*) et la politique (*De Monarchia*). Mais son œuvre la plus célèbre reste *La divine Comédie* (1307-1321), composée d'un prologue et de trois parties : *Enfer, Purgatoire et Paradis*.

Doge (de *dux*, mot vénitien d'origine latine, « chef », « duc »), chef électif des anciennes républiques de Gênes (1339-1797) et de Venise (697-1797).

Dominicains, ordre des (en latin *Ordo Fratrum praedicatorum,* « Ordre des Frères prêcheurs »), ordre mendiant* fondé en 1215 par saint Dominique pour lutter contre l'hérésie cathare, il s'est rapidement orienté vers une forme de vie communautaire vouée à la prédication de la parole de Dieu.

Enluminure

En 1232, le pape Grégoire IX mandata les Dominicains pour mener à bien l'œuvre de l'Inquisition*, le tribunal spécial institué dès 1199 pour s'opposer aux hérésies.

Dorique, ordre, système architectural grec défini par des éléments d'architecture verticaux privés de base, avec des arêtes aiguës (tores), un fût cannelé et un chapiteau non travaillé composé d'annelets (anneaux taillés), une échine (grosse moulure convexe) et un abaque carré (couronnement du chapiteau).

Enluminure (du latin *illuminare*, « éclairer, illus-

trer »), art surtout médiéval qui consiste à illustrer et à décorer les manuscrits, les livres… de miniatures, d'initiales et d'encadrements colorés.

Entablement, ensemble horizontal concourant à soutenir une toiture ; architecture antique : partie supérieure d'une colonnade comprenant architrave (maîtresse poutre soutenant le poids de la superstructure), frise (décoration horizontale) et corniche (moulure saillante située sous le toit).

Évêque (du grec *Episkopos*, « surveillant »), haut dignitaire ecclésiastique. Dans l'Église primitive, il dirige une communauté ; plus tard, il est élu comme prélat d'un évêché ou d'un diocèse. Disposant des pleins pouvoirs en matière d'enseignement, de prêtrise et de pastorale, il est paré de la mitre, de la crosse et de l'anneau d'or épiscopaux.

Façade (de l'italien *tacciata*), chacune des élévations extérieures d'un édifice, qui présente un aspect fonctionnel ou décoratif.

Feston, ornement en forme de guirlande de fruits, de fleurs ou de petits lobes répétés.

Fondaco, maison-entrepôt de Venise, où les marchands habitaient et stockaient leurs marchandises.

Fondamenta, quai longeant un canal.

Franciscains, (en latin *Ordo Fratrum Minorum*, « ordre des Frères mineurs »), ordre mendiant fondé en 1209 par saint François d'Assise (1181/1182-1226), prônant ascèse et abandon de tous biens. Les franciscains constituent l'ordre marial du Moyen Âge le plus dévoué à la Vierge Marie.

Fresque, peinture à fresque ou de fresque (de l'italien al fresco, « à frais »), technique de

Types de frises

Dans l'art antique :

Frise de flots

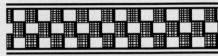

Frise en damier

Frise de grecques

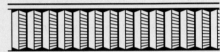

Frise à encoches ou incisée

Frise à denticules

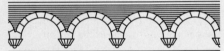

Frise à berceaux

Frise à arcs entrecroisés

Dans l'art roman :

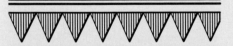

Frise en dents de scie

Frise à pointes de diamants

524

peinture murale où l'on applique les couleurs sur l'enduit à la chaux encore frais. À cause de la rapidité du séchage, on se contente chaque fois de crépir juste le pan de mur que l'artiste peut peindre en une journée. D'où un travail au jour le jour. De bonnes conditions climatiques garantissent aux fresques une remarquable longévité.

Frise, (du latin médiéval *frisium*, du bas latin *phrygium*, « broderie, frange »), ornementation murale plastique ou peinte, formant une bande horizontale continue pour décorer ou cloisonner une surface.

Frontispice, (du bas-latin *frontispicium*). 1 Façade* principale d'un édifice. 2 Illustration placée en regard de la page de titre d'un livre.

Fronton (de l'italien *frontone*; du latin *frons, frontis*, « front »), couronnement de façade, de porte, de baie ou de niche. Renaissance, baroque et classicisme imitent le tympan triangulaire ou arqué antique et le brisent ou le rendent saillant: sa partie centrale est supprimée ou la saillie en est accentuée ou atténuée. Son tympan peut-être décoré.

Gloire (du latin *gloria*, « considération, auréole lumineuse »), auréole entourant la tête de Dieu le Père, du Christ, du Saint-Esprit et de la Vierge Marie.

Gothique, art, (de l'italien *gotico*, « relatif aux Goths »), courant artistique du Moyen Âge qui naît dans le nord de la France vers 1150. Éteint en France vers 1400, il se poursuit en Europe jusqu'au début du XVIᵉ siècle. Cette appellation est tirée du nom d'une peuplade germanique, les Goths. Le style gothique innove avec l'ogive (arc diagonal brisé), la

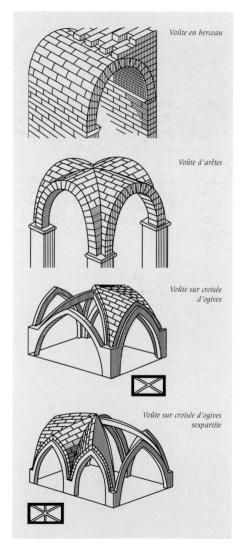

Voûte en berceau

Voûte d'arêtes

Voûte sur croisée d'ogives

Voûte sur croisée d'ogives sexpartite

voûte sur croisée d'ogives (entrecroisement de deux voûtes en plein cintre de même dimension) et le rapport des poussées (grâce aux arcs et piliers s'ajoutant aux murs pour soutenir la poussée des voûtes et le poids de la toiture). Les bâtiments délivrent une impression d'élévation générale et d'ouverture des surfaces murales. La cathédrale est la construction la plus typique de ce style architectural. La sculpture reste largement tributaire de l'architecture et se distingue par son naturalisme idéalisé. La combinaison de corps et de vêtements surdimensionnés contribue à la recherche d'expressivité. La peinture se distingue surtout par ses panneaux et ses vitraux.

Hérésie (du grec *hairesis*, « choix »), dans l'Antiquité*, l'hérésie désigne une doctrine ou une école particulière, sans y attacher aucun sens défavorable. Les théologiens catholiques définiront l'hérésie comme une doctrine contraire à la foi ou à l'un des dogmes de l'Église catholique – et donc sévèrement punie.

Icône (du grec *eikonion*, « petite image »), image sacrée dans les églises de rite chrétien oriental. La forme et les couleurs des icônes sont fortement idéalisées. La vénération de celles-ci ne s'adresse pas à l'objet mais à l'être représenté (le Christ, la Vierge ou un saint).

Iconographie (du grec *eikon*, « image » et *graphein*, « (d')écrire »), étude du contenu, du sens et de la symbolique des images, surtout dans l'art chrétien ; initialement : art du portrait dans l'Antiquité.

Iconostase (du grec *eikon*, « image » et *stasis*,

Icône

« station »), cloison couverte d'icônes* qui sépare la nef* du sanctuaire, dans les églises de rite chrétien oriental.

Incrustation (du latin *incrustatio*, « revêtement de marbre »), application sur les parois et sols de plaques de pierre colorées et polies, en marbre ou en porphyre, assemblées en motifs pour contribuer à cloisonner et décorer les surfaces.

Inquisition (du latin *inquisitio*, « recherche,

enquête »), tribunal établi pour la recherche des hérétiques. En 1233, le pape Grégoire IX (1227-1241) l'organisa et la confia aux Frères Prêcheurs (Dominicains*). En 1234, l'Inquisition devient une institution papale (Sanctum Officium). Ses arrêtés sont sans appel et les autorités doivent lui prêter leur concours. Plus tard, le Tribunal élargit la liste des délits punissables (sorcellerie, divination, etc.).

Intrados, face inférieure (intérieure) d'un arc*, d'une voûte*, par opposition à l'extrados.

Ligue (de l'italien *liga*, du latin *ligare*, « lier »), union formée entre plusieurs princes, en particulier pour défendre des intérêts politiques ou religieux, surtout du XVᵉ au XVIIᵉ siècle.

Loggia (italien pour « loge » ; du francique *laubja*), galerie ouverte soutenue de colonnes, de piliers ou d'arcades.

Maître-autel, autel principal d'une église, placé dans ou devant l'abside*.

Manuscrit (du latin manu *scriptus*, « écrit à la main »), ouvrage écrit à la main. Au Moyen Âge, le manuscrit est souvent réalisé dans un monastère et orné d'enluminures*.

Martyrium (mot italien, du grec *martyr, martyros*, « témoin, preuve »), dans le christianisme primitif, monument, chapelle* élevés autour de la tombe d'un martyr.

Martyre (du latin *martyrium* ; du grec *martyrion*, « témoignage »), supplice, torture ou mort que l'on endure en raison de la foi.

Médaillon (de l'italien *medaglione*, « grande médaille »), image (représentation en saillie sur un fond) dans un cadre rond ou elliptique.

Mendiants, ordres, ordres religieux fondés à

Mosaïque

partir du XIIIᵉ siècle, auxquels leur règle impose la pauvreté et l'ascèse. Ils sont nés en réaction à l'enrichissement de l'Église et se consacrent, au salut des âmes, à l'enseignement, à la propagation de la foi. Les quatre ordres mendiants les plus anciens et les plus importants sont les Carmes, les Franciscains*, les Dominicains* et les Augustins*.

Molo (italien pour « môle, jetée »), quai-promenade devant le palais des Doges, à Venise. À l'est de ce bâtiment, il s'appelle Riva degli Schiavoni, c'est-à-dire « rive des Dalmates ».

Mosaïque (de l'italien *mosaico* ; du grec *mouseios*, « qui concerne les Muses »), décora-

Pietà

tion picturale de la surface d'un mur, d'une coupole ou d'un sol au moyen de l'assemblage de fragments de pierre ou de verre multicolores.

Narthex (mot grec), portique ou vestibule transversal situé dans certaines églises paléochrétiennes ou médiévales, où se regroupaient catéchumènes et pénitents.

Nef (du latin *navis*, « navire »), intérieur d'une église basilicale. On distingue la nef principale, les nefs latérales ou bas côtés qui s'étendent en parallèle, et le transept qui traverse la largeur de l'église.

Nef longue, nef d'une église dont la distance entre le frontispice* et la croisée* de transept (ou le chœur* réservé aux ecclésiastiques) a été accrue. La nef longue est unique dans les églises-salles et multiple dans les églises-halles ou dans les basiliques.

Nervure (du latin *nervus*, « ligament »), élément architectural en forme de cordon, partie visible de l'ossature d'une voûte – en particulier gothique* – dont il reçoit les poussées et contre poussées.

Niche (de l'italien *nicchia*), dans un mur, renfoncement demi-circulaire, carré ou polygonal, fermé par le haut.

Obélisque (du latin *obeliscus* et du grec *obeliskos*, « broche à rôtir »), monolithe carré dont le sommet rétréci est surmonté d'un pyramidion. Ce symbole religieux des Égyptiens représentant le dieu Soleil est repris à la Renaissance pour servir de motif monumental et décoratif.

Ogive (peut-être de l'esp. *aljibe*; de l'ar. *aljibb*, « citerne »), élément caractéristique de l'architecture élancée de l'époque gothique. Contrairement à l'arc de l'ogive est brisé et se termine en lancette.

Pala (italien pour « table »), retable aux formes plastiques ou peintes.

Parvis (du bas-latin *paradisus*, « paradis »), place qui s'étend devant l'entrée principale d'une église.

Pendant ou adj. (du latin *pendere*, « pendre »), personne, chose semblable ou complémentaire. Clef pendante, clef de voûte* sur croisée d'ogives* présentant un élément décoratif en forte saillie sous les nervures*.

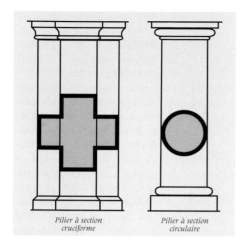

*Pilier à section
cruciforme*

*Pilier à section
circulaire*

Pendentif, partie arquée en forme de triangle sphérique (écoinçon) servant de transition entre un plan carré et une coupole.

Péristyle (du grec *peri*, « autour » et *stulos*, « colonne »), colonnade formant un porche devant un édifice.

Perspective de l'italien *prospettiva*, « réfraction »; du bas latin *perspectivus*, de *perspicere*, « pénétrer par le regard »), représentation d'objets en trois dimensions sur une surface plane. Les objets et figures sont ainsi rendus conformes, dans une lage mesure, à la vision du spectateur.

Piano nobile (italien), étage noble, le plus richement décoré, d'un palais, situé de manière générale, au premier étage.

Piédestal (de l'italien *piedestallo*), socle ou support d'un pilier*, d'une colonne* ou d'une statue.

Pietà (italien; du latin *pietas*, « piété »), représentation de la Vierge pleurant sur le cadavre du Christ qu'elle tient dans ses bras.

Pietra d'Istria pierre calcaire originaire d'Istrie, région aujourd'hui partagée entre la Slovénie et la Croatie.

Pilastre (de l'italien *pilastro*; du latin *pila*, « pilier »), montant carré, faisant saillie dans un mur et se composant d'une base, d'un fût et d'un chapiteau. Il vient segmenter et peut parfois renforcer la paroi. Son fût présente souvent des cannelures ou moulures verticales.

Pilier du latin pop. *pilare*; de *pila*, « colonne »), support vertical de forme carrée, rectangulaire ou polygonale, composé d'une base, d'un fût et d'un chapiteau. Selon leur position et leur modénature, on distingue piliers libres, pilastres, piliers d'angle et contreforts

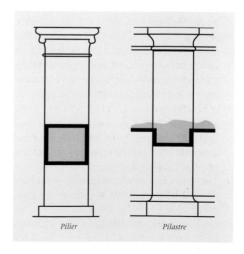

Pilier

Pilastre

(piliers construits contre les parois extérieures de l'église pour contrebalancer la poussée des voûtes et le poids du toit).

Polyptique (du grec *polyptykhos*, « aux nombreux replis »), ensemble de trois ou de plusieurs panneaux peints ou sculptés reliés entre eux. Les panneaux latéraux (volets) peuvent se replier sur la partie centrale.

Portail (du bas latin *portale*; de *porta* « porte »), entrée monumentale d'un bâtiment. L'arc de triomphe romain, édifice érigé en l'honneur d'un héros militaire, est le modèle du portail occidental.

Portique (du latin *porticus*, « galerie à colonnes »), vestibule ouvert et encadré de colonnes ou piliers devant l'entrée principale d'un édifice. Il est souvent surmonté d'un fronton.

Presbyterium (mot latin du grec *presbyterion* « Conseil des anciens »), espace réservé dans les anciennes églises entre la clôture du chœur* et l'autel.

Procuratie, édifices abritant autrefois les cabinets des procurateurs (hauts magistrats) de Venise. Les Procuratie Vecchie (1414-1520) s'étirent sur le flanc nord de la Piazza San Marco; les Procuratie Nuove (1582-1640) sur le flanc sud.

Proportion (de l'italien *proportio*, « rapport, analogie »), rapport de grandeur entre deux quantités. En peinture et en sculpture : rapport de mesure entre deux éléments en relation entre eux et les différentes parties de l'ensemble, de manière à produire un effet d'harmonie.

Proto (mot italien), entrepreneur, conducteur de travaux.

Quadraturisme (du bas-italien *quadratura*, « quadrature », du latin *quadrare*, « rendre carré »), Technique de décoration picturale caractérisée par des perspectives* architecturales illusionnistes.

Quadrige (du latin *quatuor*, « quatre » et *jugum*, « joug, attelage »), Char à deux roues attelé à quatre chevaux de front. Depuis le IV siècle av. J.-C., sa représentation constitue un élément décoratif, notamment au-dessus d'un édifice.

Réfectoire (du latin eccl. *refectorium*, de *reficere* « refaire »), salle où les membres d'une communauté, souvent religieuse, prennent leurs repas.

Relief (de l'italien *rilievo*; du latin *relevare*, « relever »), représentation en saillie obtenue en creusant ou modelant une surface. Selon le degré de la saillie, on distingue

Retable

530

entre bas-relief, moyen-relief et haut-relief.

Relique (du latin *reliquae*, « restes »), restes du corps d'un martyr ou d'un saint, ou d'un objet relatif à sa vie, conservés dans un but de vénération.

Renaissance de l'italien *rinascimento*), époque de rénovation culturelle progressive née en Italie au xve-xvie siècle. Le maniérisme en constitue la phase tardive de 1530 à 1600. Le terme de Renaissance est dérivé du concept de rinascita (« renaissance ») employé en 1550 par Giorgio Vasari (1511-1574) pour désigner simplement le fait de dépasser l'art médiéval. Avec l'humanisme, qui s'inspire du modèle antique pour former une nouvelle image de l'homme, du monde et de la nature orientée vers la réalité terrestre, se développe le motif de l'« homme universel » *(uomo universale),* possédant tous les dons, tant physique qu'intellectuels. Les arts plastiques quittent l'atelier de l'artisan pour prendre rang au milieu des arts libéraux, alors que les artistes accèdent à un statut social supérieur et jouissent d'une meilleure compréhension. Les arts et les sciences se côtoient directement et profitent mutuellement de leurs interactions, comme le montrent les découvertes de l'anatomie et l'invention de la perspective grâce aux mathématiques. L'architecture se réfère aux théories de l'architecte romain Vitruve (Ier siècle apr. J.-C.) et se caractérise essentiellement par la reprise d'éléments de l'Antiquité et par la création d'une architecture de palais et de châteaux. L'édifice à plan central est le modèle de construction le plus représentatif de la Renaissance.

Remplage, ornement géométrique dans l'architecture gothique placé au sommet de l'arc d'une grande fenêtre.

Retable (du latin médiéval *retrobulum*, « panneau arrière »), construction verticale prolongeant l'arrière d'un autel et le décorant de peintures ou de sculptures.

Rocaille (du bas latin *rocca*, « roche »), style artistique français (1710-1750) caractérisé par la fantaisie, les compositions dissymétriques, les formes contournées et tourmentées évoquant des concrétions minérales, des coquillages, des formes végétales ondulantes.

Rococo (du français rocaille), style artistique en vogue entre 1720-1730 et 1770-1780, inspiré du baroque* italien et du style rocaille* français. En peinture, le style se traduit par un éclaircissement des tons.

Roman, art, (du latin *romanus*, « romain »), concept créé au début du xixe siècle en France pour désigner l'architecture occidentale du début du Moyen Âge et son registre hérité de l'architecture romaine (arc en plein cintre, pilier, colonne, voûte). L'art roman s'étend de l'an 1000 au milieu du xiiie siècle. Bien qu'il soit déjà supplanté au milieu du xiie siècle, dans le centre de la France, par le premier gothique, il donne lieu dans toute l'Europe à la formation de particularismes nationaux. Sa plus belle expression se rencontre en Bourgogne, en Normandie, en Italie du Nord et en Toscane. Voué en priorité à la construction des églises, il se caractérise par l'addition de différents éléments plastiques achevés et par l'alternance de formes cylindriques et cubiques.

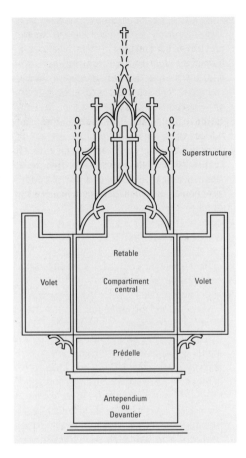

Superstructure

Retable

Volet

Compartiment central

Volet

Prédelle

Antependium ou Devantier

Ronde-bosse (du latin *rotondus*, « rond » et francique *botan*, « frapper »), œuvre sculptée, pleinement développée dans les trois dimensions, par opposition au relief*.

Rustique, bossage, du latin *rusticus*, « campagnard »), parement de mur laissé à l'état brut.

Sacra Conversazione (italien pour « conversation sacrée »), type de représentation qui met en scène la Vierge et plusieurs saints. L'expression est trompeuse : aucune conversation n'est évoquée.

Sacristie (du bas-latin *sacristia*, du latin *sacer*, « sacré »), annexe de l'église où sont conservés les objets et les vêtements liturgiques et où les prêtres se préparent pour célébrer la messe.

Sanctuaire (du latin *sanctuarium*, de *sanctus*, « saint »), édifice ou lieu consacré. Partie de l'église située autour de l'autel, où s'accomplissent les cérémonies liturgiques.

Sannazzaro, Jacopo (1456-1530), poète et humaniste napolitain. Son roman en prose et en vers *Arcadia* (1502) a eu une influence considérable sur le genre pastoral imité de l'Antiquité.

Sarcophage (du grec *sarkophagos*, « qui mange de la chair »), cercueil en bois, métal, argile, ou pierre souvent somptueusement décoré.

Scapulaire (du latin *scapula*, « épaule »), pièce du costume monastique consistant en un capuchon et en deux pans rectangulaires couvrant les épaules et retombant sur le dos et sur la poitrine jusqu'aux pieds.

Scuola (du latin *schola*, « corporation »), confrérie de dévotion et de secours mutuel, liée ou non à un métier précis. Au pluriel : « Scuole ».

Secco, al (italien pour « à sec »), Fresque* peinte sur un mur sec. Souvent, les retouches finales d'une fresque *(al fresco)* étaient réalisées *al secco*.

Sérénissime, (de l'italien *serenissima*, « très serein »), abréviation de « Serenissima

Repubblica Venezia ». Ce qualificatif conféré surtout à d'éminents personnages évoquait la splendeur et la noblesse – sinon la prétention – de la République de Venise.

Signoria (italien pour « autorité »), depuis le Moyen-Âge, qualifie le pouvoir exécutif des cités-États de la Péninsule italienne.

Socle (de l'italien *zoccolo*, du latin *socculus*, « brodequin »), architecture : support saillant d'une colonne ou d'un bâtiment. Sur un édifice, il se termine par une corniche et forme un massif ou un étage inférieur autonome.

Tabernacle (du latin eccl. *tabernaculum*, « tente »), en architecture, niche ornementale formée de colonnes et d'un toit pointu, destinée à abriter une statue, par exemple contre un contrefort gothique (pilier de soutènement qui contrebalance la poussée des voûtes et le poids du toit). Autre sens : châsse destinée à conserver l'eucharistie.

Tableau d'autel (du latin *tabula*, « panneau » et *altare*, « table de sacrifice »), ornement décorant fréquemment les autels du Moyen Âge. Aux premières œuvres en orfèvrerie ou en sculpture se substituent plus tard les peintures. Cet ornement, pouvant se composer d'un ou de plusieurs panneaux peints, s'élève le plus souvent à l'arrière de l'autel à la manière d'un retable*.

Tempera (« à t. » ou « à la t. » ; italien ; du latin *temperare*, « mélanger, adoucir »), technique de peinture supplantée par la peinture à l'huile depuis le XVᵉ siècle et redécouverte au XIXᵉ siècle, où les pigments (poudres pigmentées) sont liés par une émulsion à base d'œuf, de glu ou de caséine (constituant du lait à haute teneur d'albumine). La couleur à la tempera, une fois déposée sur la toile, sèche rapidement, ce qui rend impossible tout travail sur une toile humide. Nuances et transitions doivent être produites par l'alignement de couches parallèles de peinture. Les forts contrastes entre tempera humide et tempera sèche sont un obstacle pour retrouver un ton identique, lors de retouches.

Ténébriste (du latin *tenebrae*, « obscurité »), peintre de la fin du Baroque*, adepte de la technique du clair-obscur ou « chiaroscuro » (procédé consistant à moduler la lumière sur un fond d'ombre, pour suggérer relief et profondeur).

Trilobé

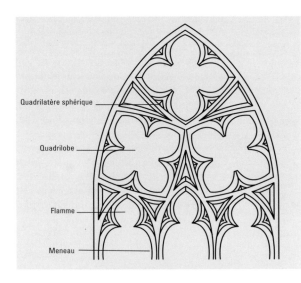

Quadrilatère sphérique

Quadrilobe

Flamme

Meneau

Volutes d'un chapiteau ionique

Terraferma (italien pour « terre ferme »), désignait l'ensemble des territoires vénitiens du nord de l'Italie à l'apogée de la Cité des Doges.

Tondo (italien pour « rond »), nom italien du médaillon*, bas-relief ou autre élément décoratif de forme ronde ou ovale.

Transept (du latin *trans*, « au-delà de » et *saeptum*, « enclos »), vaisseau transversal séparant le chœur* de la nef* et qui forme les bras de la croix dans une église en croix latine.

Transfiguration (du latin *transfigurare*, « transformer »), apparition du Christ dans la gloire de sa divinité à trois de ses apôtres (Pierre, Jacques et Jean) sur le mont Thabor. Sa représentation picturale.

Trilobé, motif ornemental de l'art gothique, constitué de trois lobes identiques en forme de trèfle.

Trinité (du latin *trinitas*, de *trinus*, « triple »), désignation de Dieu en trois personnes (le Père, le Fils et le Saint-Esprit).

Triomphe (du latin *triumphus*, « victoire »), arc de triomphe : monument commémoratif formant une ou plusieurs arches, érigé en l'honneur d'une victoire.

Tympan (du grec *tympanon*, « tambour »), paroi de l'arc d'un portail ou surface d'un fronton.

S.Secondo

S.A.

S.Georgio
dalega

S.Marco

S.Biagio Catoldo

Histoire

25 mars 421 Fondation légendaire de Venise

828 Les reliques de saint Marc arrivent à Venise

1177 Le doge Sebastiano Ziani conclut la paix entre l'empereur Frédéric Barberousse et le pape Alexandre III

1204 Quatrième croisade et prise de Constantinople sous la direction du doge Enrico Dandolo

1310 Conspiration de Bajamonte Tiepolo et fondation du Conseil des Dix pour assurer la sécurité de l'État

1381 Gu

1348 Première Grande Peste à Ver

1355 Conspiration du doge Marino Falier

1150   1250   **1300**   1350

Peinture

Début XIIᵉ siècle *Coupole de la Pentecôte à Saint-Marc*

Début XIIIᵉ siècle *Coupole de la Genèse à Saint-Marc*

Début XIVᵉ siècle Mosaïques du baptistère de Saint-Marc

Vers 1305 Giotto peint les fresques de la chapelle de l'Arena à Padoue

Vers 1333-1362 Paolo Veneziano, *Le couronnement de la Vier*

Architecture

1068 Début de la construction de l'actuelle basilique Saint-Marc consacrée en 1094

XIIIᵉ siècle Fondaco dei Turchi (restauré au XIXᵉ siècle)

1340 Début de la construction de la façade sud du Palais des Doges

Sculpture

XIIIᵉ siècle *Scène de moisson* sur l'arc central du grand portail de Saint-Marc

Vers 1344 Filippo Calendario, *L'ivresse de Noé*

Littérature et culture

1000 Fête de la Sensa, avec les épousailles symboliques du Doge et de la Mer, en souvenir de la conquête de la Dalmatie par Pietro Orseolo II

1222 Fondation de l'université de Padoue

1271-1295 Voyage de Marco Polo en Chine et en Asie centrale

1374 Mort du célèbre poète François Pétrarque à Arqu mité de Venise, où il avait v 1368

...rre de Chioggia

1492 Colomb découvre l'Amérique

1498 Vasco de Gama découvre la
route maritime des Indes

1525 À c
troupes
savants

1453 Prise de Constantinople
par les Turcs

...se

1404-1428 Venise s'agrandit
vers le continent face à la
lagune, la Terraferma

1489 La Vénitienne Cath
Cornaro, reine de Chyp
son île à Venise

1400	1450	**1475**	1500	1525

Vers 1436 Jacobello del Fiore,
Madone de Miséricorde

1475-1476 Antonello da Messina à Venise

1505 Giovanni Bellini,
Sacra Conversazione

1496 Gentile Bellini,
Procession sur la place Saint-Marc

Vers 1432 Andrea del Castagno,
Saint Jean l'Évangéliste,
San Zaccaria,
chapelle San Tarasio

1516-15
Assomp

A partir de 1421 La
Ca' d'Oro

1438
Porta della Carta

Milieu du XVᵉ siècle
San Zaccaria

1469 Début de
San Michele

Vers 1490
Mauro Codussi
entreprend
la construction
du Palazzo Corner
Spinelli

1394 Jacobello et Pietro Paolo delle
Masegne sculptent l'iconostase de
Saint-Marc

1438 Donatello,
*Saint Jean-
Baptiste*

1438 Antonio
Bregno,
Fortitudo

1481-1496 Andrea
Verrocchio, *Statue équestre
de Bartolomeo Colleoni*

Vers 1495 Atelier de
Lombardo, *Tombea
doge Andrea Vendr*

...et humaniste
Petrarca, à proxi-
...cu entre 1362 et

1468 Le cardinal Bessarion offre à
la République sa collection de
manuscrits grecs et latins

1499 Francesco Colonna,
Hypnerotomachia Poliphili

1493 Alde Manuce fonde son imprimerie à Venis
premières éditions imprimées correctes d'auteu
romains

1433 Cosimo Iᵉʳ de Médicis offre à
Venise une coûteuse bibliothèque
pour le cloître de San Giorgio
Maggiore

1473-1488 L'humaniste vénitien Ermolao Barbaro
traduit *La rhétorique*, *La physique* et *La logique*
d'Aristote

1525 Pi
human
Prose d

Veduta (italien pour « vue »), genre pittoresque et réaliste en peinture, visant à représenter fidèlement un paysage ou une ville. On lui oppose les *Vedute ideate,* ou « vues idéelles », qui jouent avec des paysages fantastiques ou des cités aux édifices imaginaires.

Vierge au Manteau, représentation en peinture de la Vierge abritant les croyants sous son manteau. Le geste du manteau protecteur a pour origine le domaine civil et juridique : un père légitimait et adoptait son enfant en le plaçant sous son manteau. Les personnes de haute condition, et en particulier les dames, avaient le droit d'offrir la protection de leur manteau aux personnes pourchassées et de demander leur grâce. C'est ce droit que l'on a transmis à la Vierge Marie.

Volute (de l'italien *voluta*; du latin volvere, « tourner, rouler »), ornement et construction enroulés en spirale, décorant systématiquement les chapiteaux de l'ordre ionien et les frontons, se prêtant comme transition entre des parties d'édifice verticales et horizontales.

Votif adj. (du latin *votum*, « vœu »), église, image, objet fait ou offert en vertu d'un vœu.

Voûte (du latin pop. *volvita*, de *volvere* « tourner »), assemblage cintré, formé de claveaux, couronnant une salle. Contrairement à la coupole, la voûte peut aussi recouvrir une salle allongée. Les piédroits soutiennent son poids et sa poussée.

Vierge au Manteau

1718 Traité de paix de Passarowitz, où Venise doit finalement abandonner la plupart de ses dernières possessions en Grèce et en Dalmatie

oponnèse
osini

12 mai 1797 Dissolution de la République et remise de la ville à Napoléon, qui peu de temps après la cède aux Autrichiens par le traité de Campoformio

1725   1750   **1775**   1800

Vers 1760 Pietro Longhi,
Le coiffeur

1720-1725 Canaletto,
Le rio dei Mendicanti

1748 Giov. Battista Tiepolo,
Pala des trois saintes

1780-1790 Francesco Guardi,
La rade de Saint-Marc

1709 Domenico Rossi,
façade de San Stae

1749 Giorgio Massari entreprend la construction du Palazzo Grassi

'03 Antonio Vivaldi écrit de nombreux
i pour l'Ospedale degli Innocenti et
s institutions importantes

1753 Carlo Goldoni,
Arlequin serviteur de deux maîtres

1792 Ouverture du
Teatro La Fenice

1782 Une des dernières fêtes de la République lors de la visite des grands-ducs de Russie

1796 Le dernier carnaval de Venise, le plus long et le plus extraordinaire, avant la fin de la République

1720 Ouverture du Café Florian, le premier établissement d'Italie

par les
nombreux
nt à Venise

1571 Chypre reste aux mains des Turcs, malgré la bataille de Lépante.

1645-1669 La prise de possession de la Crète, la dernière grande île grecque aux mains des Vénitiens, par les Turcs marque la fin de la souveraineté de Venise en Méditerranée

1576 La Grande Peste emporte un tiers de la population

1683 Reprise du Pé par Francesco Mo

1630 Dernière grande épidémie de peste à Venise

| 1550 | 1575 | 1600 | **1650** | 1700 |

1577 Jacopo Tintoretto, *Le miracle du serpent d'airain*

1555-1556 Paolo Véronèse, *Esther couronnée par Assuérus*

1577 Les tableaux de nombreux peintres vénitiens périssent dans l'incendie du Palais des Doges

534 Giorgio Spavento
o Lombardo,
alvatore

1577-1592 Andrea Palladio, Il Redentore

1588 Andrea da Ponte, le pont du Rialto

1537-1554 Jacopo Sansovino, la Libreria

1631-1687 Baldassare Longhena, Santa Maria della Salute

Après 1556 Jacopo Sansovino, *Tombeau du doge Francesco Venier*

1537-1547 Jacopo Sansovino, *Mercure*

537-1557 Publication des lettres e l'Arétin écrites à Venise à partir de 1527

1581 Francesco Sansovino, *Venetia città nobilissima e singolare*, le premier guide sur Venise

Après 1
conce
d'autre

1565 Andrea Gabrieli, *Sacrae cantiones*

19 août 1613 Claudio Monteverdi nommé au poste de maître de chapelle à Saint-Marc

nportant
blie ses

1571 Andrea Palladio, *I quattro libri della architettura*

1637 Ouverture du Teatro San Cassiano, la première salle d'opéra publique de l'histoire

Dictionnaire des artistes

Antonello da Messina (Messine vers 1430 – Messine 1497). Vers 1450, il entreprend une formation artistique dans l'atelier de Colantonio. Entre 1470 et 1476, il effectue plusieurs voyages à Venise. Influencé par les artistes flamands et les peintres d'Italie centrale, comme Piero della Francesca, il réussit à marier le naturalisme des premiers à la perfection formelle et à la définition plastique des seconds. Ses représentations pleines de vie sont l'expression d'un langage pictural basé sur des formes géométriques et des perspectives rigoureuses.

Bambini, Niccolò (Venise 1651 – Venise 1739). Bien que Venise et la Vénétie aient conservé nombre de ses œuvres, sa vie nous est pratiquement inconnue. Il aurait fait son apprentissage à Venise, chez Sebastiano Mazzoni. Selon une source du XVIIIe siècle, il aurait parfait ses connaissances chez Carlo Maratta à Rome. Son style offre des compositions modérément dramatiques, mais fortement rythmées. À Venise, il s'est spécialisé dans la décoration de palais et de villas, travaillant parfois en collaboration avec Giovanni Battista Tiepolo.

Basaiti, Marco (Venise vers 1450 – Venise après 1530). Peintre d'origine vénitienne probablement influencé par les grands maîtres de son époque, tels Alvise Vivarini, Giovanni Bellini et Cima da Conegliano. Son style est donc hétérogène, d'autant plus qu'il s'inspire après 1500 de Giorgione et des maîtres lombards. On a conservé de lui des retables et de nombreux portraits. Les personnages de Basaiti offrent un modèle bien défini, quoique un peu sévère et rigide. En revanche, certains de ses paysages sont particulièrement harmonieux.

Bassano le Jeune, Francesco (Bassano vers 1549 – Venise 1592). Ce peintre fait son apprentissage dans l'atelier de son père, Jacopo Bassano (1510?-1592). Il y œuvre en collaboration avec ses frères Gerolamo (1566-1621), Giambattista (1553-1613) et Leandro (1557-1622). À partir de 1580, il travaille avec son père à Venise. Les styles picturaux des différents membres de la famille Bassano sont difficiles à individualiser. Dans celui de Francesco, on reconnaît toutefois l'influence et la manière de Tintoret et d'un Titien âgé. Les peintures sorties de l'atelier des Bassano sont toutes caractérisées par des jeux de lumières magiques, obtenus par l'utilisation de couleurs vives et raffinées. Elles constituent une sorte de « genre » propre, fait de scènes bibliques plantées au sein de vastes paysages champêtres, créant ainsi de véritables scènes pastorales.

Bella, Gabriel (Venise 1730 – Venise 1799). Les œuvres de ce peintre ne révèlent qu'un talent artistique limité, pourtant ses grandes compositions sont des plus intéressantes, surtout à cause de ses scènes de la vie populaire à Venise. Réalisées pour la famille Giustiniani, quelque 70 de ces toiles ont été conservées – la

Francesco Bassano

plupart sont regroupées dans la Pinacoteca della Fondazione Scientifica Querini Stampalia, à Venise.

Bellini, Gentile (Venise? vers 1429 – Venise 1507). Après avoir effectué son apprentissage chez son père Jacopo (1396?-1470?), il en reprend la direction de l'atelier. Nommé peintre officiel de la Signoria en 1466, il est envoyé par la Sérénissime en mission diplomatique à Constantinople (1479-1481), où il peint le portrait du sultan. Ses visages sont représentés avec une netteté, une finesse et une quasi-abstraction telles qu'ils évoquent les miniatures orientales aux coloris délicats. Empreint de réalisme et d'une fraîcheur insouciante, son style narratif reproduit parfaitement l'animation de Venise. Ainsi, il constitue l'une des sources des védutistes et des peintres de panoramas.

Bellini, Giovanni (Venise vers 1430 – Venise 1516). Le plus jeune frère de Gentile Bellini est l'un des peintres vénitiens les plus célèbres. Après avoir débuté dans l'atelier de son père, aux côtés de Gentile, il sera influencé par l'œuvre de son beau-frère Andrea Mantegna. Il travaille surtout à Venise, où il fonde son propre atelier. En s'affranchissant de l'art de Mantegna et de l'art figuratif flamand introduit à Venise par Antonello da Messina, Bellini réussit à affirmer son propre traitement des lumières et à créer des atmosphères particulièrement naturelles. La véhémence de Mantegna se transforme en une tonalité pensive, en un rapport émotionnel intime liant les personnages à de vastes paysages empreints d'un silence quasi-religieux. Au début du xvie siècle, un Bellini septuagénaire n'hésite par à relever les défis d'une nouvelle génération d'artistes : son œuvre se fait plus monumentale, plus harmonieuse et plus équilibrée; la composition plus souple et le chromatisme plus riche. Ses dernières toiles abordent des thèmes profanes et deviennent plus sereines.

Bombelli, Sebastiano (Udine 1635 – Venise 1719). Après avoir travaillé dans l'atelier de son père Valentino, ce portraitiste de renommée internationale poursuivit sa formation à Venise. Sa présence dans la Cité des Doges est attestée dès 1660. Après avoir imité l'œuvre de Tintoret et de Véronèse, ce qui le rend très populaire en France, il travaille en 1664-1665 dans l'atelier du Guerchin à Bologne (dans sa jeunesse, ce dernier reproduisait des toiles de Titien pour en assimiler la leçon chromatique). Plus tard, Bombelli se fait portraitiste, très estimé par l'aristocratie européenne.

Boschetti, Lorenzo (? 1709– Venise après 1772). Probablement un élève de Giuseppe Vasari, il est surtout connu pour avoir entamé la construction du Palazzo Venier dei Leoni à Venise. Ce dernier resta inachevé, mais sa maquette est exposée au Museo Correr.

Bregno, Antonio (XVe siècle, activité documentée de 1425 à 1457). Frère de Paolo Bregno, architecte et sculpteur, il est identifié avec quasi-certitude à un certain Maestro Antonio di Regezzo da Como qui assista en 1425-1426 Matteo Raverti dans la construction de la Ca'd'Oro. Il travaille ensuite avec les Buon, au Palais des Doges (la Fortitudo de la Porta della Carta) et avec le Padouan Antonio Rizzo (l'Arc Foscari). Le style de ce dernier est difficile à distinguer de celui de Bregno. Depuis 1777, on lui attribue la réalisation du tombeau du doge Francesco Foscari, à Santa Maria dei Frari. À côté d'éléments d'inspiration gothique et lombarde, on y retrouve des aspects évocateurs de l'œuvre d'Andrea Mantegna.

Bregno, Paolo (Venise, XVe siècle). Connu aussi sous le nom de Paolo da Como, il est le frère du sculpteur Antonio Bregno et est originaire du lac de Lugano. Il est identifié, avec une certaine vraisemblance, avec le Maestro Paolo cité dans les actes des procuraties de Saint-Marc (1459) comme chef de chantier. En tant que tel, il collabore à la construction de plusieurs édifices d'État et à celle de la basilique Saint-Marc. Ainsi, un certain Paolo, « inzignero della Signoria », est censé avoir travaillé avec Bartolomeo Buon à la construction de la Ca'd'Oro.

Buon (ou Bon), Bartolomeo (Venise vers 1400 – Venise 1464-1467 ?). Ce sculpteur dirigea avec son père Giovanni un atelier aussi renommé pour ses compositions architecturales que pour ses sculptures. Aujourd'hui encore, il est impossible de reconstituer avec exactitude l'ensemble complet de son œuvre. Il est certain qu'il a collaboré à la construction de la Ca' d'Oro. Son nom apparaît sur la Porta della Carta du Palais des Doges, bien que celle-ci ait été réalisée en 1438 avec son père. Les personnages du portail semblent toutefois devoir être attribués à d'autres sculpteurs : il était alors coutume de confier ce travail particulier à des artistes différents de ceux qui réalisaient l'ouvrage principal. Son style est caractéristique de la transition du gothique au renaissant et sa Ca' del Duca sur le Canal Grande fut le premier édifice de Venise à inclure des motifs Renaissance, évocateurs de l'Antiquité.

Buon (ou Bon), Giovanni (Venise vers 1360 – Venise 1442). Père de Bartolomeo Buon. Dans plusieurs pièces officielles, il apparaît comme entrepreneur en bâtiment ou comme fournisseur de pierres. Avec son fils, il dirige l'une des plus grandes, si pas la plus grande, entreprises de construction de la Venise de la première moitié du XVe siècle. On ne sait dans quelle mesure il contribua à la conception et à la réalisation de travaux d'architecture : peut-être fut-il seulement un entrepreneur.

Cadorin, Ludovico (Venise 1824 – Venise 1892). L'un des principaux architectes et décorateurs vénitiens du XIXe siècle. Son nom est lié à l'historicisme, la tendance en architecture à s'inspirer du style d'une ou de plusieurs époques du passé. Avec ces références, Cadorin à créé une nouvelle ligne de meubles d'intérieur aux formes inédites.

Calendario, Filippo (Venise avant 1315 – Venise 1355). Il est mentionné pour la première fois en tant qu'architecte et sculpteur lors de l'édification, en 1341, de la Sala del Maggior Consiglio et de la rénovation des façades ouest et sud du Palais des Doges. Ses sculptures sont d'une exceptionnelle qualité et témoignent d'une étude poussée de la Nature, d'une approche psychologique très fine et d'un pouvoir narrateur épanoui. Riche, il possédait même plusieurs navires. Il participa à la conjuration du doge Marino Falier, qui voulait devenir le maître absolu de Venise. Le complot échoua et le Doge et ses complices, dont Filippo, furent exécutés en 1355.

Campagna, Girolamo (Vérone 1548-1549 – Venise vers 1625). Considéré comme l'un des plus célèbres sculpteurs de Venise vers 1600, il fut l'élève de Danese Cattaneo. Son œuvre porte l'influence de ce dernier et de Jacopo Sansovino. Toutefois, il s'inspire de plus en plus des formes puissantes et expressives de Michel Ange. La recherche vers une force d'expression spirituelle l'amène à une querelle avec Tintoret, pourtant lui aussi attiré par les corps idéalisés des personnages de Michel Ange. Le rendu des êtres humains est réalisé chez lui par un effet d'ensemble et les formulations psychologiques qui se traduisent par l'aspect du visage ne l'intéressent guère. Son œuvre se fait ensuite maniériste et il s'attache à des compositions mouvementées et des effets de lumière imprévus.

Canaletto, Giovanni Antonio Canal, dit (Venise 1697 – Venise 1768). Peintre et graveur, il travaille d'abord comme peintre de décors au côté de son père. Vers 1719, il entame un voyage d'étude à Rome. Il se convertit graduellement à la peinture d'extérieurs sous l'influence de Giovanni Pannini (auteur de vues et de caprices et chantre des célébrations romaines sur de vastes fonds architecturaux) et du védutiste Luca Carlevarijs. Une observation attentive des perspectives et des jeux de lumière lui permet de créer de vastes compositions d'une beauté limpide, de l'architecture aux personnages minuscules, de la luminosité diffuse d'un ciel nuageux au scintillement des eaux. Canaletto réalisera des vues toujours empreintes de sérénité de Venise, des campi de la lagune et de localités de la péninsule, en particulier celles situées le long de la Brenta. De 1746 à 1753, il travaille en Angleterre, où il représente la Tamise et la campagne environnante.

Candi, Giovanni (Venise, ? – Venise après le 9 août 1506). Fils d'un ébéniste de Spilimbergo, il embrasse cette carrière et se retrouve dans la section ébénisterie de la Scuola Grande di San Marco. Mais il est aussi architecte. Disciple de Codussi, il construit le Palazzo dei Rettori à Bellune. On lui attribue en outre l'escalier en colimaçon du Palazzo Contarini del Bovolo à Venise.

Canova, Antonio (Possagno-Trévise 1757 – Venise 1822). À l'âge de 11 ans, il entre dans l'atelier du sculpteur Giuseppe Bernardi (dit Torretti) qui lui transmet un de ses traits les plus caractéristiques, une délicate vibration des surfaces. Plus tard, il étudie à l'Àcademie de Venise, sous la direction de Michel Ange et de

Giovanni Maria Morlaiter. La vente de ses pre-mières œuvres lui permet de financer un séjour à Rome, où il étudie l'Antiquité. De là, il visite les ruines nouvellement découvertes de Paestum, de Pompéi et d'Herculanum. Cette rencontre avec la statuaire antique est une révélation. Aussi apprécié à Venise qu'à Rome, il s'installe dans la ville des papes. Il s'engage également dans la politique. En 1814, il réussit à rapatrier en Italie de nombreuses œuvres d'art volées par Napoléon. Il est tenu pour le sculpteur le plus important du XIXᵉ siècle. Nobles et froides, ses statues antiques de marbre poli sont longtemps synonymes d'art, de beauté et de classicisme. Il rénove profondément la typologie des monuments funéraires. Constant dans la culture néo-classique, le thème de la mort est traité à deux niveaux : la mémoire d'un héros *(exemplum virtutis)* et le souvenir des sentiments et des vertus personnelles. Ce sont les œuvres mytholo-

giques qui sont les plus admirées pour l'élégance raffinée, la sensualité subtile et la grâce idéalisée des personnages.

Carpaccio, Vittore (Venise vers 1455 – Venise ? 1525-1526). Par manque de documents, on ne sait guère de la formation de cet important peintre de la Renaissance. Proche des milieux humanistes, il semble s'inspirer aussi bien de l'art de la lagune que des peintres d'Udine, de Ferrare et des Flandres, ainsi que d'Antonello da Messina. Il collabore avec Giovanni Bellini pour un cycle de tableaux historiques au Palais Ducal. Sa renommée est surtout due aux tableaux peints pour les Scuole et à ses retables aux thèmes religieux. S'il subit l'influence des sujets courtois et chevaleresques, il n'en n'est pas moins un peintre du début de la Renaissance : ses éléments architecturaux sont répartis dans des paysages baignés de lumière avec un sens aigu de la perspective.

Carriera, Rosalba (Venise 1675 – Venise 1757). Elève de Giuseppe Diamantini et d'Antonio Balestra, encouragée par son beau-frère Giovanni Antonio Pellegrini, elle se consacre d'abord à la miniature avant de s'affirmer comme la portraitiste à la mode de l'aristocratie vénitienne, et bientôt de l'Europe entière. Elle utilise la technique du pastel à partir de l'utilisation de la craie dans le dessin, une technique qui permet une peinture rapide et spontanée. En 1705, elle est élue membre de l'Accademia San Luca à Rome. En 1720, c'est l'Académie royale de la Peinture (Paris) qui lui ouvre ses portes. En 1746, elle doit abandonner son travail, trahie par une maladie des yeux. Dans ses portraits au pastel comme dans ses figures allégoriques ou féminines, elle évoque les idéaux de grâce et de

Canaletto, Vue de Venise.

beauté de la société mondaine. La finesse de la touche, la délicatesse des nuances, les tonalités vaporeuses, les visages illuminés par un regard intense font graduellement place à des coloris plus sourds, des regards plus éteints et une mélancolie évocatrice de la cécité qui la frappe.

Castagno, Andrea del (Castagno vers 1422 – Florence 1457). Élève probable du peintre régional Paolo Schiavo, à partir de 1444 il est à Florence, où il passe le reste de sa vie. Inspiré par Masaccio, Brunelleschi et Donatello, il développe un style très original. Ses personnages sont particulièrement vigoureux, nettement silhouettés et empreints de tension. Une perspective franche, repoussant l'espace vers l'arrière, renforce le rendu des corps. Sur de nombreuses toiles, la vigueur des personnages est atténuée par des jeux de lumière et par des coloris superficiels.

Chirico, Giorgio de (Vólos 1888 – Rome 1978). Né de parents italiens, il étudie la peinture à Athènes puis à Munich (de 1906 à 1909). En 1910, il est à Paris. Chirico est d'abord influencé par la peinture romantique et décadente de l'Allemagne de la fin du XIXᵉ siècle : il crée des reconstructions théâtrales d'un monde imaginaire et mystérieux, qui auront une grande influence sur le surréalisme. Dans les années 1920, il s'oriente vers des paysages urbains placés à l'avant-plan de la scène, paysages dont l'onirisme est obtenu par une clarté extrême des constructions, par la simplicité des formes et par la luminosité des couleurs contrastant violemment avec les ombres.

Rosalba Giovanna Carriera

Cima da Conegliano, Giovanni Battista Cima, dit (Conegliano vers 1459 – Conegliano 1517-1518). On manque d'indications certaines sur sa formation et sur son activité de jeunesse. Il est probable qu'il étudia avec Bartolomeo Montagna à Vicence. Il subit l'influence manifeste d'Alvise Vivarini, d'Antonello da Messina et plus tard du Titien et de Giorgione. Il travaille à Venise de 1492 à 1516. Sur le plan thématique et pictural, il se rapproche du style de Giovanni Bellini : volumes et espaces sont structurés avec une rigoureuse sensibilité architecturale, selon un jeu précis de rapports entre personnages et architecture intégrée dans l'ouverture lumineuse des paysages de collines de l'arrière-pays vénitien. Les motifs religieux, ses Madones, se fondent ainsi dans des scènes purement terrestres.

Codussi, Mauro (Lenna-Bergame vers 1440-1445 – Venise avant le 23 avril 1504). On n'a guère de renseignements sur sa formation, qui s'est vraisemblablement déroulée en Lombardie. Resté toute sa vie bourgeois de Bergame, il ne travaille comme architecte que dans la seule Venise. Codussi introduit dans la Cité des Doges une vision plus plastique de l'architecture, d'origine purement toscane : il impose l'arc en plein cintre et la façade au revêtement de pierre, mais il y intègre des formes vénitiennes, telle l'église bâtie sur le plan d'une croix grecque. (Au xve siècle, cette structure n'est plus considérée comme médiévale mais comme émanant de l'Empire romain d'Orient, et donc comme un exemple de ces éléments antiques tant prisés par la Renaissance.) Il y englobe même des motifs florentins hérités de Leon Battista Alberti. Son dernier ouvrage, le Palazzo Vendramin, sera doté d'une façade dans laquelle les jeux de lumière créent des effets majestueux à l'antique, car Codussi est devenu un vrai architecte de la Renaissance.

Donatello, Donato di Niccòlo di Betto Bardi, dit (Florence 1386 – Florence 1466). Formé dans l'atelier de Lorenzo Ghiberti à Florence, il travaille aux côtés de Nanni di Banco à une série de statues qui constituent autant d'essais de renouvellement du langage gothique. Il est actif dans sa ville natale comme à Sienne, à Rome, à Padoue et dans d'autres villes de la péninsule. Donatello est le sculpteur le plus important du Quattrocento. Avec son interprétation dramatique et originale, avec son goût du naturalisme,

avec son inspiration des plus variées et avec le réalisme de l'art du portrait romain, Donatello fut le créateur et le plus grand représentant de l'humanisme de Florence tout en interprétant librement et sans préjugés les formes de l'Antiquité. Il transmet le goût et le langage de la Renaissance florentin aux artistes de l'Italie du Nord. Ses premières sculptures sont en marbre. À partir de 1420, elles seront en bronze.

Dijck (Van), Antoine (Anvers 1599 – Londres 1641). Après Rubens, il est le peintre et le graveur flamand le plus connu. Après un apprentissage chez le peintre Hendrik Van Balen, il ouvre dès 1615 son propre atelier. De 1616 à 1620, il est le collaborateur de Rubens. Après un bref séjour en Angleterre (1620), il visite l'Italie (1621-1627). Il y découvre entre autres Titien, Giorgione et l'école de Bologne. À son retour, il est nommé peintre de cour par l'archiduchesse Isabelle, gouvernante des Pays-Bas. À partir de 1632, il est à Londres, en tant que peintre officiel du roi. La période italienne a marqué pour Van Dijck le dépassement de la manière de Rubens : il utilise désormais une palette plus douce, des couleurs plus nuancées qui lui permettent des compositions plus élégantes et donc moins « baroques ». Sa maturité stylistique se manifeste surtout dans ses portraits.

Ernst, Max (Brühl-Cologne 1891 – Paris 1976). Peintre et sculpteur français d'origine allemande. Après avoir étudié à Bonn la philosophie, la psychologie et l'histoire de l'art, il entre en contact avec le mouvement du Blaue Reiter, attiré par sa tendance à concevoir l'art comme une rebellion subjective contre la réalité. Dans les années 1920, il adhère au surréalisme, dont il devient le principal représentant. Il s'oriente

Antoine van Dyck

vers une exploration de l'inconscient par le développement de thèmes précis et grâce à des techniques particulières (frottage et collages).

Eyck (Van), Jan (Maaseik vers 1390 – Bruges 1441). Peintre flamand, il travaille à la cour de Jean de Bavière à la Haye (1422-24) avant d'entrer en 1425 au service de Philippe III de Bourgogne. Il voyage à plusieurs reprises au Portugal et en Espagne pour des missions « secrètes ». Il se fixe définitivement à Bruges en 1430. Il peint des personnages impassibles et solennels insérés dans un espace-ambiance dont la perspective semble obtenue empiriquement plutôt que mathématiquement. Surtout, il s'adonne à une prodigieuse évocation natura-liste des détails, obtenue par des reflets innombrables et la graduation minutieuse et extrême des intensités lumineuses. Si l'artiste fait abondamment usage de ses découvertes sur les propriétés des couleurs, il n'est pas, contrairement à la légende, l'inventeur de la peinture à l'huile. Par son rendu des aspects infinis du spectacle de la nature, par la qualité lumineuse de la couleur, par son intense naturalisme, Van Eyck exercera une influence immense sur toute la peinture européenne.

Fortuny y Madrazo, Mariano (Grenade 1871 – Venise 1949). Peintre et décorateur espagnol, fils du peintre Fortuny y Carbò (1838-1874), qui accumula une véritable fortune avec ses toiles historiques et avec ses compositions exotiques ou folkloriques. Mariano vécut longtemps à Venise et s'attacha à la recherche dans la technique théâtrale ainsi qu'à la fabrication de tapis et d'étoffes d'un goût décadent mais raffiné.

Fumiani, Giovanni Antonio (Venise vers 1645 – Venise 1710). Élève de Domenico Ambrogi à Bologne, il se rend à Venise en 1568. Il insère dans les églises de cette ville le goût pictural de l'Émilie. Son chef d'œuvre est l'ensemble des scènes de la vie de San Pantaleon, peint sur les voûtes de l'église homonyme. La structure complexe des perspectives rappelle celle d'œuvres romaines. Ces dernières sont toutefois surclassées par Fumiani qui y pose une grande abondance de personnages, une mise en scène lumineuse dont les couleurs rayonnent en un éventail de tonalités différentes. Il crée ainsi des effets illusionnistes audacieux.

Gambello, Antonio (mort à Venise après 1479). Connu également sous les noms de Antonio di Marco et d'Antonio di San Zaccaria, il est en

1458 occupé par la construction de l'église San Zaccaria, peut-être comme architecte ou comme simple tailleur de pierre. Il participe en outre à l'édification de San Giobbe et de Santa Chiara de Murano (détruite au XIXᵉ siècle). Il ne put terminer son œuvre maîtresse, San Zaccaria, qui porte aujourd'hui l'empreinte de celui qui l'a achevée dans l'esprit de la Renaissance sans toutefois modifier fondamentalement le projet de son prédécesseur, Mauro Codussi.

Giambono, Michele (Venise vers 1390 – Venise après 1462). Élève de Gentile da Fabriano (1370-1427), dont il reprend le chromatisme somptueux, il est l'un des principaux peintres vénitiens du gothique international. Ses œuvres sont caractérisées par une surabondance de formes et de couleurs qui rend les scènes féeriques et précieuses : on peut même parler de « baroque gothique ».

Giorgione, Giorgio Zorzi ou Giorgio da Castelfranco, dit (Castelfranco 1477-1478 – Venise 1510). Rares sont les témoignages sur la vie et sur l'œuvre de ce peintre particulièrement important de la Haute Renaissance vénitienne. Giorgione fut peut-être un collaborateur de Giovanni Bellini, en même temps que le jeune Titien. Il s'éloigne des styles de Vittore Carpaccio, d'Antonello da Messina et des peintres flamands, développant un style propre qui contribuera à la genèse d'une peinture nouvelle. Il renonce surtout aux éléments picturaux silhouettés, au profit de passages en mouvement dans l'espace, donnant dans le même temps une atmosphère, une ambiance à ses paysages.

Giotto di Bondone (Vespignano 1267 ?– Florence 1337). L'un des plus importants artistes de la culture occidentale, il fait presque certainement son apprentissage dans l'atelier de Cimabue. Après 1292, il travaille à Assise, puis à Rome, Padoue, Naples, Milan et Florence. En 1334, il dessine et fonde le campanile de la cathédrale de Florence. Il ne se dépare pas encore de l'influence gothique héritée de la France, ni de la tradition byzantine, mais il découvre la plastique corporelle et une perception monumentale de la figure humaine. Il développe un nouveau langage des formes pour la représentation d'événements religieux. Ses fresques murales comprennent paysages et espaces intérieurs confinés, de manière à rendre plus réel et plus vivant le déroulement de la narration.

Giovanni d'Allemagna (? – Padoue avant le 9 juin 1450). Probablement d'origine allemande, il est résident de Padoue ou de Murano dès le début du XVᵉ siècle. Il est ensuite le collaborateur régulier de son beau-frère Antonio Vivarini. Son style rappelle d'une part la sécheresse, la minutie et le souci du détail de l'école de Cologne et d'autre part le faste, la plasticité et les volumes des personnages typiques de la transition du gothique à la Haute Renaissance. Giovanni et Antonio définissent alors ensemble le concept de « Sacra Conversazione ». Ils sont considérés comme les fondateurs de l'école de Murano, le deuxième des principaux ateliers vénitiens du XVᵉ siècle après celui de Giovanni Bellini.

Guardi, Francesco (Venise 1712 – Venise 1793). L'un des principaux védutistes vénitiens, il fut formé par son frère Giovanni Antonio qui l'accepta comme collaborateur. En 1747, il commence à travailler seul. Il est admis à l'Académie en 1784. Au début de sa carrière, il peint des retables, où se manifeste une recherche originale d'effets dramatiques réalisés par des brusques contrastes de couleurs. Sous l'influence de Canaletto et de Michele Marieschi, il se concentre sur la représentation de paysages, essentiellement urbains. Les « vedute » aux structures claires et rigoureuses de Canaletto sont rapidement délaissées au profit de « vedute » imaginaires, fantaisistes et dépourvues de tout caractère documentaire, dépeignant des villes où les bâtiments perdent toute

Francesco Guardi, Vue de Venise.

épaisseur, toute consistance dans l'atmosphère argentée d'une lagune brûlée par les rayons d'un soleil incandescent.

Guardi, Giovanni Antonio (Vienne 1699 – Venise 1760). Élève de son père Domenico, peintre et décorateur originaire du Trentin, installé à Vienne en 1700 où il meurt prématurément, Giovanni puisa son inspiration dans l'œuvre de Gian Battista Piazzetta et de Sebastiano Ricci. Avec son plus jeune frère Francesco, il compte au nombre des principaux artistes du rococo vénitien. Ses peintures séduisent par des couleurs vibrantes, mais limpides et délicates, réminiscentes de celles utilisées par son beau-frère, Gian Battista Tiepolo.

Guariento di Arpo (après 1310 – après 1368). L'un des peintres les plus influents du XIVᵉ siècle à Venise et à Padoue (où sa présence est attestée de 1338 à 1365). Lié à l'origine au style de Giotto, il développe au contact de la culture vénéto-byzantine une manière propre, qui témoigne d'une ouverture vers le langage du gothique flamboyant.

Grigi, Giovanni Giacomo dei (Venise ? avant 1530 – Venise 1572). Fils de Guglielmo dei Grigi. Attesté comme architecte et comme maître de travaux, il supervise entre autres les travaux de la Scuola de San Rocco et ceux de San Giorgio Maggiore. Son œuvre maîtresse, le Palazzo Papadopoli, montre qu'il devait être tenu en très haute estime à son époque.

Grigi, Guglielmo dei (Alzano-Bolzano avant 1500 – Venise ? avant 1530). Également connu sous le nom de « Bergamasco », il est le premier d'une famille de tailleurs de pierre et d'architectes de Bergame. Ses ouvrages richement ornés sont typiques de l'architecture lombarde, dont le style sera des plus appréciés par les Vénitiens au début du XVIᵉ siècle à cause de l'intégration de formes Renaissance dans l'exubérance gothique.

Heintz, Joseph, dit Heintz le Jeune (Augsbourg vers 1600 – Venise après 1678). Il entame sa formation artistique à Augsbourg, sous la direction de son beau-père Matthias Gundelach. En 1625, il est déjà actif à Venise, où il se fait un nom par des tableaux terrifiants, dominés par des formes démoniaques ou spectrales réminiscentes des figures de Jérôme Bosch. Pourtant, il se fera aussi peintre de retables dans lesquels se déploient des paysages riches en personnages et des vues de villes : il s'y révèle un étonnant précurseur des « védutistes ».

Jacobello del Fiore (Venise vers 1370 – Venise 1439). Encore empreint de la tradition picturale véneto-byzantine, il se rapproche bien vite du gothique flamboyant que Gentile da Fabriano avait fait connaître à Venise. Ainsi il fait partie des peintres vénitiens du gothique tardif : les élégants coloris aux tons variés et délicats, la tendance à représenter des jeux de lumière par des jeux équivalents de couleurs préparent déjà à l'exubérance décorative qui rendra célèbre la peinture vénitienne des XVᵉ et XVIᵉ siècles.

Lombardo, Pietro (Corona-Lugano 1435 – Venise 1515). Actif à Padoue dans les années 1460, il se fixe à Venise. Il est l'aïeul d'une lignée d'architectes et de sculpteurs qui domineront l'art vénitien du XVᵉ au XVIᵉ siècle. Dans la Cité des Doges, il développe le style architectural lombard typique, à la riche ornementation. Grâce à son florissant atelier, il œuvre dans l'arrière-pays de la lagune et se spécialise dans la création de grands monuments funéraires. Il exerce son activité d'architecte avec ses deux fils, Antonio et Tullio. Il définit une nouvelle typologie architecturale mâtinée d'humanisme florentin et du goût du pittoresque et du décoratif vénitien.

Lombardo, Tullio (Venise 1455 – Venise 1532). Fils de Pietro Lombardo, il collabore longtemps avec se dernier. À la mort de Pietro, il en dirige l'atelier avec l'aide de son jeune frère Antonio. Comme son père, il est à la fois architecte et sculpteur. Même si l'architecture s'est déjà orientée vers l'Antiquité, il lui imprime un nouvel élan et la porte à un niveau inégalé. Les personnages dont il décore les murs sont composés de formes idéalisées qui témoignent d'une connaissance profonde de l'anatomie.

Longhena, Baldassare (Venise 1598 – Venise 1682). Le plus important architecte vénitien du Baroque, il fut à l'origine influencé, dans le rendu des formes par Vincenzo Scamozzi (son mentor), par Jacopo Sansovino et par Andrea Palladio. Il s'en affranchira bien vite, en interprétant librement le répertoire des formes de la Renaissance. Dans son œuvre maîtresse, l'église Santa Maria della Salute, il joue en virtuose avec l'interpénétration des espaces et avec une façade séparée et pourtant jointe optiquement à la coupole massive qui la surmonte. Contrairement à la plupart de ses collègues vénitiens, il n'adopte pas le Baroque romain, mais crée son style propre.

Longhi, Pietro, Pietra Falca, dit (Venise 1702 – Venise 1785). Élève d'Antonio Balestra, il se révèle médiocre peintre de retables et de scènes historiques. Un voyage à Bologne et le contact avec les œuvres de Giuseppe Maria Crespi le convertissent à la peinture de genre, au caractère rustique et paysan, à la représentation de scènes de la vie vénitienne saisies avec un sens aigu de l'observation et réalisées avec une ironie subtile. Contrairement à son compatriote Gabriel Bella, il ne s'intéresse qu'à la bourgeoisie et à l'aristocratie.

Lotto, Lorenzo (Venise vers 1480 – Loreto 1556). Probablement formé par Giovanni Bellini, il est un important intermédiaire entre les anciens maîtres vénitiens et les artistes de la Renaissance de l'Italie du Nord. Il visite entre autres Trévise, Recanati, Bergame, Venise et Ancône. Il est l'un des peintres les plus sensibles et les plus versatiles de son temps. Après s'être orienté vers la manière d'Antonello da Messina, puis vers Giorgione, Titien et enfin Raphaël, il développe un goût marqué par un rendu précis des étoffes, une représentation de personnages en mouvement et une palette de couleurs inhabituelle. Ces particularités lui permettent d'accroître à l'extrême son expressivité et la dramatique de ses scènes.

Maccaruzzi, Bernardino (Venise vers 1728 – Venise 1800). Élève et collaborateur de Giorgio Massari, Maccaruzzi (ou Maccarucci) érige la façade de l'église San Rocco, inspirée de celle de la Scuola du même nom ainsi que celle de l'Accademia, sur un projet de Giorgio Massari. Ses œuvres révèlent les formes claires et tempérées du Baroque tardif de Venise au XVIIIe siècle.

Mantegna, Andrea (Padoue 1431 – Mantoue 1506). Le plus important des artistes de la Haute Renaissance, il est le filleul et l'élève du peintre Padouan Francesco Squarcione, qui l'initie à l'Antiquité. Il s'imprègne également des sculptures de Donatello et de la peinture de Andrea del Castagno et de Jacopo Bellini. Devenu indépendant en 1448, il acquiert rapidement une renommée certaine. En 1460, il s'installe à Mantoue, où il reste peintre de cour jusqu'à sa mort. Ses toiles révèlent la formation anatomique des figures, un rendu précis du détail et une perspective virtuose. Ces innovations influenceront particulièrement ses beaux-frères Gentile et Giovanni Bellini. Elles finiront par traverser les Alpes par la diffusion d'estampes.

Mariano, Sebastiano (né à Lugano – mort avant 1518). D'après des documents, on sait qu'il travailla à Venise à la fin du XVe siècle et au début du XVIe. On lui attribue avec certitude la reconstruction du chœur de Santa Maria del Carmine. Il intègre alors le vocabulaire nouveau de la Renaissance aux formes gothiques de l'église.

Marini, Marino (Pistoia 1901 – Forte dei Marmi 1980). À partir de 1917, il étudie la peinture et la sculpture à l'Académie des Beaux-Arts de Florence. Après avoir achevé ses connaissances à la Villa Reale de Monza, il est nommé professeur de sculpture à l'Accademia di Brera (Milan) en 1940. En visite à Paris, il rencontre des peintres avant-gardistes comme Kandinsky, Maillol, Braque et Picasso. Il voyage aussi en Angleterre, aux Pays-Bas, en Allemagne et aux États-Unis. En 1952, il reçoit le Grand Prix de la plastique à la Biennale de Venise. Son œuvre comprend surtout des portraits, des figures de chevaux et de cavaliers.

Martini, Francisco di Giorgio (Sienne 1439 – Sienne 1502). Architecte, peintre, sculpteur et ingénieur militaire dont la formation est mal connue. Son apport à la construction militaire est fondamental. Après 1482, il publie un Traité d'architecture civile et militaire qui est une révi-

Andrea Mantegna

sion précise de Vitruve, où l'accent est mis sur la visualisation graphique.

Massari, Giorgio (Venise 1686 – Venise 1766). Il travaille à Venise dans la première moitié du XVIIIᵉ siècle et en devient l'architecte le plus renommé. Influencé par Palladio et par Longhena, il poursuit dans leur tradition l'expression d'un langage formel baroque, modéré et paisible. Sa créativité n'atteint pourtant pas le niveau de celle de ses deux prédécesseurs.

Mengozzi Colonna, Gerolamo (Ferrare vers 1688 – Venise 1772). Élevé par Francesco Scala et Antonio Ferrare, dans la tradition de la « quadratura » (technique de décoration picturale caractérisée par des perspectives architecturales illusionnistes), Mengozzi Colonna s'installe à Venise autour de 1720. Il entame alors une longue collaboration avec Giambattista Tiepolo. Ce duo constitue la symbiose, si populaire au XVIIIᵉ siècle, entre « quadratura » et figures.

Meyring, Heinrich (actif à Venise à la fin du XVIIᵉ siècle). Connu aussi sous le nom d'Enrico ou d'Arrigo Merengo, il est originaire d'une région située au nord des Alpes. Sa vie nous est méconnue. On sait qu'il était l'un des sculpteurs les plus appréciés de Venise à la fin du XVIIᵉ siècle. Ses statues ornent nombre de façades et d'autels de la Cité des Doges.

Morlaiter, Giovanni Maria (Villabassa-Val Pusteria 1699 – Venise 1781). Aussi connu sous le nom de Johannes Maria Morleiter ou Morleitner, il est sculpteur et ivoirier. Avec Meyring, il est l'un des artistes baroques venus du Nord pour tenter leur chance à Venise. Il fut l'un des représentants les plus remarquables du rococo vénitien, grâce à sa sensibilité du modelé et à son sens pictural délicat et raffiné.

Padovano, Lauro (documenté de la fin du XVᵉ siècle au début du XVIᵉ à Venise et à Rome). Également connu sous le nom de Laurino de Sancto Giovanni de Padova, il fut probablement, et avant tout, un miniaturiste. Pourtant, il semble avoir joui d'une réputation extraordinaire dès 1482. Avec d'autres peintres, il fut appelé à Rome pour évaluer la première série des fresques achevées de la Chapelle Sixtine. Il fut fortement influencé par Giovanni Bellini avec lequel il travailla. Pourtant, ses coloris sont plus prononcés et ses tonalités moins mystérieuses que celles de son mentor.

Palladio, Andrea, Pietro della Gondola, dit (Padoue 1508 – Maser-Trévise 1580). C'est à l'humaniste Gian Giorgio Trissino, son premier protecteur, qu'il doit son surnom d'inspiration classique. Trissino l'introduit dans les cercles culturels de Venise et l'emmène à Rome pour étudier les monuments antiques, ainsi que la production des grandes architectes travaillant alors dans la Cité des Papes. Après la mort de Trissino (1550) il rédige *L'Antiquité de Rome*, qui obtient un vif succès. Devenu l'architecte officiel de la Sérénissime (1570), il publie la même année *Les quatre Livres de l'Architecture* dans lesquels il étudie les fondements théoriques, les édifices privés, la construction des églises et de la ville. Grâce à ses voyages à Rome, il maîtrise parfaitement le langage classique, qu'il interprète et réécrit au gré de son imagination et des conditions locales ; il l'adapte aux exigences fonctionnelles des bâtiments et aux matériaux peu coûteux. Dans ses églises, il harmonise la structure du temple antique avec celles, à nefs, des églises chrétiennes. Cette structure du temple se retrouve jusque dans ses nombreuses villas conçues comme un bâtiment central relié aux constructions annexes par des ailes à arcades, permettant ainsi d'associer les deux fonctions du complexe, le repos et la production agricole. En tant qu'urbaniste, Palladio refusa toujours le concept de « ville idéale » si cher aux théoriciens de la Renaissance. Les nombreuses réalisations de Palladio constituent les modèles des architectes du XIXᵉ siècle, particulièrement en Angleterre.

Palma l'Ancien, Jacopo Negretti dit (Serina-Bergame vers 1480 – Venise 1528). Il s'installe à Venise à la fin des années 1490 et se forme à la peinture sous la direction de Francesco di Simone da Santacroce. Ensuite, il travaille probablement dans l'atelier de Giovanni Bellini. Inspiré par les œuvres de Titien et du jeune Giorgione, il est l'un des peintres vénitiens les plus importants de la Haute Renaissance. Le caractère monumental de ses toiles, les images d'une beauté féminine opulente et somptueuse, des compositions aussi harmonieuses qu'agréables et une chaude luminosité évoquent tour à tour Titien et Giorgione.

Palma le Jeune, Jacopo Negretti dit (Venise 1544 – Venise 1628). Fils du peintre Antonio Negre et arrière-neveu de Palma il Vecchio. À peine âgé de 20 ans, il entre au service de Guidobaldo II della Rovere, pour lequel il réalise à Urbino des copies de toiles de Raphaël et de Titien. Après un séjour à Rome (1567-1570) où il se frotte au maniérisme, il rentre à Venise pour achever la *Pietà* de Titien. Également attiré par Tintoret, par Michel Ange, par Francesco et Taddeo Zuccari, il finit par acquérir un style propre en fusionnant le langage formel romain et les tendances picturales vénitiennes, et il privilégie les jeux de lumière et les clairs-obscurs (luminisme). Marquant ainsi la transition de la Renaissance au Baroque, Palma le Jeune travaillera surtout pour des églises et des confréries, ainsi qu'au Palais des Doges.

Jacopo Palma le Jeune

Parodi, (Giacomo) Filippo (Gènes 1630 – Gênes 1702). Après avoir très tôt entamé une carrière d'ébéniste, il travaille à Rome (1655-1661) dans l'atelier du Bernin, le sculpteur le plus célèbre de l'époque. De 1667, à 1699, il exerce ses talents à Padoue et à Venise. Son style diffère sensiblement de celui de son mentor : le rendu des surfaces est obtenu par des éléments plus ténus, ce qui améliore la douceur et la luminosité de la pierre mais amoindrit le classicisme de l'œuvre. De Pierre Puget (1622-1694), il adopta les fines draperies de pierre sculptées sur les murs.

Piazzetta, Giovanni Battista (Venise 1682 – Venise 1754). Fils de Giaccomo Piazzetta (un sculpteur sur bois) auprès de qui il reçoit les rudiments de son art, il affine son éducation chez Antonio Molinari. Le séjour qu'il fait à Bologne (1703) lui permet d'étudier les tableaux et les fresques du peintre de genre Giuseppe Maria Crespi. À partir de 1711, il travaille à Venise. Avec son jeune collègue et rival Giovanni Battista Tiepolo, Piazzetta est le plus demandé des artistes d'église du Settecento vénitien. Il peint aussi des portraits, des peintures de genre et de nombreuses illustrations de livres.

Picasso, Pablo (Malaga 1881 – Mougins 1973). Le plus influent des artistes des années 1920, il entame ses études à Barcelone et à Madrid. Après y avoir effectué un premier séjour (1900-1902), Picasso s'installe à Paris en 1904. Présentant des nus féminins aux volumes décomposés en différentes facettes, ses *Demoiselles d'Avignon* (1907) préludent au cubisme. Cette toile marque aussi la rupture finale avec la tradition du naturalisme qui domine les arts depuis le XIIIᵉ siècle. Il développe le cubisme avec Georges Braque avant de se tourner vers d'autres innovations stylistiques. Dès 1905-1906, il entame parallèlement à la peinture une carrière de sculpteur. Il travailla aussi pour le théâtre.

Pollock, Jackson (Cody-Wyoming 1912 – New York 1956). L'un des peintres américains les plus influents du siècle, il fut le leader incontesté de l'expressionnisme abstrait. Appliquée dès 1947, sa technique du « dripping all over » – des coulées ou aspersions de peinture sur une toile placée au sol, créant des lacis de lignes emmêlées – servira d'inspiration au mouvement de l'« Action Painting ».

Ponte, Antonio da (Venise ? vers 1512 – Venise 1597). Ingénieur hydraulicien et architecte militaire, il est mandé en tant que tel par le Magistrato al Sal de Venise, notamment pour la reconstruction du pont du Rialto, et par le gouvernement, ainsi pour l'édification d'une nouvelle prison sur la Riva degli Schiavoni).

Pordenone, Giovan Anton de Sacchis, dit (Pordenone vers 1483 – Ferrare 1539). Il travaille principalement à Venise et dans le nord-est de la Vénétie. Inspiré par l'œuvre de Cima da Cone-gliano et de Bartolomeo Montagna, il trouve à Rome son style propre. Ses toiles sont caractérisées par le pathétique des personnages.

Raphaël, Raffaelo Sanzio, dit (Urbino 1483 – Rome 1520). Première éducation artistique dans le florissant atelier de son père, Giovanni Santi, peintre de cour renommé et poète de talent. Vers 1500, il entre dans l'atelier du Pérugin à Pérouse. En 1504, il se rend à Florence pour y étudier l'art ancien comme les œuvres de son époque. En 1508, il est mandé à Rome par le pape Jules II pour décorer les appartements privés du pontife. En 1514, après la mort de Jules II (1513) et de Bramante, il est nommé architecte de la Fabrique de Saint-Pierre. Il dirige jusqu'à sa mort la construction de la nouvelle basilique, sur un projet qui modifie la conception de Bramante. En 1515, il occupe aussi la fonction de Conservateur des Antiquités de Rome. Il est le peintre le plus important de la Haute Renaissance. Ses retables, ses Madones si sensibles et si délicates, ses sculptures et ses fresques murales de grandes dimensions et à l'articulation complexe témoignent tous d'une même clarté formelle et d'une force d'expression sans égale.

Raverti, Matteo (actif à Milan de 1389 à 1409 et à Venise de 1418 à 1434). Il fut formé par des tailleurs de pierre, probablement lors de la construction de Dôme de Milan, à laquelle il participa. Arrivé à Venise avant 1420, il travailla avec l'atelier de Bartolomeo Buon à l'édification de la Ca' d'Oro. Réalisés dans un style gothique tardif à l'interprétation plus sensible et plus expressionniste, les groupes angulaires du Palais des Doges lui sont aussi attribués.

Raphaël

Ricci, Marco (Belluno 1676 – Venise 1730). Bien que l'on sache peu de choses de sa jeunesse, il est certain qu'il fut formé par son oncle Sebastiano Ricci. L'influence du peintre paysagiste Antonio Tempesta, lui même inspiré par des artistes hollandais, est évidente dans ses premières œuvres. En 1708, il travaille comme peintre de décors théâtraux en Angleterre. Il poursuit cette activité à son retour à Venise. Présentés comme de véritables décors, ses tableaux de paysages constituent un important point de référence pour les védutistes, en particulier pour Canaletto, qui en retiendront l'étendue spatiale et les couleurs parfaitement assorties.

Ricci, Sebastiano (Belluno 1659 – Venise 1734). Installé très tôt à Venise, où il est l'élève de Sebastiano Mazzoni et de Federico Cervelli, il s'installe dès 1680 en Émilie. Il travaille alors à Bologne avec Giovanni Giuseppe dal Sole. Mandé à Parme par le duc Ranuccio II, il est envoyé par ce dernier à Rome, où il étudie les exemples les plus récents de la décoration baroque. En 1694, on le trouve à Florence. De 1696 à 1698, il est actif à Milan, où il rencontre probablement Alessandro Magnasco. Ensuite, il retourne à Venise qu'il quittera épisodiquement pour de longs séjours à l'étranger : à Vienne (1701-1703), à Londres (1712-1716) et à Florence (1706-1707). Peintre important du Rococo, Ricci est surtout connu pour son langage décoratif illusionniste et pour la finesse de la palette des couleurs utilisées.

Rizzo, Antonio (Vérone ? vers 1430-1435 – Cesena ou Foligno 1499-1500). Les informations sur les débuts de ce sculpteur et architecte sont rares. Sa présence à Venise est avérée en 1457.

Sebastiano Ricci

Elle est documentée à la Chartreuse de Pavie. À partir de 1475, il accomplit sa première activité vénitienne dans l'atelier du Lombard Andrea Bregno : il collabore à la décoration du monument funéraire du doge Francesco Foscari (aux Frari) et à la création des statues du Couronnement de l'arc Foscari, au Palais des Doges. Après l'incendie de la Fabrique du Palais des Doges, il dirige jusqu'en 1498 sa reconstruction. Accusé de détournement, il doit alors quitter la ville. Son œuvre maîtresse reste toutefois son Adam et Ève de l'Arc Foscari : les proportions gothiques des corps sont ici empreintes des formes de la sculpture antique et de la Renaissance florentine, plus réalistes et plus anatomiques.

Rossi, Domenico (Morcote-Tessin 1657 – Venise 1742). L'un des principaux architectes vénitiens de la première moitié du XVIIIe siècle, il s'inspire, comme ses collègues de l'époque, de Palladio. Toutefois, il accentue les effets de clairs-obscurs par des volumes plus imposants, une caractéristique du Baroque classique. Il en va tout autrement de l'opulente décoration de l'intérieur de l'église des Gesuiti à Venise : les superbes incrustations de marbre y imitent de riches étoffes, exemple parfait de trompe-l'œil purement baroque.

Sansovino, Jacopo Tatti, dit (Florence 1486 – Venise 1570). Architecte et sculpteur, il fut l'élève d'Andrea Sansovino, dont il prend le surnom. En 1505, il se rend avec son mentor à Rome, où il peut admirer l'œuvre de Raphaël et de Bramante. De 1511 à 1518, il travaille à Florence, puis revient à Rome. En 1527, les troupes de Charles Quint pillent la Cité des Papes. Il s'enfuit à Venise, où il exerce son activité jusqu'à la fin de sa vie. À son arrivée dans la lagune, il découvre les courants romains déjà présents dans l'architecture et dans la sculpture vénitiennes. Il développe sa propre inteprétation de ces tendances grâce aux traditions locales et grâce à des discussions avec d'autres artistes du cru, tel Titien. Il en résultera un style spécifique, imprégné de formes vénitiennes.

Savoldo, Giovan Gerolamo (Brescia vers 1480 – Venise ? après 1548). Élève de Vincenzo Foppa à Brescia, il se rend à Florence en 1508. À partir de 1520, il œuvre aussi à Venise. Modelé par des influences lombardes, son style s'inspire aussi des artistes vénitiens, tels Cima da Conegliano, Giorgione et Lorenzo Lotto. Ses peintures sont empreintes de clarté et d'idéalisation. Avec leurs coloris puissants et leurs compositions inhabituelles, à base de verts sombre et de bleu lilas, ses paysages rappellent ceux de Lotto. Savoldo accorde également une grande importance à l'éclat d'étoffes brillantes.

Scalfarotto, Giovanni Antonio (Venise vers 1690 – Venise 1764). Maître de travaux (« proto ») à l'Arsenal dès avant 1712, il devient architecte spécialisé dans la construction de couvents et d'églises. Son œuvre maîtresse est le sanctuaire San Simeone e Giuda (San Simeone Piccolo), qui domine le Canal Grande, en face de la gare actuelle de Venise. Il y concilie le classicisme de Palladio (dont il reprend le plan du Panthéon ancien) et la tradition vénéto-byzantine (coupole surélevée). Avec cette construction, il influencera son neveu, Tomaso Temanza, architecte, ingénieur et historien de l'architecture de la péninsule italienne.

Scamozzi, Vincenzo (Venise 1552 – Venise 1616). Architecte et ingénieur, il est surtout connu pour ses importants traités théoriques. Il étudia sous la direction de son père Domenico Scamozzi (lui-même architecte) et de Jacopo Sansovino. Des séjours à Rome, Florence et Naples, mais aussi en Pologne et en France, élargissent l'éventail de ses connaissances. Palladio restera toujours son inaltérable référence. Souvent, il en terminera les créations inachevées. Son œuvre maîtresse est la construction des Procuratie Nuove (vers 1582-1585). En 1615, il publie à Venise un traité estimé de ses contemporains, qui expose son langage architectural, *Dell'idea dell'architettura universale.*

Scarpa, Carlo (Venise 1906 – Tokyo 1978). Principal architecte vénitien du xxᵉ siècle, il se consacre à l'aménagement d'expositions et à la construction de maisons privées et de complexes monumentaux. Son matériau de prédilection est le béton, ce qui ne l'empêche pas de créer les formes les plus diverses et les plus abstraites. À Venise, ces dernières se retrouvent entre autres au Palazzo Querini Stampalia et à l'Université. Son intérêt principal n'est pas tant la construction, mais bien l'espace dans lequel il doit « mettre en scène » son architecture. Par son style, par ses solutions apportées dans l'implantation de structures nouvelles, il influence toute la jeune génération d'architectes européens.

Scarpagnino, Antonio di Pietro Abbondi, dit Lo (Milan 1465-1470 – Venise 1549). L'un des Lombards qui dominent l'architecture vénitienne au début du xvIᵉ siècle, Scarpagnino travaille comme « proto » à l'édification de l'administration responsable des bâtiments gouvernementaux. Il rédige alors de nombreux rapports concernant le travail de ses collègues, tout en poursuivant la construction d'autres édifices publics. À partir de 1527, il œuvre souvent avec Sansovino, mais ne s'en n'inspire pas. Attaché au langage formel de la fin du xvᵉ siècle, il est tenu pour un architecte très moyen, mais n'en prépare pas moins la transition vers l'architecture Renaissance vénitienne par ses constructions réduites et simplifiées.

Sebastiano del Piombo, Sebastiano Luciani, dit (Venise vers 1485 – Rome 1547) Après avoir étudié Vasari et fait son apprentissage officiel auprès de Bellini, il subit l'influence de Giorgione. À partir de 1511, il vit à Rome, à l'exclusion d'un court séjour à Venise (1528-1529). Il obtient la charge des sceaux pontificaux, l'Office du Plomb, qui lui vaut son surnom. Marqué des manières de Raphaël et de Michel Ange, son style tend vers une monumentalité des formes.

Spavento, Giorgio (actif à Venise à la fin du xvᵉ siècle – Venise vers 1509). Il succède à Mauro Codussi comme « proto » des procurateurs de San Marco. Il est l'auteur de la sacristie de la basilique et en reconstruit le campanile, abattu par la foudre (1498). Ses principales œuvres sont la petite cour des Sénateurs et l'église San Salvatore achevée par Tullio Lombardo, qui démontrent son attachement aux formes de Codussi. Ses éléments de construction sont empreints d'une monumentalité évocatrice de la Haute Renaissance.

Tiepolo, Giovanni Battista (Venise 1696 – Madrid 1770). Après avoir fait son apprentissage dans l'atelier de Gregorio Lazzarini, Tiepolo est, dès 1717, un peintre indépendant. Il reçoit de nombreuses commandes pour orner des églises et des palais de l'aristocratie vénitienne. De 1756 à 1758, il préside l'Académie des Arts de Venise. Devenu célèbre dans l'Europe entière, il est mandé dans différentes cours, entre autres en France, en Angleterre, en Russie et en Espagne, où il travaillera jusqu'à sa mort. Fresquiste de talent, admirateur fervent de Véronèse, aquafortiste et créateur d'allégories triomphantes (sacrées ou profanes), Tiepolo sera le dernier des grands décorateurs baroques d'Italie.

Tintoretto, Domenico Robusti, dit (Venise 1560 – Venise 1620). Fils de Jacopo, dont il reprit le sur-

Jacopo Tintoretto

nom, il dirigera l'atelier de son père avec l'aide de ses frères. Il se contentera de diffuser le style de Jacopo. À Venise, il travaille à la décoration de la salle de l'Avogadoria (Palais des Doges) et pour la Scuola San Giovanni Evangelista.

Tintoret, Jacopo Robusti, dit Tintoretto (Venise 1518 – Venise 1594). On ne sait quel maître le forma : Titien, Andrea Schiavone ou Paris Bordone ? Il est vrai que leur manière se retrouve peu ou prou dans son style. Ce qui est certain, c'est qu'il travaille déjà en indépendant à Venise, en 1539. Avec la *Cène* de l'église San Marcuola et le *Miracle de saint Marc* des Gallerie dell'Accademia (1547), il inaugure une série

d'œuvres créées pour la plupart à Venise, dont les célèbres décorations de la Scuola di San Rocco (1564-1588). Au cours des 20 dernières années de sa vie, il est chargé d'importantes commandes pour le Palazzo Ducale : images grandioses et spectaculaires, exaltant les gloires de la République et allégories mythologiques célébrant l'union et la concorde de l'État. Pour la cour de Mantoue, il avait déjà réalisé huit toiles représentant les fastes des Gonzague (1578-1580). Il s'est donc éloigné de la tradition vénitienne pour adopter un maniérisme plus dynamique, tout en dramatisant ses scènes par la lumière et des clairs-obscurs.

Titien, Tiziano Vecellio, dit (Pieve di Cadore 1490 – Venise 1576). Le plus grand peintre vénitien du Cinquecento se forma dans l'entourage de Gentile et Giovanni Bellini. Il poursuivit son éducation artistique chez le mosaïste Sebastiano Zuccato et avec Giorgione. En 1508-1509, il réalise avec ce dernier les fresques du Fondaco dei Tedeschi. Les premières fresques signées de sa main ont été peintes à Mantoue, pour la Scuola del Santo. À partir de 1515, il travaille entre autres pour les familles d'Este, Gonzague, Farnèse et della Rovere, ainsi que pour le roi de France. En 1533, il est nommé peintre à la cour de Charles Quint, qui lui confère l'Ordre de la Toison d'Or. En 1545-1546, il peint pour le pape Paul III. Vers la fin de sa vie; il entre au service de Philippe II d'Espagne.

Veneziano, Paolo (Venise, actif entre 1320 et 1362). Il se forma probablement dans le milieu des peintres inspirés par l'art byzantin, tout en refusant l'influence des Slaves byzantinisés. En revanche, il est intéressé par Giotto et par le naturalisme. Son style est caractérisé par des étoffes aux couleurs apparemment émaillées et agrémentées d'or, ainsi que par des jeux d'ombre et de lumière capricieux.

Véronèse, Paolo Caliari, dit (Vérone 1528 – Venise 1588). Fils d'un tailleur de pierres, il est dès 1541 l'élève et le collaborateur d'Antonio Badile, à Vérone. En 1553, il s'installe à Venise, où il restera toute sa vie, à l'exception d'un séjour à Rome (1560-1561). Il commence aussitôt à travailler dans la Sala del Consiglio dei Dieci du Palais des Doges. De 1555 à 1570, il décore l'église San Sebastiano. En 1561-1562, après le voyage à Rome, sont créées les célèbres fresques de la Villa Barbaro à Maser (près de Trévise). À la mort de Titien (1576), il devient le peintre officiel de la République. Il est renommé pour ses fresques (aux murs et aux plafonds), ses retables, ses histoires mythologiques et ses portraits. Il crée de fastueuses scénographies où ses personnages évoluent au milieu de structures architecturales palladiennes et renforce la puissance de ses compositions par les jeux de lumière et l'éclat des coloris. Après sa mort, son atelier sera repris par son frère Benedetto et par ses fils, Carlo et Gabriel. Titien, Tintoret et Véronèse forment le trio des grands maîtres du Cinquecento vénitien.

Verrocchio, Andrea del (Florence 1435 – Venise 1488). Orfèvre, peintre et sculpteur, il est fortement influencé par Donatello et devient le maître de l'école florentine à la mort de celui-ci. Son important atelier produit des statues délicates, au modèle très fin, des peintures, des cuirasses et des ouvrages d'art complexes, tel le dôme de la coupole du dôme de Florence. En 1486, Verrocchio se rend à Venise. Il y crée la

Titien

statue équestre du célèbre condottiere Bartolomeo Colleoni, qui se dresse sur le campo, devant l'église Santi Giovanni e Paolo. Son activité picturale est des plus discutées : on pense que la plupart de ses œuvres ont été réalisées en collaboration avec ses élèves, dont le plus célèbre était Léonard de Vinci, qui peignit avec lui un *Baptême du Christ* (vers 1470-1480), aujourd'hui aux Uffizi (Offices) de Florence.

Vittoria, Alessandro (Trente 1525 – Venise 1608). Après son installation à Venise (1542), il entre dans l'atelier de Jacopo Sansovino et réalise avec lui les sculptures de Libreria Marciana (1550). Ensuite, il travaille en indépendant dans la Cité des Doges et en Vénétie. Après Sansovino, Vittoria est tenu pour le sculpteur le plus doué du XVIᵉ siècle. La part la plus originale de son œuvre réside dans ses portraits, souvent exécutés en terre cuite, façon bronze ou or, et intégrés dans des monuments funéraires.

Vivarini, Alvise (Venise vers 1445 – Venise vers 1504). Commence sa carrière avec son père, Antonio Vivarini, et avec son oncle Bartolomeo. Il sera influencé par Giovanni Bellini et par Antonello da Messina. Son œuvre maîtresse est la décoration de la Sala del Maggior Consiglio, qui disparut dans les flammes en 1577. À l'origine imprégné de celui de son père et de son oncle, son style s'oriente ensuite vers celui de Mantegna. À partir de 1480, les formes qu'il réalise se font plus sereines et plus délicates, à la manière de Bellini. La lumière « à l'Antonello » et l'intimité lyrique de ses toiles permettent de considérer Alvise Vivarini comme un des maîtres de Lorenzo Lotto.

Vivarini, Antonio (Murano vers 1420 – Murano vers 1486). Fondateur d'une lignée de peintres, il appartient à la période transitoire entre la culture médiévale et celle de la Renaissance, qui se manifeste à Venise par la présence simultanée de formes byzantines et d'éléments formels d'origine florentine. Père de l'École de Murano, il reste fidèle au gothique (contrairement à Jacopo Bellini, qui s'imprègne rapidement du style nouveau). Il finira par élargir son spectre stylistique, entre autres par des représentations de personnages définis par des volumes non gothiques.

Vivarini, Bartolomeo (Murano vers 1430 – Murano après 1491). Après avoir été l'élève de son frère aîné Antonio, il s'associe avec ce der-

nier pour fonder leur propre atelier. Contrairement à Antonio, qui reste encore fidèle au style traditionnel du gothique tardif et à celui du début de la Renaissance, il préfère se tourner vers un rendu détaillé à l'extrême, vers des contours acérés, vers des trompe-l'œil et des coloris puissants. Ses éléments décoratifs sont gais, comme le montrent ses fleurs et ses guir-

Paolo Véronèse

landes de fruits. Il est donc bien un peintre de la transition entre le début de la Renaissance et la Haute Renaissance.

Les formes architecturales vénitiennes

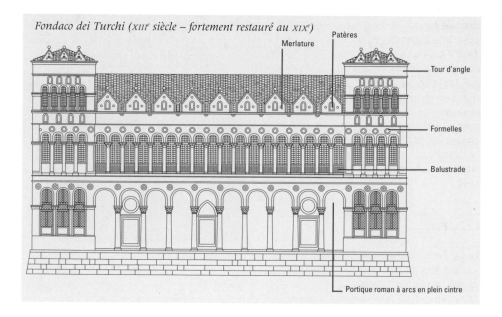

Fondaco dei Turchi (XIIIe siècle – fortement restauré au XIXe)

Merlature

Patères

Tour d'angle

Formelles

Balustrade

Portique roman à arcs en plein cintre

Les édifices profanes

Le Fondaco dei Turchi

le Fondaco dei Turchi fut restauré au XIXe siècle (1869), avec quelque fantaisie, par Giovanni Berchet, mais demeurent les caractéristiques de sa façade vénéto-byzantine : portique au rez-de-chaussée à ras de l'eau, arcades aux étages à loggias fermées et encadrement par des tours d'angle. On reconnaît ici le style du pinacle, les raides colonnes rondes et surtout le système d'ornementation, souvent avec des crénelures médiévales, des reliefs ronds (patères) et des reliefs figurés en forme de galets (formelles). Mais assurément, l'édifice du XIIIe siècle dut avoir une allure toute différente.

La Ca'd'Oro

La Ca' d'Oro est, avec ses arcs brisés et ses remplages de forme géométrique, un exemple typique du long attachement aux formes gothiques dans l'architecture palatiale des Vénitiens. Sur la façade, les fenêtres permettent de retrouver la répartition des espaces. Les loggias du premier et du deuxième étage annoncent les espaces de représentation. Les fenêtres latérales indiquent l'espace privé.

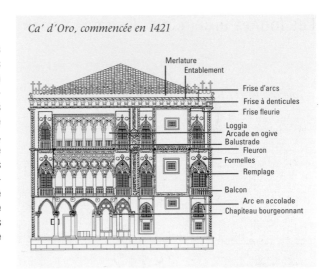

Ca' d'Oro, commencée en 1421

Merlature
Entablement

Frise d'arcs
Frise à denticules
Frise fleurie

Loggia
Arcade en ogive
Balustrade
Fleuron
Formelles
Remplage

Balcon
Arc en accolade
Chapiteau bourgeonnant

La Ca' Pesaro

La Ca' Pesaro illustre un grand nombre des formes architecturales qui furent pratiquées du XVIe au XVIIIe siècle à Venise. La partie sous eau s'allie au rez-de-chaussée revêtu d'un bossage en pointes de diamant et orné de mascarons pour offrir un socle aux étages. La façade des deux étages nobles se compose d'ouvertures en plein cintre encadrées de colonnes; situées en retrait de la structure, ces ouvertures contribuent à l'effet de clair-obscur.

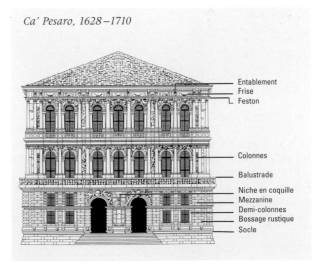

Ca' Pesaro, 1628–1710

Entablement
Frise
Feston

Colonnes

Balustrade

Niche en coquille
Mezzanine
Demi-colonnes
Bossage rustique
Socle

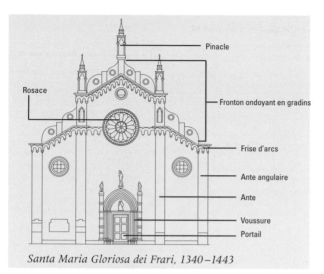

Pinacle

Rosace

Fronton ondoyant en gradins

Frise d'arcs

Ante angulaire

Ante

Voussure

Portail

Santa Maria Gloriosa dei Frari, 1340–1443

Les édifices sacrés

Santa Maria Gloriosa dei Frari
Cette église constitua le modèle typique à Venise, du moins jusqu'au milieu du XVᵉ siècle, de l'église gothique en brique rouge à trois nefs voûtées sur colonnes, dont la sobre façade était relevée d'ornementations en pierre blanche d'Istrie.

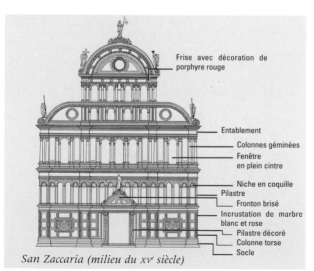

Frise avec décoration de porphyre rouge

Entablement

Colonnes géminées

Fenêtre
en plein cintre

Niche en coquille

Pilastre

Fronton brisé

Incrustation de marbre
blanc et rose

Pilastre décoré

Colonne torse

Socle

San Zaccaria (milieu du XVᵉ siècle)

San Zaccaria
San Zaccaria fut la première église vénitienne pourvue d'une façade de style Renaissance. Son revêtement de pierre est particulièrement caractéristique, ainsi que l'utilisation des arcs en plein cintre, les niches en coquille et l'équilibre optique des mouvements horizontaux et verticaux.

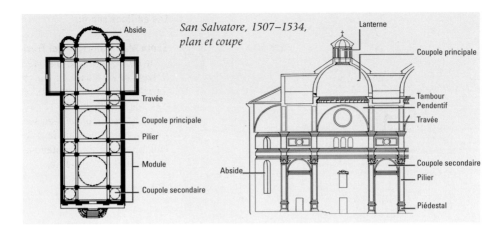

San Salvatore, 1507–1534, plan et coupe

Abside
Travée
Coupole principale
Pilier
Module
Coupole secondaire

Lanterne
Coupole principale
Tambour
Pendentif
Travée
Abside
Coupole secondaire
Pilier
Piédestal

San Salvatore

À la Renaissance, les architectes vénitiens renouèrent avec l'église en croix à coupole de l'époque byzantine. Ce plan d'église dérivait du module fondamental de la coupole sur piliers qui pouvait être articulé de différentes façons.

Il Redentore

Les frontons de temples, comme ceux que Palladio a dessinés ici, étaient empruntés à l'imagerie et à la représentation des temples antiques. Ils furent de ce fait souvent employés dans les églises à la Renaissance et à l'époque baroque.

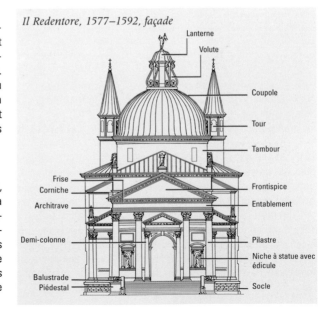

Il Redentore, 1577–1592, façade

Lanterne
Volute
Coupole
Tour
Tambour
Frise
Corniche
Architrave
Demi-colonne
Frontispice
Entablement
Pilastre
Niche à statue avec édicule
Balustrade
Piédestal
Socle

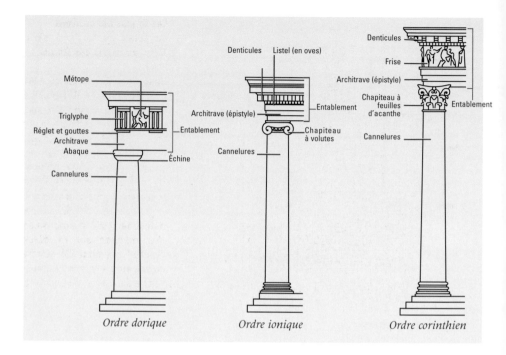

Métope

Triglyphe

Réglet et gouttes
Architrave
Abaque

Cannelures

Entablement

Échine

Ordre dorique

Denticules   Listel (en oves)

Architrave (épistyle)

Entablement

Chapiteau
à volutes

Cannelures

Ordre ionique

Denticules

Frise

Architrave (épistyle)

Chapiteau à
feuilles
d'acanthe

Cannelures

Entablement

Ordre corinthien

Les ordres de colonnes

Les colonnes antiques jouèrent à la Renaissance et à l'âge baroque un rôle considérable. On en distinguait trois ordres principaux : ionique, dorique et corinthien qui, à la Renaissance, furent utilisés de façon hiérarchique. Le corinthien (la colonne avec son chapiteau et l'entablement qui la surplombe) était considéré comme le plus élégant, alors que les ordres ionique et dorique étaient moins appréciés.

Les formes de coupoles

Les nombreuses coupoles qui trouvèrent leur application dans l'architecture sacrée vénitienne ont longtemps témoigné jusqu'aux Temps modernes des racines byzantines de Venise. Si elles furent dans les temps les plus anciens des adaptations directes des modèles byzantins, on assista pendant la Renaissance à un retour aux modèles typiquement antiques de la tradition architecturale vénitienne.

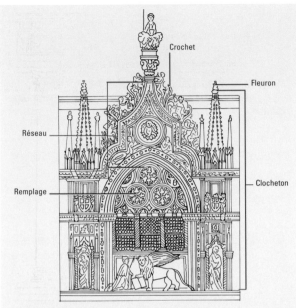

Crochet

Fleuron

Réseau

Clocheton

Remplage

Le frontispice de la Porta della Carta

Les formes décoratives
Le décor de la Porta della Carta au Palais des Doges

Réalisée entre 1438 et 1441 par Giovanni et Bartolomeo Buon, la décoration qui surmonte la Porta della Carta est un exemple du style gothique qui se superpose aux r e s t e s d'une porte plus ancienne. Elle est couronnée d'une représentation de la Justice. Un tableau de Gentile Bellini datant de 1496, *La procession des reliques sur la place Saint-Marc* (voir p. 90), montre qu'elle était à l'origine rehaussée de dorures et de couleurs.

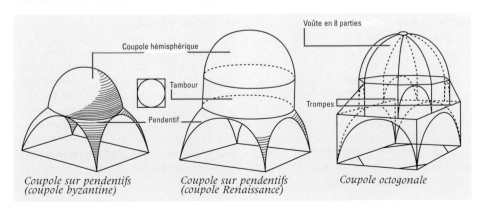

Coupole hémisphérique

Voûte en 8 parties

Tambour

Trompes

Pendentif

*Coupole sur pendentifs
(coupole byzantine)*

*Coupole sur pendentifs
(coupole Renaissance)*

Coupole octogonale

Bibliographie

Arslan, Edorado, *Venezia gotica*, Milan 1986.

Bailly, Auguste, *La Sérénissime République de Venise*, Paris 1946.

Barovier Mentasti, Rosa, *Il vetro veneziano*, Milan 1982.

Bassi, Elena, *Architettura dei Sei e Settecento a Venezia*, Naples 1962.

Bassi, Elena, *Palazzi di Venezia*, Venise 1976.

Benzoni, Gino (édit.), *I Dogi*, Milan 1982.

Braudel, Fernand, *Venise*, Paris.

Braunstein, Pierre et **Delort**, Robert, *Venise, portrait historique d'une cité*, Paris 1971.

Chambers, David, *The imperial age of Venice*, Londres 1970.

Concina, Ennio, *Le chiese di Venezia*, Udine 1995.

Cooperman, Bernard et **Curiel**, Roberta, *Il ghetto di Venezia*, Venise 1990.

Daru, Pierre Bruno comte, *Histoire de la république de Venise*, Bruxelles 1840.

Dazzi, Manlio et **Merkel**, Ettore, *Catalogo della Pinacoteca della Fondazione scientifica Querini Stampalia*, Venise 1979.

De Coster, Léon et **Baricchi**, Walter, *Promenades architecturales à Venise*, Tournai 1995.

Demus, Otto, *The church of San Marco in Venice*, Washington 1960.

Demus, Otto, *The mosaics of San Marco in Venice*, Chicago-Londres 1984.

De Vecchi, P., *Tout l'œuvre peint de Tintoret*, Paris 1971.

Diehl, Charles, *La république de Venise*, Paris 1967.

Di Martino, Enzo, *La Biennale di Venezia, Cento anni di arte e cultura*, Milan 1995.

Dorigo, Wladimiro, *Venezia origini*, Milan 1983.

Dorigo, Wladimiro, *I mosaici medievali di San Marco nella storia della basilica*, Milan 1990.

Flint, Lucy, **Childs**, Elizabeth C. et **Messer**, Thomas M., *La collezione Peggy Guggenheim*, Washington 1983.

Fontana, Gianjacopo et **Moro**, Marco, *Venezia monumentale, I palazzi*, Venise 1967.

Franzoi, Umberto et **di Stefano**, Diana, *Le chiese di Venezia*, Venise 1976.

Howard, Deborah, *Jacopo Sansovino, Architecture and patronage in Renaissance Venice*, New Haven-Londres 1976.

Howard, Deborah, *The architectural history of Venice*, Londres 1980.

Humphrey, Peter, *The altarpiece in Renaissance Venice*, New Haven-Londres 1993.

Humphrey, Peter, *La peinture de la Renaissance à Venise*, Paris 1996.

Lane, Frederic C., *Venise, une république maritime*, Paris 1985.

Levey, Michaël, *La peinture à Venise au XVIIIe siècle*, Paris 1964.

Mangini, Nicola, *I teatri di Venezia*, Milan 1974.

Martineau, Jane et **Robinson**, A. (édit.), *The glory of Venice*, New Haven-Londres 1994.

Martineau, Jane et **Hope**, Charles (édit.), *The genius of Venice*, Londres 1983.

Molmenti, P. G., *La vie privée à Venise depuis les premiers temps jusqu'à la chute de la République*, Venise 1882.

Muraro, Michelangelo et **Marton**, Paolo, *Civilisation des villas vénitiennes*, Paris 1987.

Norwich, John Julius, *Histoire de Venise*, Paris 1989.

Pallucchini, Rudolfo, *La pittura veneziana del Settecento*, Venise-Rome 1960.

Pallucchini, Rudolfo, *La pittura veneziana del Trecento*, Venise-Rome 1964.

Pallucchini, Rudolfo, *La pittura veneziana del Seicento*, Milan 1981.

Pavanello, Giuseppe et **Romanelli**, Giandomenico (édit.), *Venezia nell'Ottocento*, Milan 1983.

Perocco, Guido et **Salvadori**, Antonio, *Civilta di Venezia*, Venise 1973-1976.

Pignatti, Terisio, *Il Museo Correr di Venezia, Dipinti del XVII e XVIII secolo*, Venise 1960.

Pignatti, Terisio, *L'art vénitien*, Paris 1992.

Pignatti, Terisio et **Pedrocco**, F., *Véronèse, Catalogue complet des peintures*, Paris 1992.

Pullan, Brian, *Rich and poor in Renaissance Venice*, Oxford 1971.

Puppi, L. (édit.), *Palladio e Venezia*, Florence 1982.

Romanelli, Giandomenico, *Venezia Ottocento*, Rome 1977.

Romanelli, Giandomenico, *Venice, Art and architecture*, Cologne 1997.

Romanelli, Giandomenico, *Venezia, L'arte nei secoli,* Udine 1997.

Romanin, S., *Storia documentata di Venezia*, Venise 1853-1861.

Rosand, David, *Titien*, Paris 1993.

Rosand, David, *Peindre à Venise au xvie siècle, Titien, Véronèse, Tintoret*, Paris 1993.

Rowdon, Maurice, *The fall of Venice*, Londres 1970.

Ruskin, John, *Les pierres de Venise,* Paris 1983.

San Marco, I mosaici, la storia, l'illuminazione, Milan 1990.

Siècle de Titien (Le), L'âge d'or de la peinture à Venise, Catalogue de l'exposition du Grand-Palais, Paris 1993.

Scirè Nepi, Giovanni, *Gallerie dell'Accademia,* Venise 1991.

Semenzato, Camillo, *La scultura veneta del Seicento e del Settecento,* Venise 1966.

Tafuri, Manfredo, *Venezia e il Rinascimento, Religione, scienza e architettura,* Turin 1985.

Tafuri, Manfredo, *Jacopo Sansovino e l'architettura del '500 a Venezia*, Padoue 1969.

Tafuri, Manfredo, *Architecture et humanisme de la Renaissance aux réformes*, Paris 1981.

Tamassia Mazzarotto, Bianca, *Le feste veneziane,* Florence 1982.

Tassini, Giuseppe, *Feste e spettacoli, divertimenti e piaceri degli antichi Veneziani*, Venise 1961.

Tempestini, A., *Giovanni Bellini, Catalogue complet des peintures,* Paris 1993.

Vitoux, Frédéric, *L'art de vivre à Venise,* Paris 1990.

Vitruve, *Les dix livres d'architecture,* Paris 1995.

Wolters, Wolfgang, *La scultura veneziana gotica (1300-1460),* Venise 1976.

Zorzi, Alvise et **Marton**, Paolo, *Les plus beaux palais vénitiens*, Paris 1989.

Index

Accademia 20, 32, **71**, 260, 266, 366, 458
Antonello da Messina 189, 542
Arsenal 63, 418, 419, **482 - 485**
    Portail 419, 484
    Tour de guet 483
Ateneo Veneto 85, 204
Bambini, Niccolò 284, 542
Barbari, Jacopo de 15
Basaiti, Marco 232, 543
Bassano, Francesco 10, 314, 478, 543
Bella, Gabriel 134, 142, 144, 150, 360, 441, 442, 444, 455, 457, 543
Bellini, Gentile 16, 90, 91, 248, 544
Bellini, Giovanni 78, 189, 212, 232, 244, 312, 314, 315, 316, 319, 383, 410, 411, 423, 473, 477, 478, 504, 544
Berka, Johann Heinrich 280, 283
Biennale 486
Bombelli, Sebastiano 452, 453, 544
Bonnet, Louis Marin 281
Bordone, Paris 350
Borsato, Giovanni 190
Boschetti, Lorenzo 73, 544
Bovolo, Scala del 85
Bregno, Antonio 132, 235, 544, 544
Bregno, Paolo 235, 544 - 545
Brustolon, Andrea 273, 376,
Buon, Bartolomeo 70, 132, 381, 545
Burano 508
Ca' Foscari 25, 32, 61, **66**, 69
Ca' Pesaro **44**, 206, 207, 273
Ca' d'Oro 47, 51, 224, 364

Ca' da Mosto 59
Ca' Dario 74
Ca' del Duca 70
Ca' Grande 74
Ca' Lion-Morosini 225
Ca' Rezzonico 69, 273, 276
Ca' Rezzonico, Musée **273 - 279**, 309
Cadorin, Ludovico 198, 545
Calendario, Filippo 128, 169, 545
Campagna, Girolamo 159, 479, 545
Campo del Ghetto Nuovo 372 - 379
Campo San Angelo 227
Campo San Polo 220, 221
Canaletto, Antonio **330 - 333**, 455, 546
Candi, Giovanni 209, 546
Cannaregio 364
Canova, Antonio 72, 241, 546
Carnaval 440 - 445
Carmini, église des 286 - 289
    Intérieur 286
Carpaccio, Vittore 9, 91, 312, 314, 437, 438, 439, 547
Carriera, Rosalba 314, 329, 547
Casa Goldoni 222
Casanova, Giacomo 280 - 283
Casina delle Rose 72
Castagno, Andrea del 121, 424, 425, 542
Castello 418
Chirico, Giorgio de 337, 547
Cima da Conegliano 288, 312, 314, 317, 383, 434, 548
Codussi, Mauro 38, 65, 137, 183, 406, 408, 420, 446, 458, 492, 496, 497, 548

Collection Peggy Guggenheim 73, **334-339**
Correr, musée 187
Deposito del Megio 39
Diable, pont du 513
Dogana da Mar 81
Doges, palais des : voir Palazzo Ducale
Donatello 233, 243, 475
Dorsoduro 266-339
Ernst, Max 336, 549
Fabbriche Nuove 48
Fenice, teatro la 193, 204
Florian, Café 84, 194, **198**
    Salon mauresque 198
Fondaco dei Tedeschi **51**, 373, 385, 414
Fondaco dei Turchi 40
Fortuny, musée 84, **206**
Fortuny y Madrazo, Mariano 207, 549
Foscari, Francesco 14, 15, 16, 66, 126, 130, 132, 155, 235
Frari, église des 230-235, 236, 244, 468, 470, 481
    Chapelle des Florentins 243
    Chœur 235
    Intérieur 231
Fumiani, Giovanni Antonio 270, 550
Galleria Giorgio Franchetti 385-391
Gallerie dell'Accademia 71, 125, 248, **310-329**
Gambello, Antonio 366, 420, 484, 550
Gesuati, église des 302-305
Gesuiti, église des 365, **394-397**
    Intérieur 395
Giacomelli, Vincenzo 193
Giambono, Michele 121, 387 550
Giorgione 51, 314, 315, 319, 385, 408, 410, 550
Giotto 310, 550-551
Giudecca 342-353
Gondoles, fabrication de 300
Grand Canal 25-81

Grevembroch, Giovanni 375, 443
Gribera, Dalla 196
Grigi, Gian Giacomo de' 55, 252, 550
Grigi, Guglielmo de' 54, 55, 552
Gritti, Andrea 49, 139
Guardi, Francesco 391, 551
Guardi, Giovanni Antonio 295, 314, 328, 329, 330, 391, 430, 552
Guariento 152, 153, 552
Guggenheim, collection Peggy 73, **334-339**
Heintz le Jeune, Joseph 221, 552
Jacobello del Fiore 311, 314, 552
Jacobello dalle Masegne 115
Lido 12, 39, **488**
Lombardo, Pietro 74, 137, 260, 405, 458, 474, 552
Lombardo, Sante 432, 553,
Lombardo, Tullio 210, 460, 461, 476, 553
Longhena, Baldassare 34, 44, 69, 77, 284, 344, 553
Longhi, Pietro 198, 278, 279, 440, 450, 455, 456, 553
Lotto, Lorenzo 288, 314, 553
Maccaruzzi, Bernardo 71, 554
Madonna dell'Orto 364, **380-383**
    Intérieur 383
Manin, Daniele 192, 193, 194, 195, 197
Mantegna, Andrea 121, 364, 388, 425, 457, 554
Marco Polo 398-403
Mariano, Sebastiano 286, 554
Marini, Marino 334, 554-555
Martini, Francesco di Giorgio 289, 549-550
Massari, Giorgio 38, 66, 69, 71, 273, 433, 554-555
Mengozzi, Colonna Gerolamo 368, 548
Meyring, Heinrich 201, 555
Monteverdi, Claudio 232, **236-241**
Morlaiter, Giovanni Maria 38, 555
Mulino Stucky 342, 348

Murano 500
Niccolò di Pietro 405
Padovano, Lauro 477, 555
Pala d'Oro 117, 414, 415
Palazzo Bembo 60
Palazzo Contarini alle Figure **65**, 209
Palazzo Contarini del Bovolo **209**
    Tour de l'escalier 209
Palazzo Corner della Regina 45
Palazzo Corner-Spinelli 65
Palazzo da Mula 500, **505**
Palazzo Dario 62, **74**
Palazzo dei Camerlenghi 49
Palazzo Dolfin-Manin 63
Palazzo Ducale 9, 10, 13, 14, 18, 21, 47, 58, 61, 66, 77, 81, 86, 89, 96, **126-137, 144-166**, 178, 184, 197, 282, 283, 296, 333
    Rez-de-chaussée 145
    1er étage 146
    2e étage 148
    3e étage 156-157
    Anticollegio 160
    Cour intérieure **137**, 146
    Escalier d'or **147**, 156
    Escalier des Géants **132**, 134
    Façade 126, 128, 129, 130
    Porta della Carta 130, 569
    Salle des Quatre-Portes 156, **159**, 160, 164, 163, 164, 166
    Salle du Collège 162
    Salle du Conseil des Dix 156, **164**, 168-169
    Salle du Grand Conseil **149-153**, 155, 163, 168, 169
    Salle du Scrutin 148, 149, **155-157**
    Salle du Sénat 156, **163**
Palazzo Giustinian 69

Palazzo Grassi 66
Palazzo Grimani 54
Palazzo Labia **36**, 368-371
Palazzo Papadopoli 55, 56
Palazzo Querini Stampalia 418, **449-457**
    Entrée 449
    Chambre à coucher 454
Palazzo Treves 378
Palazzo Vendramin-Calergi **38**, 73, 488
Palazzo Venier dei Leoni **73**, 334
Palladio, Andrea 52, 118, 156, 160, 172, 344, 346, 347, 348, 349, 358, 359, 467, 481, 485, 555
Palma le Jeune, Jacopo 204, 478, 556
Palma le Vieux, Jacopo 451, 556
Pescheria 47
Peste 462-467
Piazzetta, Giovanni Battista 38, 42, 304, 305, 556-557
Piazzetta 77, 84, 168, **172-181**, 211, 306, 391, 444
    Bibliothèque 175
    Loggetta 84, **180-181**
    Libreria Vecchia 84, **172**, 176, 177, 184, 391
    Prisons 84, 144, 172, **178**
    Zecca 177
Picasso, Pablo 338, 557
Pietà 418, **433**
Piombo, Sebastiano del 408, 410, 560
Pittoni, Giovanni Battista 325
Pollock, Jackson 339, 557
Ponte, Antonio da 52, 178, 542
Pordenone 385, 557
Querena, Lattanzio 194, 195
Raverti, Matteo 47, 558
Redentore, église du 344-347, 467
    Intérieur 346

Rialto 8, 20, 25, 32, 48, 49, 177, 183, **218**, 364, 408, 414

Rialto, pont du **52**, 178

Ricci, Marco 314, 326, 558

Ricci, Sebastiano 327, 558-559

Rizzo, Antonio 132, 137, 458, 559,

Rossi, Domenico 41, 45, 559

Saint-Marc (basilique) : voir San Marco

Saint-Marc (place) : voir San Marco, Piazza

San Francesco della Vigna 419, 481

San Geremia 36

San Giacomo dell'Orio 262

    Intérieur 262

San Giorgio dei Greci 432

San Giovanni in Bragora 418, 426, **434**

San Giacomo di Rialto 219

San Giobbe 364, **366-367**

    Cappella Martini 364, 367

San Giorgio Maggiore 81, 481, **356-361**

    Façade 357

    Nef 359

    Intérieur 358

San Giovanni Crisostomo 408-411

San Marco 85, **89-121**, 183, 190, 210, 237, 240, 311, 413, 414, 427

    Baptistère 102-103, **112**

    Chapelle des Mascoli 102, **121**

    Coupole 89, 96, **99**, 105, 108

    Mosaïques 96, **102-112**, 121, 122, 123, 124, 413

    Portail 92, **95**

    Intérieur 89, **106**

    Façade 92, 99-100

San Marco, Piazza 58, 84, 90, **183-189**, 194, 195, 197, 198, 220, 440, 443, 468, 480

    Aile Napoléonienne 186

    Campanile 84, 183

Procuraties 91, **184**, 185, 186, 194, 198

Torre dell'Orologio 85, 183

San Marcuola 37

San Michele in Isola 492-497

    Cappella Emiliani 496-497

    Cimetière 494

    Intérieur 496

San Moisè 84, **201**

San Nicolò dei Mendicoli 266, **296-299**

    Intérieur 299

San Pantalon 270

San Pietro di Castello 485

San Pietro Martire 500, **502**

    Intérieur 502

San Polo 216

San Salvatore **210**, 212, 317

San Sebastiano 291-293

    Intérieur 291

San Simeone Piccolo 35

San Stae 40

San Stefano 84, **202**, 385

    Intérieur 203

    Portail 202-203

San Trovaso **301**, 349

San Zaccaria 137, 418, **420-425**

    Cappella di San Tarasio 424

San Zanipolo 330, **468-480**

    Chœur 470

    Intérieur 470

    Portail 468

    Tombeaux des Doges 472-476

Sanmicheli, Michele 54

Sansovino, Jacopo 48, 52, 63, 74, 79, 112, 118, 147, 172, 175, 176, 177, 178, 180, 181, 185, 211, 251, 257, 332, 481, 497, 559

Sant' Angelo Raffaele 294

Santa Croce 216

Santa Fosca 512
Santa Maria Assunta 230, 302, 365, **395-397**, 510
  Intérieur **395**
Santa Maria degli Scalzi 34
Santa Maria dei Miracoli 365, **405-407**
  Intérieur **406**
Santa Maria della Salute **77**, 79, 282, 467
Santa Maria della Visitazione 433
Santi Maria e Donato 500, **507**
Santa Maria Formosa 412, 414, 419, **446-447**, 449
  Façade 447
Santa Maria Zobenigo 11, **201**
Santi Apostoli 365, **392**
  Plafond 392
Santi Giovanni e Paolo 468-480
Sardi, Giuseppe 34
Savoldo, Girolamo 366, 559
Scalfarotto, Giovanni Antonio 34, 560
Scamozzi, Vincenzo 52, 172, 184, 560
Scarpa, Carlo 449, 486, 560
Scarpagnino, 65, 257, 291, 560
Scuola di San Giorgio degli Schiavoni 418,
  436-439
Scuola Grande della Misericordia **251-252**, 365
Scuola Grande di San Giovanni Evangelista 91,
  247, 248, **260**, 314
Scuola Grande di San Marco 246, 321, 330, 419,
  458-461
Scuola Grande di San Rocco 250, **252-258**
  Albergo 252, 253, 255
Scuola Grande di Santa Maria del Carmine 284
Scuola Levantina 373, 376
Soupirs, pont des 85, 144, 146, **178**
Soli, Giuseppe Maria 186
Spavento, Giorgio 210, 561
Teatro La Fenice 193, 204

Tiepolo, Giovanni Battista 42, 166, 167, 168, 170,
  220, 273, 274, 276, 284, 303, 305, 314, 324, 325,
  327, 360, 364, 368, 371, 383, 384, 452, 453, 561
Tintoretto, Domenico 13, 478, 561
Tintoret 125, 148, 150, 152, 153, 160, 163, 252, 253,
  255, 257, 259, 314, 321, 361, 458, 561
Titien 51, 77, 78, 79, 118, 122, 138, 157, 175, 212,
  232, 240, 242, 244, 305, 314, 319, 320, 321, 322,
  323, 385, 389, 397, 408, 478, 479, 562
Tremignon, Alessandro 36
Van Dyck, Antoine 388, 389, 548
Van Eyck, Jan 386, 549
Veneziano, Paolo 310, 314, 315, 562
Véronèse, Paolo 56, 118, 152, 160, 165, 167, 175,
  292, 293, 305, 314, 322, 323, 473, 478, 479, 562
Verrocchio, Andrea del 418, 480, 542
Vittoria, Alessandro 147, 159, 211, 479, 563
Vivaldi, Antonio **426-431**, 433
Vivarini, Alvise 232, 563
Vivarini, Antonio 270, 563
Zattere **268**, 302
Zecca 177
Zitelle 343, **348-349**

Crédits iconographiques

La plupart des illustrations de ce livre proviennent de l'Istituto Fotografico Editoriale SCALA à Florence. L'éditeur remercie également les musées, collections, archives et photographes pour les autorisations de reproduction qu'ils ont concédées et pour leur soutien à la réalisation de cet ouvrage.

Archiv für Kunst und Geschichte, Berlin (191, 239, 280, 281, 400, 401, 402, 403, 426) ; Artothek, Peissenberg, photo Joachim Blauel (430-431) ; Bildarchiv Preussischer Kulturbesitz, Berlin (283) ; Oswaldo Böhm, Venise (4-5, 6-7) ; © Cameraphoto-Arte, Venise (2, 22-23, 66, 96-97, 104, 109, 114, 120, 131, 139, 147, 153, 168, 172-173, 175, 178, 183, 199, 202 droite, 206, 207, 208, 210, 211, 214-215, 219, 224, 225, 235, 250, 253, 256, 260, 264-265, 268 gauche, 271, 288, 340-341, 362-363, 376, 377, 378, 379, 408, 412, 435, 490-491, 498-499, 514-515) ; Astrid Fischer-Leitl, Munich (85, 217, 267, 342-343, 364-365, 419, 492, 501) ; Foto Flash de Zennaro Elisabetta, Venise (351 droite, 463) ; Gemäldegalerie Alte Meister, Dresde (56-57) ; Giovetti Fotografia & Communicazioni Visive, Mantoue (241) ; Herzog August Bibliothek, Wolfenbüttel (58) ; © Markus Hilbich, Berlin (24-25, 32-33, 36, 40, 47, 48, 52-53, 59, 61, 63 bas, 67, 82-83, 92, 94, 95, 98, 100, 101, 112, 118, 119, 129, 130, 145 bas, 176, 186, 187, 198, 218, 222-223, 247, 251, 263, 272, 282, 296, 297, 300, 334, 354-355, 367, 374, 381, 382, 383, 384, 392, 393, 394, 395, 416-417, 447, 468, 485, 494-495, 497, 502, 510, 513) ; Rolf Krause, Essen (26 à 31, 103, 146, 148, 156, 224 droite, 232-233, 315, 398, 473, 487, 517, 518, 519, 522, 523, 524, 526, 528 bas, 530, 531, 534, 535, 564 à 569) ; Magnus Edizioni, Fagagna (132, 174, 177, 373) ; Ministero per i Beni e le Attività Culturali, Milan (350) ; Museo Correr, Venise, photo Fotoflash (16 gauche, 190, 197, 351 gauche, 375, 428, 443) ; Eduard Noak, Cologne (237) ; © The National Gallery, Londres (16 droite) ; © Raccolta Teatrale del Burcardo, Rome (307) ; © Sammlung Georg Schäfer, Schweinfurt (464-465).